ROMAN

Andrew M. Greeley

Chant d'Amour

Phidal

NOTE DE L'EDITEUR

Cette oeuvre est strictement fictive. Les noms, les personnages, les endroits et les incidents ne sont que le fruit de l'imagination de l'auteur ou sont utilisés fictivement, et toute ressemblance avec des événements, des lieux ou des personnes réelles, vivantes ou non, est purement accidentelle.

Paru sous le titre **Love Song**

Traduit de l'anglais par

T.A. Henri

ISBN 2-89393-111-1

ÉTÉ

Cinquième chant

Amant:

Les filles sont nombreuses, mais c'est toi que j'adore,
Femme sauvage et passionnée, amie fidèle,
Sans toi mes heures semblent éternelles.
Où étais-tu, mon soleil, ma lune, mon aurore?
Tu ne peux plus t'échapper, je te retiens.
Ne prétends pas vouloir t'enfuir,
Calmement, laisse-moi te dévêtir!
Tremble sous mes doigts, tu m'appartiens,
Ton corps est l'oeuvre d'un merveilleux sculpteur,
Sur ta poitrine blanche retombent tes cheveux,
Me laissant percevoir tes seins fermes et gracieux
Dont la saveur suffit à me briser le coeur.
Au creux de tes merveilleuses cuisses:
Une vallée profonde distille un vin parfumé
Et les lys fleuris s'entrelaçant avec les blés
Attirent mon regard et en font les délices.
Je vais saisir les fruits, les porter à mes lèvres.
Puis, avec tendresse, affamé, pasionné,
Je nagerai dans les eaux parfumées
Et les savourerai pour apaiser ma fièvrc!

Amante:

Je serai le vin blanc qui étanche ta soif
Et la bouchée de choix qui taquine ta bouche.
Une prime frémissante étendue sur ta couche,
Un navire pillé pour tes festins nocturnes,
Un trophée soumis que tu puisse emporter
Dans la cache aux trésors de ton pays féérique.
Une esclave consentante sous tes doigts magiques,
Un don total très doux, aimant et passionné!

Amant:

Elle dort maintenant, mon innocente enfant
Ne la réveillez pas, bons vents, adorez son sourire charmant!

Chant d'amour, 6:4–8:4

PROLOGUE

Diana Lyons sentait ses yeux qui la déshabillaient. Lentement, prudemment, avec des gestes d'une lenteur calculée, son imagination la débarrassait de ses vêtements et se repaissait de sa nudité.

Au troisième trou du Country Club de Long Beach.

Et à sa grande surprise, c'était une sensation agréable, une sorte de bain parfumé d'admiration et de désir. Pourtant, il n'était qu'une sorte d'enfant attardé, gâté, malhonnête, dont le père avait ruiné celui de Diana, pauvre vieux papa, qui, en ce moment même, l'oreille collée à sa radio, était probablement en train de suivre les exploits des White Sox et de rêver au « bon vieux temps » où les joueurs de baseball s'appelaient Billy Pierce, Minnie Minoso et « Little Nellie » Fox.

Il aurait dû être en prison. D'ailleurs, les services de Diana le mettraient en prison. Elle ne s'occupait pas de l'affaire elle-même, mais il était sur la liste noire du bureau du Procureur des Etats-Unis pour le district nord de l'Illinois.

Il semblait admirer son corps avec respect, la convoiter, mais sans vulgarité.

— Priorité aux gagnants, annonça-t-elle d'une voix qu'elle espérait calme et contrôlée.

— N'en rajoutez pas. Il posa sur elle un regard tendrement caressant.

Toute cette douceur faisait certainement partie d'un rôle soigneusement travaillé. Car pour déclencher un émoi pareil chez une femme, on ne pouvait être qu'un acteur consommé. C'était cela : cet homme n'était qu'un comédien qui cherchait à l'exploiter. Elle décida d'en rajouter.

— Vous avez raté un *putt* moins d'un mètre.

Il se laissa aller sur un banc, beau garçon aux longs cheveux blonds et aux yeux bleu d'acier, son corps musculeux détendu sous un T-shirt et des jeans raccourcis. Mignon. Non, adorable.

— Un péché mortel, effectivement. Je vous demande pardon, fit-il en s'adossant plus confortablement.

Elle devina qu'il lui effleurait mentalement les seins. Pas brutalement, ni lascivement, mais avec une sorte de révérence admirative. Il me veut. Corps et âme. Autant que le voyageur perdu dans le désert veut de l'eau. N'arrête pas...

11

Si! Arrête! Tu n'as aucun droit sur mon corps; pas plus que sur mon âme.

Bon sang! Je ne peux pas lui dire d'arrêter sans que ça devienne encore pire. Je n'avais encore jamais pris plaisir à être considérée comme un objet sexuel. Et en plus, il faut que ça vienne de quelqu'un que je suis censée détester.

Mais je suis injuste. En fait, ce serait plutôt de l'adoration. Elle appuya son sac de golf contre un arbre, en tira son bois numéro deux et se dirigea vers le *tee* comme si le regard qui la suivait si intensément n'existait pas.

Comme je voudrais qu'il m'embrasse!

— Bois deux? Il fronça un sourcil.

— Dogleg vers la gauche. Il me faut environ deux cents yards.

C'était son père, un amoureux incurable des sports, même maintenant que sa santé était chancelante, qui lui avait appris à jouer au golf. Et voilà qu'elle le trahissait en même temps que tout ce qu'il lui avait enseigné.

— Si c'est ce qu'il vous faut, je suis certain que vous réussirez, répliqua-t-il avec un sourire approbateur.

J'ai envie d'être nue pour lui, pensa-t-elle. J'ai envie d'être étendue sur l'herbe avec lui sur moi. J'ai envie qu'il me couvre de ses baisers. Partout.

Elle chassa ces dangereuses images de son esprit. Elle n'aurait pas dû accepter une partie de golf avec un homme sur qui ses services enquêtaient et qu'ils risquaient d'inculper. Elle souhaitait ardemment être chargée de son procès, tout en craignant de ne pas être à la hauteur, par manque d'expérience. Et elle n'avait pas pu résister à l'occasion qui s'offrait de passer un peu de temps avec lui. Cela n'avait rien de répréhensible, pas encore en tout cas. Et il est bon de connaître son ennemi, s'était-elle dit.

Mais voilà que les choses étaient bouleversées. Je suis entichée de lui! Ce n'est pas de l'amour, loin de là, pensa-t-elle bravement. Seulement une toquade. Comme une idiote de collégienne.

D'autres hommes l'avaient déjà évaluée d'un œil critique, se demandant probablement, s'était-elle dit, si une fille aussi grande et aussi robuste pouvait être bonne au lit. Sa réaction avait été indifférente ou offensée. Et maintenant, voilà qu'un homme qu'elle était censée mépriser jaugeait sa féminité, et qu'elle fondait sous son regard!

J'ai intérêt à me méfier, se dit-elle tout en plaçant sa balle sur le *tee*. Après tout, ce n'est qu'une partie de golf et pas les préparatifs à une audience au tribunal... ni le commencement d'une aventure.

— Tapez fort! l'encouragea-t-il avec un petit rire.

Faisant appel à toute sa volonté, elle se força à se concentrer sur la petite balle. Tandis qu'elle se cambrait, elle sentit son regard qui savourait le mouvement. Non, se dit-elle, je ne vais pas penser à lui.

La balle partit comme un boulet de canon. Cent quatre-vingt-dix yards. Pas parfait, mais satisfaisant.

Dieu merci, je n'ai pas perdu mon sang-froid.

Peut-être qu'il n'est pas si méchant? Peut-être n'est-ce qu'un gentil garçon qui a quelques problèmes et qui a besoin de quelqu'un pour s'occuper de lui? Quelqu'un qui serait une maîtresse au lit et une amie ailleurs? Quelqu'un comme moi...

Corps et âme.

Un amant et un ami... Elle n'avait jamais connu personne qui aurait pu être les deux à la fois : agréable et drôle, masculin mais plein de considération, fort et vulnérable; un homme-enfant adorable.

Corps et âme.

Si seulement... si seulement son père n'avait pas fait perdre son emploi à Papa. Si Mamma ou Papa savaient qu'elle jouait au golf avec lui!

Elle préférait ne pas y penser : Mamma exploserait comme l'Etna, et Papa resterait silencieux, remarquant tristement que sa dernière enfant l'avait trahi, comme tous les autres.

— Superbe, Diana! Le rire de baryton de Conor retentit derrière elle.

— Il y avait une virgule entre les deux mots? Un centième de seconde après, elle se maudit intérieurement.

1

Au septième trou, quand elle manqua un *putt* à un mètre, Conor Clarke décida qu'elle devait être extrêmement dure avec elle-même; avocat de la défense, juge et jury à la fois.

Il eut un frisson, malgré la chaleur : elle était le genre à finir par se condamner à la corde.

— Juge Lyons, vos pairs vous déclarent coupable. En conséquence, je vous condamne sans appel à être pendue à l'aube du premier jour de la semaine prochaine, jusqu'à ce que mort s'ensuive.

— Oui votre Honneur. De quoi suis-je coupable?

— Je ne sais plus. Mais ça n'a pas d'importance : vous avez échoué; donc vous êtes coupable.

— Oui votre Honneur. Je mérite d'être pendue jusqu'à ce que mort s'ensuive.

— Ah oui, je me souviens maintenant. Vous êtes coupable d'avoir manqué un *putt* d'un mètre au Country Club de Long Beach.

Ce serait malheureux de passer une corde autour d'un cou aussi adorable, pensa Conor; il était plutôt fait pour être caressé, de préférence au milieu de la nuit, tendrement, pour préluder à d'autres ébats. Bien sûr, il n'avait jamais encore attenté à sa pudeur, puisqu'il venait à peine de la rencontrer, deux heures auparavant. Il me faut un peu de temps pour décider si je vais tomber amoureux d'elle.

Je pense que je devrais demander un sursis à son exécution. *Amicus curiae. Amator curiae* même. Et je demanderais aussi une réduction de peine : la prison à perpétuité. Dans ma chambre. Nue.

La réalité vint une fois de plus interrompre ses fantasmes : Diana Marie Lyons se penchait pour ramasser sa balle, d'un mouvement souple qui le fit penser à une lionne dans son habitat naturel.

— Pas très brillant, marmonna-t-elle plus pour elle-même que pour lui.

J'ai peut-être vu des derrières plus parfaits que celui-ci au cours de mes trente années, se dit Conor, mais jamais dans un ensemble aussi harmonieux.

— Un de plus que le *par*, fit-il d'un ton innocent, en feignant de ne pas remarquer le mouvement de ses seins fermes sous le corsage brun. Malgré mon handicap, j'ai encore deux coups d'avance sur vous.

— J'aurais dû faire un *birdie*. Elle lança sa balle en l'air et la rattrapa d'un geste rageur.

— On ne peut pas gagner à tous les coups. Encore sous l'effet qu'elle avait produit sur lui en se penchant, il se morigéna mentalement : il fallait être misogyne pour déshabiller une femme par l'imagination. Surtout sur un parcours de golf. Pour compenser, il décida de porter son sac jusqu'au prochain trou.

— Vous devriez jouer mieux que ça, fit-elle en lui reprenant son sac d'un geste sans réplique. Vous n'avez rien d'autre à faire.

— A part la voile bien sûr.

En réalité, ce corps est fait pour être déshabillé, expliqua-t-il à l'accusation. Dieu l'a faite si belle pour qu'elle attire un homme qui l'aimera, la dévêtira, lui fera l'amour, lui fera des bébés et vivra avec elle jusqu'à la fin de ses jours.

Vous avez raison, répondit le Procureur, un petit homme à l'air compréhensif. Ce serait surhumain de ne pas la trouver désirable. Peut-être devriez-vous tomber amoureux d'elle?

Quelle idée excellente, Maître! Comment n'y ai-je pas pensé plus tôt?

Ce serait effectivement la meilleure chose à faire, même si Diana Marie Lyons lui inspirait une frousse bleue. Elle était le genre à devenir la muse d'un poète. Et il était bien poète, n'est-ce pas? Au moins un peu.

Dans ce cas, pourquoi n'avez-vous pas encore trouvé de métaphore pour la décrire? Cette dernière voix appartenait au jeune loup qui servait d'assistant au Procureur. Au lieu de vous rincer l'œil, vous pourriez chercher une métaphore.

Pour trouver une métaphore, répliqua-t-il vivement, il faut d'abord regarder, étudier attentivement le sujet, parfois pendant des heures, et même des journées entières. Alors seulement, les forces créatrices de notre âme peuvent-elles s'exprimer et produire une métaphore adéquate, sinon entièrement vêtue.

Il faut que je me concentre.

— Si vous conduisez votre voilier comme vous jouez au golf, vous avez un gros problème de concentration. Ayant ainsi interrompu ses pensées, elle précisa : Vous rêvassez et vous ne prêtez aucune attention à la partie.

— Nous avons déjà parlé de cela. Et je crois que j'ai besoin d'une bière.

Diana avait refusé qu'on prenne une voiturette. (« Nous ne sommes ni âgés ni invalides, et vous semblez avoir besoin d'exercice. La débauche et le sport sont incompatibles »).

— Et vous m'avez dit, reprit-elle sévèrement que vous buviez sur votre bateau...

— Qui se nomme *Brigid*.

— ...parce que cela vous évitait de vous ennuyer. J'ose croire qu'une heure de golf n'est pas ennuyeuse au point de vous forcer à absorber des substances euphorisantes.

Elle eut un vague, très vague sourire. Je l'amuse, pensa-t-il.

— Il y a toutes sortes de substances chimiques, belle Diana.

— Allons. Le sourire avait disparu. Prenez vos bâtons de luxe et votre sac de luxe et continuons notre partie. Nous pourrons parler de stupéfiants plus tard.

— Oui votre Honneur.

Je pense qu'elle a failli rire. Un rire d'impatience et pas tout à fait amical, mais il faut bien commencer quelque part. Quant à la chimie...

Il y avait eu une réaction chimique immédiate entre eux quand elle était montée dans sa Ferrari. C'est hormonal, s'était-il dit pour se rassurer, rien de plus. Ayant été échaudé plusieurs fois lorsqu'il s'était fié à ce genre de chimie, Conor avait appris à s'en méfier, surtout quand le catalyseur était quelqu'un d'aussi royal que Diana Marie Lyons.

Elle aussi avait ressenti la réaction chimique. Et, chaque fois qu'elle le pouvait, elle l'observait à la dérobée. Fascinée, se disait-il plein d'espoir. Rebutée, se disait-il ensuite tristement.

Devant lui, elle franchissait une colline, se dirigeant à grands pas vers le prochain *tee*. Pas une lionne; plutôt une gazelle, bon sang!

— Vous n'êtes pas un très bon marin non plus, n'est-ce pas? Le jugement semblait sous-entendre un manque total d'utilité.

Le poème qu'il essayait de composer parlerait de la grâce de ses mouvements, de son swing de golf, parfait dans son exécution, de ses bras, de son dos, de ses hanches, de ses jambes, tout cela si bien coordonné, contrôlé, concerté. Il utiliserait aussi l'allitération.

Il ne fallait pas qu'il succombe au cliché : un mètre soixante-quinze d'élégance nubile et musclée; Diana la chasseresse. Diana le Procureur adjoint des Etats-Unis pour le district nord de l'Illinois.

Peut-être une symphonie en brun : ses yeux décidés avec une lueur dorée qui semblait promettre un rire (même si elle ne riait pas beaucoup), ses longs cheveux et sa peau sombre, qui suggéraient des gènes méditerranéens et celtes mélangés (les gènes de l'Armada peut-être?). Ses vêtements aussi : un pantalon beige, des souliers de golf brun foncé, un gant brun, et même un bracelet de montre brun. Rien de très cher, mais le tout était choisi avec goût et porté avec élégance.

Ce n'était pas le genre de femme que tout le monde trouverait belle : trop grande; d'un port trop royal, trop raide peut-être; trop brune, presque arabe; trop mince, les formes un tout petit peu trop discrètes, mais peut-être était-ce dû à sa taille (Conor n'avait pas encore pu évaluer ses jambes); et un visage peut-être un peu trop anguleux. Par principe, Conor avait tendance à préférer ses femmes plus courtes, plus blondes, mieux rembourrées et moins sévères.

Ou encore délicates, fragiles et exquises comme des poupées.

Et il n'y avait rien de fragile ni de blond en Diana Lyons.

Au diable les principes!

Et puis il n'y avait rien de mal à avoir des gènes arabes. Les Arabes produisaient bien d'excellents chevaux, non? Ou bien les achètent-ils chez nous? Conor ne se souvenait pas.

Une fois de plus, il prétendit que ce n'était pas lui qui avait eu cette idée de lui enlever lentement tous ses vêtements. C'était quelqu'un d'autre. En effet, ne venait-il pas de décider de tomber amoureux d'elle? Et... et il cherchait une métaphore : royale, impériale, comtesse, archiduchesse...

— N'est-ce pas? insista-t-elle.

— N'est-ce pas quoi?

— Votre bateau est bien arrivé dernier dans la course Mackinac cet été, non?

— Merci de me le rappeler. Il se laissa tomber lourdement sur un banc. L'humidité était intenable; un véritable bain de vapeur. Mais elle ne semblait même pas transpirer. Elle n'est pas tout à fait humaine. Tant pis! Ma décision de tomber amoureux d'elle est irrévocable.

Et il trouva enfin sa métaphore. La mer, bien sûr.

— A quoi pensez-vous? Elle rajusta l'attache de son gant, ce qui veut dire qu'elle la serra, bien sûr.

En d'autres temps, tu aurais aimé porter un corset, n'est-ce pas? Et moi, j'aurais eu le plaisir de défaire les lacets.

— Je cherchais une métaphore.

— Vous avez publié un recueil de poèmes, non? demanda-t-elle en plantant son *tee* dans le sol sablonneux de Long Beach. Et aussi une version du Cantique des Cantiques... petite maison d'édition, si je me souviens bien?

— Pas si petite que ça...

— Je suppose que la métaphore me concerne?

— Exact. Conor essuya la sueur de son front. Dans le sonnet que j'écrirai ce soir, un sonnet d'amour bien sûr, je vous comparerai à Grace O'Malley, la reine des pirates du seizième siècle.

Elle le regarda froidement, en faisant sauter sa balle dans sa main. Tous ses gestes étaient froidement calculés, même quand les autres simples mortels comme Conor Lyons transpiraient comme des bœufs.

— Mon grand-père s'appelait O'Malley et il venait de la région de Cong, dans le comté de Mayo. Elle souleva un sourcil : A votre place, je me méfierais. Si vous veniez à publier de tels sous-entendus, je pourrais certainement vous poursuivre pour ingérence dans ma vie privée...

— Vous ne feriez jamais ça! Conor décida qu'il l'adorait positivement. Je ne suis pas pressé de te mettre dans mon lit, ma chérie; je veux seulement avoir le plaisir de te regarder et de t'écouter.

— Ah non? Elle eut un sourire mauvais. J'ai bien l'impression que vous ne savez pas grand-chose sur les femmes pirates!

Pendant un bref instant, elle sembla flattée, rougissante, vulnérable. C'était le sourire bien sûr. Ce sourire qui faisait disparaître le corset et qui révélait la véritable Diana, plus adorable encore, se réchauffant brièvement dans la chaleur de son admiration.

Pour Conor Clarke, c'en était trop.

— Allez frapper votre balle; le double qui nous suit est déjà sur le vert.

— J'oubliais que je jouais avec un golfeur sérieux! Et elle lui fit un clin d'œil avant de se concentrer sur sa balle.

Et voilà. Je le savais. Ce n'est qu'une allumeuse. Et si elle continue de m'allumer comme ça, je vais succomber corps et âme. Et après, je vais me retrouver en train de choisir des meubles.

Et alors? Qu'y aurait-il de mal à ça?

Avant qu'elle puisse commencer son mouvement, Conor se glissa vivement jusqu'à elle et, au risque d'être frappé de plein fouet par son bâton, il lui releva le menton et l'embrassa légèrement sur les lèvres. Elle sembla surprise, mais ni ses lèvres fermes et chaudes, ni son corps souple et détendu n'offrirent la moindre résistance.

— Et à quoi dois-je ceci? demanda-t-elle d'une voix légèrement tremblante. Elle se pencha pour ramasser sa balle qui était tombée à terre.

— Votre sourire appelait un baiser. Et voilà, se dit-il, c'est parti; et cette fois, ce sera peut-être la bonne. Mais attention : tu es à un âge où n'importe quelle fille capable de marcher jusqu'à l'autel ou jusqu'à ta chambre à coucher risque d'être la bonne.

— Vraiment? Eh bien j'espère que vous m'excuserez, mais nous sommes ici pour faire une partie de golf. Je pensais d'ailleurs que c'était pour cela que ma cousine Maryjane nous avait présentés.

Je suis certain de l'avoir déconcertée. Ça lui a plu et, en même temps, ça lui a fait peur. Elle va manquer son *drive*. Et j'aurai gagné la première manche, quel que soit son *score*. Non, ce ne serait pas si mal d'avoir à embrasser cette femme jusqu'à la fin de mes jours.

Comme toujours, son *drive* fut parfaitement droit. Plus long cette fois; deux cent trente yards peut-être. Elle eut un mouvement de lèvres fugitif qui signifiait que Diana était satisfaite de Diana.

— On devrait vous embrasser avant chaque *drive*, dit-il prudemment.

Elle lui fit un large sourire.

— Voilà une perspective intéressante!

— Nous essayerons au prochain trou, dit-il en se dirigeant vers le *tee*.

— Certainement pas! s'écria-t-elle. Mais elle ne semblait pas trop convaincue.

Son *drive* commença avec toute la bonne volonté du monde, comme d'ailleurs beaucoup de choses dans la vie de Conor Clarke. Hélas, l'enfer est pavé de balles de golf bien intentionnées : à cent cinquante yards, la petite boule entama paresseusement un long virage à droite et alla aboutir dans le *rough*, et peut-être même sur le *fairway* suivant.

— Un peu dévié... Elle lui souriait. Mais pas avec mépris; d'un air presque, oserait-il l'espérer? maternel.

— Je vous amuse, hein? fit-il en ramassant son *tee*.

— Vous avez eu une expression si effrayée quand je vous ai menacé de vous poursuivre en justice... Elle souriait toujours. Un sourire chaleureux, généreux, de cette femme chaleureuse, généreuse. Conor remarqua que le soleil, le parcours de golf, le reste de l'univers même, se cachaient piteusement devant son sourire. Je serais flattée d'être dans un de vos poèmes.

— Sans vêtements? lâcha-t-il étourdiment.

— C'est donc ce genre de poésie que vous écrivez? Elle sortit de son sac un bois numéro deux fait sur mesure (taille homme, bien sûr). Je présume que vous ne vous basez pas souvent sur la réalité, mais je ne vois rien, dans la légende de Grace O'Malley, qui pourrait évoquer ce genre de situation.

Lui avait-elle vraiment fait un nouveau clin d'œil? Le diable! Cette fille est le diable!

— Le diable, ma fille! Vous êtes le diable en personne! dit-il à voix haute.

— Venez. Elle ramassa son sac de golf comme s'il s'était agi d'un vulgaire carton de lait. Je vais vous aider à retrouver votre balle.

Ils la trouvèrent dans le *rough* qui bordait le *fairway* suivant.

— Fer cinq, dit-elle d'un ton sec.

— Exactement ce que j'avais pensé. Il remit le fer six dans son sac de golf et, presque sans viser, fit sortir sa balle du *rough*. Elle atterrit sur le *fairway*, à seulement cinquante yards du vert.

— On dirait que les choses s'arrangent... murmura-t-il.

— Pas pour longtemps.

Elle plaça sa balle à un mètre du drapeau et fit son premier *birdie* de la journée. Avec la meilleure volonté du monde, il ne réussit à faire qu'un *double bogie*. A vrai dire, il aurait pu faire beaucoup mieux : il avait tiré un peu trop vite pour ressortir du *rough* et il avait oublié pendant un instant qu'il essayait de la faire gagner.

Elle offrit plus de résistance à son second baiser au neuvième trou. Il dura pourtant beaucoup plus longtemps que le premier et elle se laissa même tenir un instant serrée contre lui. Son corps était souple et solide à la fois, léger comme l'air et aussi présent qu'une chaîne de montagnes. Il remarqua que son cœur battait très lentement.

— Je peux jouer maintenant? demanda-t-elle froidement.

— Pourquoi pas? Je parie que ce sera parfait.

Ce fut effectivement parfait : une longue trajectoire rectiligne qui lui valut un léger sourire d'approbation de la part du juge.

Son second coup fut tout aussi efficace et la balle s'arrêta à un peu plus d'un mètre du drapeau.

— *Eagle,* dit-elle calmement en retirant sa balle du trou. On dirait que vous avez une bonne influence sur moi, Conor Clement Clarke. J'ai réussi à faire un *par* sur le premier neuf.

— Laissez tomber le droit, supplia-t-il. Vous pourriez faire le circuit professionnel et je serais votre caddie. Vous pourriez aussi présenter des vêtements de golf comme cette femme...

— Stevens.

— C'est ça. Vous êtes bien plus jolie qu'elle. Je m'occuperais de votre carrière et ...

— Capital de risque.

— Exactement. Ce n'était qu'un jeu, mais Conor pouvait mettre autant d'enthousiasme dans une blague que dans un nouveau microprocesseur ou dans un programme de comptabilité sophistiqué mais facile à utiliser. Je pourrais apprendre à faire des émissions à la télé et je glisserais des petits commentaires sur les corsages bruns de la styliste Diana Lyons, qui cachent jusque ce qu'il faut et ...

— Vous voulez bien aller me chercher un Coke? Vous avez les moyens, et moi je suis pauvre.

Et voilà! Je viens de me faire remballer et je ne sais toujours pas si la femme de ma vie, ma princesse orientale, « *Nigra sum, sed formosa* », a ou non le sens de l'humour.

— J'aime bien vous embrasser, observa-t-il tandis qu'ils sirotaient leurs boissons sous un énorme chêne noueux (un symbole de fertilité, espéra-t-il) avant d'entreprendre le second neuf.

— Vraiment? répliqua-t-elle avec une indifférence décourageante. Je ne pense pourtant pas être un objet sexuel aussi attirant que les mannequins, hôtesses de l'air et autres chefs de pub que vous fréquentez certainement.

— Il ne faut pas croire tout ce qu'on lit dans les magazines à la mode.

— Ah?

— D'ailleurs, poursuivit-il avec une certaine franchise, la plupart de ces filles sont belles, sans plus. Elles ne cachent aucune passion sous leurs baisers. Aucune, aucune.

— Alors que moi...

— Un volcan sur le point d'entrer en éruption. L'Etna.

— Je ne vous félicite pas de la métaphore. Vous devez pourtant être capable de faire mieux; même sans préparation?

— Eh bien voyons... Un lac prêt à déborder, un glissement de terrain sur le point d'arracher son premier rocher... Non, non. Oubliez ça. Euh, la foudre qui se prépare à zébrer le ciel noir... Et que penseriez-vous d'un raz de marée?

— Et que penseriez-vous d'un bon feu de cheminée à Noël, d'un fond de musique douce, avec une grosse bouteille de vin rouge bon marché, et un homme et une femme tout emmitouflés dans leurs vêtements d'hiver, qui viennent de rentrer de la neige et du froid, et qui s'enroulent dans une bonne couverture pour se réchauffer?

— Vous vous moquez de moi!

— C'est vrai. Mais je ne trouve pas mieux.

— Comment pouvez-vous penser à un feu de bois par une chaleur pareille?

— Une couverture rouge, peut-être? Et ils rentreraient d'une journée de ski; ou bien leur voiture serait tombée en panne; ou alors, tout simplement, ils seraient allés faire une promenade, main dans le main, sous les arbres, pardonnez le mot, dénudés.

— Vous vous moquez de tous mes poèmes!

— Si c'était l'un de vos poèmes, ils seraient déjà tout nus sous la couverture! Comme si, en plein hiver, les gens enlevaient leurs vêtements dès qu'ils entrent dans une maison chauffée.

— Ça ne vous est jamais arrivée de vous pelotonner devant un bon feu avec un homme? demanda-t-il pour tenter de défendre sa muse.

— Non. Mais je suppose que vous faites ça tout le temps avec vos jolies amies, les femmes-objets? Ce sont bien elles qui se galvaudent avec vous dans la neige, n'est-ce pas?

— En fait, non, admit-il d'un air dépité. Elles ne quittent pas les bars de Lincoln Park quand il fait ce temps-là. Peut-être que vous accepteriez de venir essayer ces dunes avec moi, en décembre?

— Probablement pas.

— De toutes façons, vous ne voulez tout de même pas prendre les poètes au pied de la lettre? Nous avons encore le droit de faire appel à notre imagination, vous savez.

— Votre imagination semble se limiter à des femmes nues dans diverses positions compromettantes. Elle vida son Coke et le considéra pensivement.

— Un autre?

— Non, merci.

— Sûre?

— Si vous insistez. Elle sourit de nouveau et, de nouveau, l'univers se cacha.

— Vous n'avez aucune volonté, ma fille. Aucun contrôle.

— Et si j'avais simplement soif?

Cette fille est intelligente, se dit-il sur le chemin du distributeur de Coke. Et, en principe du moins, Conor aimait les femmes intelligentes. Il s'était souvent juré de ne jamais épouser une fille qui ne le serait pas.

— Le problème, lui avait dit son amie Naomi Silverman, docteur en médecine, c'est que quand tu commences à raisonner en-dessous de la ceinture, tu oublies complètement le Q.I. de la fille.

Tu devrais me voir maintenant, Naomi Rachel Stern Silverman. Je sais très bien que cette fille est aussi intelligente qu'on peut l'être. Et, comme je le dis souvent, je n'ai rien contre les femmes intelligentes. A condition qu'elles ne le soient pas trop.

— Notre meilleur vin, Madame.

— Encore un cliché. Merci quand même. Je paierai les deux suivants.

— Pourquoi pensez-vous tant à l'argent? lui demanda-t-il d'un ton légèrement irrité. Nous parlions de sexe, pas d'argent.

— Est-ce si différent?

— L'argent ne pourra jamais donner autant de plaisir qu'une belle femme.

— Tant qu'elle reste un objet sexuel et ne devient pas une personne à part entière. Les dollars sont beaucoup plus soumis.

— Autrefois, ma belle « à la peau sombre, mais aux formes pleines »... c'est une traduction libre de...

— Je sais. J'ai étudié le latin moi aussi. Et j'ai lu votre traduction du Cantique de Salomon.

— *Chant d'amour*? Et qu'en avez-vous pensé? Il se pencha d'un air intéressé et, comme par mégarde, passa son bras autour de ses épaules.

— Moins érotique que l'original. Elle se dégagea de son bras. Et peut-être plus lyrique... Autrefois, disiez-vous...

— Eh bien, ma princesse persane...

— Italienne, Sicilienne en fait.

— C'est la même chose. Autrefois donc, vous auriez été très demandée sur le marché aux esclaves. Un roi peut-être; ou même un empereur.

— Dégoûtant. De toutes façons, ils n'auraient pas aimé une femme aussi grande et solide que moi.

— Tant pis pour eux. Conor poussa un profond soupir, ne sachant pas s'il venait de gagner ou de perdre cette manche.

Il l'avait bel et bien perdue. Et de loin.

— Pourquoi n'êtes-vous pas marié? Elle ne le regarda pas, absorbée qu'elle était par le sauvetage d'un papillon qui s'était pris les ailes dans un gobelet humide.

Conor l'observait intensément : il avait remarqué qu'elle évitait de marcher sur les fourmis et ne chassait pas les mouches, pas même les moustiques.

— Leur arrivée marque le commencement de la fin de l'été. Ils émigrent vers un plateau au Mexique.

— Qui ça? Oh, ces papillons. La créature s'envola. Je n'aimerais pas être prise comme cette pauvre bestiole, sans personne pour m'aider.

— Vous êtes déjà allée au Mexique?

— Je suis allée à Detroit, une fois. Et elle rit, d'un vrai rire! Nous n'avions pas les moyens de voyager, et maintenant, je n'ai plus le temps. Mais vous n'avez pas répondu à ma question. Vous avez trente ans et si vous étiez marié, vous n'auriez pas besoin de voler des baisers à de pauvres vierges sans défense sur les terrains de golf.

Comme j'aimerais t'emmener dans tous les endroits ensoleillés de la terre et nager nu avec toi dans toutes les mers chaudes de la création. C'est probablement un cliché trop romantique pour mon sonnet, mais j'ai quand même envie de le faire.

— Mon crime a été quelque peu encouragé avant et pendant. A vrai dire, mon problème, c'est que je n'ai pas de bureau.

— Pardon? Et elle rit de nouveau, franchement amusée, sembla-t-il.

Très bien. J'ai réussi à la dérider. Un point pour moi. Mais j'aurais mieux fait de ne pas parler du marché aux esclaves. Elle n'a pas semblé fâchée pourtant. Sait-elle qu'elle est belle? Elle pense probablement qu'elle est trop grande. Il faudra que je travaille là-dessus. Je lui dirai que j'ai toujours aimé les grandes femmes. Même si ce n'est pas vrai. En tout cas, ça ne l'était pas jusqu'à ce matin. Au moins, elle refuse de plier. C'est un bon point.

— Je suis Irlandais de Beverly Hills. Vous voyez le genre?

Elle hocha la tête et fit une moue qui indiquait qu'elle voyait effectivement le genre et qu'elle n'approuvait pas tout à fait. C'était d'ailleurs une réaction courante chez ceux qui ne faisaient pas partie de la tribu.

— Je ne fréquente pas ce milieu.

— Et vous avez de la chance, croyez-moi. Cela étant, imaginez ce que peuvent penser de moi les jeunes filles à marier dudit milieu. Sans parler de leurs mères! Pensez donc un peu : un avocat sans travail qui écrit des poèmes. Vous verriez votre fille ou votre sœur épouser un type pareil?

— Vous investissez du capital de risque. Sous ses jolis sourcils froncés, elle devait se demander s'il était sérieux ou pas.

— Exact. Elle se douterait peut-être que, comme d'habitude, il était un peu moqueur et totalement sérieux. Mais je n'ai pas de bureau. Si j'en avais un, cette activité ne serait pas un handicap dans ma quête d'une compagne. Mais pour les Irlandais de Beverly Hills, je ne suis qu'un joueur. Et même pas un joueur respectable, comme votre cousin ou votre oncle qui spéculent à la bourse. Le seul mot de « risque » n'évoque-t-il pas un homme peu fréquentable, une sorte de pirate? Ce qui me ramène à ma comparaison de tout à l'heure.

— Un pirate qui a doublé sa fortune avant d'avoir vingt-huit ans. Elle semblait désapprouver cet exploit.

— Sans avoir un bureau et sans paraître travailler très dur. Et en plus, comme vous l'avez laissé sous-entendre vous-même, en passant le plus clair de son temps à jouer au golf médiocrement, à faire de la voile médiocrement, à écrire des poèmes médiocres et à courir après des femmes belles mais sans intérêt.

— Les poèmes ne sont pas mauvais. La lueur dorée de nouveau. Il décida qu'elle signifiait de l'amusement. Un soupçon de narcissisme immature et un peu trop de romantisme, mais pas mauvais. Pas trop érotiques non plus. Peut-être un peu craintifs devant les exigences de la passion.

Des lampes rouges se mirent à clignoter dans le cerveau de Conor Clarke et des klaxons hurlèrent.

— Je paye mes impôts.

24

— Quel... oh, je vois : vous pensez qu'un procureur adjoint des Etats-Unis ne lirait pas vos poèmes si elle n'enquêtait pas sur votre situation fiscale.

Diana devint écarlate, tandis que Conor se demandait si elle rougirait autant au soir de leurs noces, quand il se mettrait à défaire doucement les nœuds de sa robe de dentelle pour lui prendre sa virginité.

— Ce n'est pas du tout ça, dit-elle. Votre cousine m'a annoncé hier soir qu'elle avait organisé cette partie de golf et elle m'a donné le livre... Si vous n'aviez pas peur du mariage, vous auriez déjà loué un bureau, n'est-ce pas?

— Aha! Non seulement j'ai affaire à une piratesse et à une spécialiste du droit fiscal, mais en plus, à une femme pleine de sagesse! Qu'il me soit permis de dire, avant que nous ne reprenions cette partie de golf épique, que je suis à la recherche d'une femme qui n'entreprendra pas de passer le reste de sa vie à me transformer.

— Une tâche sans espoir, j'imagine. Encore la lueur dorée. Bon signe. Elle ne se fait aucune illusion sur la « corrigibilité » de Conor Clement Clarke.

Au dixième trou, il lui sembla qu'elle s'attendait à un nouveau baiser de sa part. Il ne fit aucune tentative et elle réussit seulement à faire un *par*. Ce fut alors qu'il lança sa contre-attaque.

— Vous ne jouez pas vraiment contre moi, n'est-ce pas?

— Pardon? Cette fois, elle sembla surprise, pas amusée.

— Je ne suis pas de taille, mais même si je l'étais, cela ne ferait pas de différence : vous jouez contre vous-même. Vous vous êtes imposé une norme à laquelle vous vous mesurez. Et si j'en juge par le nombre de vos moues de désapprobation, ce doit être une norme fichtrement dure. Ce n'est pas insupportable de vivre comme ça?

Sans un mot, elle frappa sa balle, qui vint s'immobiliser à moins de trois mètres du trou. Entre ses dents, elle lâcha :

— Vous vivez votre vie, je vis la mienne.

— Désolé si j'ai manqué de discrétion. Mais il abandonna aussitôt son ton contrit : Je promets de ne plus toucher à vos vêtements psychologiques aujourd'hui; par contre je ne garantis rien pour ce qui est des autres.

— Vous êtes vraiment impossible. Tandis qu'il se préparait à jouer, elle le gratifia de son sourire de mère amusée, puis ajouta : J'ai été élevée comme ça. J'imagine que nous ne pouvions pas nous permettre de faire les choses de travers.

— De mon côté, j'en suis venu à comprendre, comme le disait l'illustre G.K. Chesterton, que ce qui mérite d'être fait, mérite d'être mal fait. Nous formons donc une équipe parfaitement équilibrée. Ceci dit, et puisque vous êtes si exigeante avec vous-même, pourquoi ne devenez-vous pas golfeuse profession-nelle? Si vous êtes capable de jouer aussi bien pendant votre semaine de vacances, je suis sûr qu'en jouant tous les jours, vous pourriez devenir l'une des championnes les mieux payées du pays. Sans parler de la fortune que votre silhouette vous rapporterait si vous présentiez des vêtements de golf.

— Une vie frivole, lança-t-elle sèchement, visiblement irritée par son compliment. Jouez ça avec votre fer neuf.

Pour montrer son indépendance, il joua avec son fer huit et sa balle dépassa le vert de près de cinq mètres.

— Je ne dirai pas que je vous l'avais dit. Puis elle eut un rire embarrassé : Ne me regardez pas comme ça.

— C'est de votre faute. C'est votre plaisanterie au sujet de vos vêtements psychologiques. Ça m'a donné des idées.

— Ridicule. Et puis, c'est vous qui avez fait la plaisanterie, pas moi. De toutes façons, vous ne pensez qu'à m'enlever mes vêtements depuis que Maryjane nous a présentés. Satisfait de ce que vous trouvez?

— Enormément. Ça vous déplaît?

— Ça devrait. Je ne suis pas un objet. Elle se tenait sur le vert, une main sur le drapeau de trou et tenant son *putter* de l'autre, rougissante et vulnérable, flattée et offensée à la fois par sa franche inspection.

Il tenta de parler sérieusement :

— Je ne peux pas vraiment contrôler ce que fait mon imagina-tion, Diana. Vous êtes une très belle jeune femme et je suis à un âge où les jeunes mâles de notre espèce sont programmés pour réagir de façon, euh, vigoureuse aux belles jeunes femmes. Mais même si j'étais enchanté de vous voir là avec tous vos vêtements en petit tas auprès de vous, je ne pourrais jamais vous prendre pour un objet.

— Grace O'Malley, reine des pirates, devient l'exhibitionniste des terrains de golf. Jouez.

— Il s'exécuta. Une fois de plus, il oublia de se concentrer et la balle partit tout droit, monta une petite pente, en dévala une autre, puis, comme si elle avait des yeux, tourna paresseusement pour aller tomber dans le trou avec un bruit joyeux.

— Ça alors! Diana, qui avait retiré le drapeau au tout dernier instant, ne cacha pas son admiration.

— Vous voyez ce que mes fantasmes peuvent faire!

— Ils vous font oublier que vous voulez vous faire passer pour un joueur médiocre. Elle se pencha pour jouer, ce qui eut pour effet de faire affluer des idées délicieusement obscènes dans l'esprit de Conor.

— Vous ne savez pas que penser de moi, n'est-ce pas, Diana Marie Lyons?

— Oh si. Je me suis fait mon idée sur vous.

— Et le verdict?

— A la vieille mode écossaise : pas de preuves de culpabilité. Elle s'arrêta, le temps de mettre sa balle dans le trou. Parlez-moi de votre traduction de ce pauvre vieux Salomon.

— Ce n'est pas exactement une traduction. Plutôt une paraphrase. Je ne sais pas le grec ni l'hébreu, et je ne suis pas très calé en latin. Alors j'ai essayé de récrire l'anglais d'une façon poétique. Je l'ai montré au Père Roland Murphy, qui vient à Grand Beach en été. Je voulais être sûr que je ne m'étais pas trop éloigné de l'original.

Ils se remirent en marche.

— Et qu'a-t-il dit?

— Que les spécialistes des Cantiques n'avaient rien à craindre de moi, mais que je n'avais pas commis d'erreurs trop graves... Ce n'est pas facile. Il appuya son sac de golf contre un arbre et se lança dans son sujet favori. Prenez par exemple cette phrase célèbre de la Sulamite, que j'ai peut-être un peu écorchée, il y a une demi-heure, après avoir embrassé une certaine personne : *Nigra sum, sed formosa*; le Père Roland ne voulait pas que je la traduise par : « Je suis noire et vraiment bien roulée ».

— Vous êtes impossible! dit-elle. Elle souleva son sac de golf et continua vers le *tee* suivant.

— Selon les cas, c'est traduit par « Je suis noire et pourtant belle », ou par « Le soleil a brûlé ma peau ».

— Tandis que vous, vous dites « Sombre est ma peau et fine ma taille ».

— Alors vous avez vraiment lu *Chant d'amour*? Il n'essaya pas de dissimuler sa joie.

— Je vous ai dit que Maryjane en avait un exemplaire; je l'ai comparé avec sa Bible. Même la version originale est plutôt érotique pour les Ecritures. Tout cela est allégorique, n'est-ce pas?

— Le père Ryan... vous savez, c'est...

— Le frère du juge Kane.

— C'est ça. Il me dit que ce sont des poèmes d'amour strictement populaires, qui ont été intégrés dans les Ecritures juives parce qu'ils étaient chantés aux mariages. Peut-être écrits par une femme...

— Très probable. Elle appuya son sac de golf contre le banc et lui fit signe de jouer son coup de départ.

— Le père Ryan dit que la passion humaine, ce que nous ressentons en présence de l'être aimé, nous donne une idée de la passion que Dieu éprouve pour nous.

— Vraiment? Elle chercha un *tee* dans sa poche.

— Dieu est un amant passionné. Pas mal hein? Et aussi un peu effrayant?

— Effrayant? Peut-être bien. Beau surtout. *Drivez* maintenant. Bois trois, je pense.

Conor fut tellement impressionné par sa réponse qu'il suivit son conseil.

Il coupa aussi sa balle.

Elle fit un par soixante-douze. Conor, qui s'était concentré sur les sept derniers trous, finit à quatre-vingt-trois, lui concédant la victoire de justesse. S'il n'avait pas volontairement envoyé sa balle trop loin au premier *putt* du dix-huitième trou, il aurait gagné la partie. Diana parut sur le point protester de nouveau, mais elle se ravisa.

— Tennis? Squash? demanda-t-elle.

— A mon âge, on ne supporte pas plus d'une défaite par jour. Cette fois, elle le laissa porter son sac jusqu'au chalet. Et d'ailleurs, je meurs d'envie de vous voir en maillot de bain.

Elle eut un profond soupir et reprit son sac de golf :

— Les enfants de la prochaine génération apprendront que ce n'est pas correct de considérer ainsi le corps de son prochain.

— Vous êtes sérieuse?

— Bien sûr.

— Tant de beauté que Dieu aura gaspillée!

— J'ai lu vos poèmes. Je sais comment vous réagissez à un corps de femme.

— Ce sera peut-être dangereux d'être dans la piscine avec moi.

— Je ne pense pas. Mais je n'ai pas envie de me baigner. Elle regarda autour d'elle. Cet endroit est trop huppé pour moi. Toutes ces dames riches et oisives...

— Elles ne sont pas vraiment riches, Diana. Il mit doucement sa main sur son épaule. Je connais quelques personnes qui le sont, par contre. Si vous êtes reçue chez Maryjane, vous pouvez vous baigner ici. Et peut-être même dîner avec moi.

Elle eut une moue têtue :

— Riches et oisives.

— Si vous le dites.

— Malheureusement pour moi et pour mes convictions, fit-elle en riant, je me suis baignée ici tous les jours avec Maryjane. Rendez-vous à la piscine, Conor Clement Clarke.

— C'est une menace?

— Prenez-le comme vous voulez. Elle partit en direction des vestiaires des femmes.

Tu pourrais aller où tu veux, pensa-t-il en la suivant du regard. Dans le club le plus fermé de la terre, où les chiens ne laisseraient même pas entrer un Irlandais de Beverly Hills comme moi.

Elle a un côté franchement méchant, se dit-il dans la douche. Une femme complexe et intéressante. Quelque chose me dit que je devrais me méfier, mais je ne sais pas de quoi. En tout cas, une enquête plus approfondie s'impose.

D'ailleurs, je n'ai plus le moindre contrôle sur tout cela.

2

C'était peut-être tout à fait correct de faire une partie de golf avec lui, pensa Diana en ouvrant l'eau de la douche, mais je n'aurais pas dû y prendre plaisir. Son père a détruit le mien avec autant de désinvolture que s'il avait écrasé un moustique. Et manifestement, notre nom n'évoque rien pour son fils.

Mais peut-être que j'écoute trop mes gènes siciliens. Pourquoi devrais-je en vouloir au fils de Clem Clarke? C'est un gentil garçon.

Un playboy, se morigéna-t-elle. Un enfant gâté élevé dans une école religieuse pour les riches.

Tandis que la douche chaude coulait sur son corps, Diana pensa aux reproches qu'elle devrait écrire dans son journal ce soir-là.

Le corps a ses raisons, que la raison ne connaît pas, lui disait souvent Mamma.

Enfant, Diana ne savait jamais si les dictons que Mamma citait fréquemment faisaient partie de la sagesse populaire sicilienne, ou si c'étaient ses propres idées qu'elle élevait au rang de dictons pour que Diana écoute.

Eh bien, mon corps n'a pas été raisonnable en ce qui concerne Conor Clarke.

Il y a un autre dicton – elle entendait presque la voix de Mamma – qui dit que seuls les fous n'écoutent pas les conseils de leur corps.

J'aimerais coucher avec lui, se dit-elle sérieusement. J'adorerais passer le reste de mes jours à m'occuper de lui.

Puis elle pensa à la réaction qu'auraient son père et sa mère si elle leur annonçait son mariage avec Conor Clarke et elle eut un frisson malgré la chaleur de l'eau.

Elle se souvint du temps où elle accompagnait Mamma au Nautilus de son quartier, une activité que son père était censé ignorer, car il n'aimait pas « les femmes trop musclées ».

— Ah, *cara mia*, mon corps se fait vieux, avait dit Mamma, ruisselante de transpiration.

Diana avait du mal à décrire sa relation avec sa mère. Généralement, Mamma défendait férocement l'honneur et la dignité de son mari contre les assauts de ses enfants et du reste du monde. Diana étant la benjamine, le dernier espoir pour ainsi dire, se sentait la cible de l'ire maternelle.

Pourtant, de plus en plus souvent depuis un ou deux ans, Mamma se comportait plus comme une complice, une grande sœur.

— Ce vieux corps se débrouille bien, avait-elle répliqué sincèrement.

— Bah! Encore quelques années et je serai réduite en poussière.

— De la poussière peut-être, mais séduisante!

Elles rirent.

— *Irlandesa*! Tu as hérité de la langue de ton père.

— Il ne l'utilise plus trop ces temps-ci. Diana s'était appuyée contre un mur, se disant qu'elle aimerait être aussi en forme que sa mère quand elle aurait son âge.

— Tout ça, c'est de la faute de ce Clem Clarke! Mamma était entrée dans une de ses rages méditerranéennes, l'Etna en éruption. Il a ruiné ton père! Il lui a fait perdre son emploi, détruit sa carrière! J'espère qu'il ira en enfer!

— Chut! Diana avait regardé autour d'elle nerveusement : toutes les conversations s'étaient arrêtées dans la salle d'exercice.

— Qu'ils écoutent! Mamma avait pourtant baissé la voix. Il était diabolique. Et son fils n'est pas mieux que lui. Qu'il meure sans enfants et qu'il aille en enfer lui aussi!

Et Diana n'avait pas cherché à la contredire.

Son père, ayant rassemblé suffisamment de preuves, avait été sur le point d'inculper Clem Clarke. Mais ce dernier avait utilisé tous ses contacts politiques pour étouffer l'enquête et faire muter Papa dans un bureau où il n'avait rien d'autre à faire qu'à viser des papiers toute la journée. C'était depuis ce jour-là qu'il avait commencé à se détériorer, moralement et physiquement.

Sous la douche, à Long Beach, Diana se dit que Conor était effectivement à l'image de son père : il est riche et il pense que l'argent lui permettra d'obtenir tout ce qu'il veut. En réalité, il prend aux pauvres gens leurs emplois et leur argent.

Voyons Diana, ne dis pas d'idioties. Tu n'es quand même pas une paysanne sicilienne; tu es trop éduquée pour ça. Tu ne sais même pas ce que tes collègues Leo et Donny essaient de trouver contre lui, parce que tu ne travailles pas sur l'enquête. Et puis c'est peut-être encore une de ces impasses dont Donny a le secret.

Mais tu veux l'épouser, petite dinde. Une partie de golf et tu veux l'épouser!

Est-ce que ce serait conforme à l'éthique professionnelle?

Naturellement, puisque tu n'enquêtes pas sur lui. Bien sûr, tu ne pourras plus le faire. Mais de toutes façons, personne n'avait l'intention de te mettre sur cette affaire.

Et puis, est-ce que tu as entendu parler d'éthique professionnelle depuis que tu travailles pour Donny?

J'ai demandé impulsivement à Maryjane d'organiser cette partie de golf, parce que je voulais savoir à quoi ressemblait le fils de l'ennemi de mon père.

Et voilà que je me comporte comme une gamine de quatorze ans. Je cache mes réactions mieux que lui, mais je ne vaux pas beaucoup mieux.

Elle regarda la mousse dégouliner entre ses seins. Conor les avait admirés. Non. C'était plus que cela. Il les désirait.

La moitié du temps, elle trouvait que sa poitrine était trop grosse, et l'autre moitié du temps, elle la trouvait trop petite. Elle savait que son corps était harmonieux et on lui avait déjà dit qu'elle avait de la grâce. Pourtant, elle ne parvenait pas à aimer son corps.

Elle frotta la mousse qui couvrait son ventre. Conor Clarke trouvait son corps splendide.

On m'avait souvent embrassée, mais jamais comme ça. Il a atteint jusqu'au tréfonds de mon être. Et s'il avait voulu m'embrasser toute la journée, j'aurais été incapable de lui résister.

Elle eut un autre frisson, malgré la chaleur de l'eau.

Son prêtre dit que la passion sexuelle nous donne une idée de l'amour que Dieu éprouve pour nous... Me désire-t-Il autant que je désire Conor?

Elle considéra cette intéressante possibilité.

Il ferait peut-être bien de m'aider, puisqu'Il sait ce que c'est.

Mais tout cela n'est que biologique, bien sûr. Jusqu'à hier soir, je pensais que je n'avais pas besoin de me marier. J'allais adopter un enfant réfugié et vivre ma vie de mère célibataire sans avoir à vivre le traumatisme d'un divorce. Comme tout ça semble ridicule maintenant!

Elle ouvrit fermement le robinet d'eau froide, serra les dents et les poings, et attendit que l'eau glacée vienne la guérir de cette obsession ridicule.

Pas de résultat. Bien sûr, à cette époque de l'année, l'eau du lac Michigan n'était pas trop froide.

Comme dit le dicton, aurait dit Mamma, il n'y a rien de mal à vouloir mieux connaître un homme qu'on trouve attirant.

Sa mère était-elle sérieuse? Ou cherchait-elle plutôt à se débarasser d'elle?

Probablement.

— Les hommes te regardent Diana, avait-t-elle dit récemment. Et ils aiment ce qu'ils trouvent. Les femmes aussi. Parfois, je me demande même si cette belle femme est vraiment ma fille.

Les hommes me regardent parce qu'ils trouvent que les grandes femmes sont bizarres. Mais lui, il ne me trouve pas bizarre. J'ai l'impression que Conor Clarke me considère comme une vraie femme.

C'est drôle. C'est aussi très agréable.

Et bien sûr, c'est ridicule. Ce n'est qu'un dragueur comme les autres. Je ne serais jamais qu'un trophée de plus pour lui.

Elle ferma les robinets. L'eau n'était vraiment pas assez froide.

Il est si mignon. C'est vraiment moi qui pense ça? Sois honnête avec toi-même, Diana, comme Papa t'a toujours dit de l'être. Tu es en admiration devant lui. Ses boucles blondes. Ses yeux bleus. Son charme à la Robert Redford et son corps si musclé dans ces horribles bermudas qu'il porte. Et cet air de petit garçon blessé qui me donne envie de le prendre dans mes bras et de le bercer jusqu'à ce que ses malheurs s'en aillent.

Non, ça ne peut pas être moi.

Il faut pourtant que je sois honnête avec moi-même : c'est bien moi et je suis totalement entichée de lui.

J'aurais dû être offensée quand il a parlé de cette histoire de marché aux esclaves. Au lieu de ça, j'étais toute émoustillée. Je serais ravie d'être nue devant lui, impuissante, tandis qu'il jouerait négligemment avec mon corps, en se demandant si je suis digne de son intérêt ou pas. C'est absolument répugnant. Et pourtant, voilà que je me sens de nouveau excitée. Un vrai scandale.

Je ne devrais pas jouer au golf avec lui, et encore moins avoir des pensées salaces à son sujet.

Allons, Diana Marie Lyons, secoue-toi. L'être humain n'est pas à l'abri des émotions. Les religieuses te l'ont appris quand tu étais une petite fille, avant que l'Eglise catholique n'oublie ce qu'est la tentation. Te voilà tentée par un homme que tu hais.

Si seulement le monde était différent; je n'aurais pas besoin de le haïr. Mais comme dit toujours Papa, le monde est comme il est, et pas comme on voudrait qu'il soit.

Elle mit son maillot de bain. Maintenant, il va falloir que je me montre devant lui et que je me laisse dévorer de ces yeux de loup triste et affamé.

Peut-être qu'il ne m'aimera pas. Je suis très grande. Beaucoup trop grande. Plus que Papa même. Et puis j'ai trop de muscles. D'habitude, je suis fière de mon corps d'athlète. Mais pas aujourd'hui. Je voudrais lui plaire. Les hommes n'aiment pas les femmes trop grandes; elles leur font peur. S'il ne m'aime pas, tant pis; je n'y peux rien.

Elle mit une serviette sèche sur ses épaules, prit une profonde inspiration et se dirigea bravement vers la piscine.

Juste avant d'atteindre la porte, elle se vit dans le miroir et s'arrêta, un peu saisie. C'est moi ça? Mais oui!

Oh, je vais lui plaire, allez. Pas le moindre doute là-dessus.

J'ai l'impression que mon obsession va encore empirer. Je finirai par le regretter.

Mais pour le moment, je m'en fiche éperdument.

3

Aucune importance, pensa courageusement Conor Clarke, si c'est un paquet d'os ou si elle a des jambes trop maigres. Ce qui compte, c'est qu'elle est intelligente, agréable, qu'elle a le sens de l'humour et qu'elle est séduisante. Et passionnée aussi; elle l'a pratiquement admis elle-même. Enfin, disons qu'elle ne m'a pas contredit quand j'ai suggéré qu'elle l'était. Et puis, soyons honnête : c'est une épouse que je cherche et pas une reine de beauté.

Mais il devait réaliser que cela avait de l'importance, finalement. Quand il vit Diana émerger du vestiaire, il cessa de respirer. Qu'on appelle une ambulance, un médecin! J'ai perdu le souffle, et peut-être pour toujours!

Même la plus mauvaise des mauvaises langues n'aurait pas pu qualifier la jeune femme de maigre. Et si ses jambes étaient probablement un peu trop musclées pour certains hommes, Conor, la gorge sèche, les trouva plus qu'adéquates. Vite, il me faut une métaphore qui englobe la force, l'élégance, la solidité et la légèreté.

Son maillot de bain blanc était plutôt discret, mais quel vêtement pouvait être discret sur un corps aussi splendide, et qui se mouvait avec autant de grâce naturelle?

— Je n'en suis pas si sûr, dit-il d'un ton qu'il voulait détaché et sérieux à la fois.

— Que voulez-vous dire? demanda-t-elle nerveusement.

— Vous avez dit que ce ne serait pas dangereux d'être ici avec moi. Je n'en suis pas sûr, même s'il y a une foule d'hommes et de femmes béats d'admiration tout autour de nous.

Elle tourna au rouge cramoisi et se détourna.

— Vous vous comportez comme un adolescent en rut, lâcha-t-elle sèchement, tout en s'asseyant sur une chaise longue auprès de lui. Vous pourriez éviter d'étaler ainsi votre désir. Et aussi cesser de me voir comme une esclave et me traiter comme un être humain.

— S'il n'y avait pas un adolescent en rut en chaque homme, la race humaine aurait déjà disparu depuis longtemps. Il s'empara de son tube de crème de coco. Dois-je comprendre que vous n'avez pas abandonné le projet de me traîner en justice si je parle de vos, euh, charmes dans le sonnet que j'écrirai demain sur Grace O'Malley la golfeuse?

Elle baissa la tête et se mordit une lèvre.

— Dites ce que vous voulez dans votre foutu sonnet.

— Je devrais vous demander de me mettre ça par écrit. Vous voulez un peu de ce truc sur votre dos?

Avec un air de défiance, elle lui présenta son dos et baissa les bretelles de son maillot. Il se mit à l'enduire de crème avec tout le respect qu'il aurait témoigné à une abbesse si, par miracle, une telle personne était apparue au bord de la piscine du Long Beach Country Club. Cependant, une abbesse n'aurait jamais agité les sens de Conor autant que la jeune femme qui se trouvait devant lui.

A moins bien sûr – et avec la nouvelle Eglise tout était possible – que ladite abbesse n'ait eu un corps comme Diana Lyons.

Je te désire, ma chérie. Comme je n'ai jamais désiré personne. Je ne te ferai pas de peine et je ne te traiterai pas comme un objet. Mais je te veux dans mon lit, je veux ton corps sous le mien, ou vice-versa, comme tu voudras, et ce pour une durée indéterminée, pour ne pas dire pour toujours.

Il essayait de rendre sa main aussi légère, délicate et respectueuse qu'il le pouvait malgré les battements désordonnés de son cœur. Il lui sembla que Diana se détendait un peu.

— Je suppose, dit-elle doucement, que la survie du genre humain exige que les femmes se comportent elles aussi, à l'occasion, comme des adolescentes en rut. Je suis contente que vous me trouviez jolie. D'ailleurs, je vous trouve très beau vous aussi.

— C'est vous qui venez de dire ça?

— Et pourquoi pas? C'est vrai. Si vous avez le droit de dire ce genre de chose, pourquoi pas moi? Rien de mal à ça : c'est simplement l'expression d'une réaction biologique.

Il vaudrait mieux que tu mettes encore de la crème sur son dos : malgré son teint foncé, elle risquerait d'être brûlée par le soleil, n'est-ce pas?

— ... Sans rien d'émotionnel.

— Les émotions sont biologiques. Comment peut-on séparer les hormones de l'affectivité? Remarquez que les hommes ne semblent pas avoir de grandes difficultés à le faire. Pas les femmes.

Il arrêta; ses doigts n'étaient qu'à quelques centimètres de la naissance d'un sein généreux, apparemment très ferme.

— Vous êtes une jeune femme déconcertante, Diana Lyons; un mélange surprenant d'idéologie et de passion, d'affection et de colère, d'efficacité professionnelle et de tendresse.

Un ange passa. Elle avala nerveusement sa salive.

— Disons que je suis complexe et changeante. D'ailleurs, c'est normal pour une piratesse irlandaise qui joue au golf. Elle rajusta ses bretelles. Maintenant, je vais nager quelques centaines de mètres et, quand je reviendrai, vous me parlerez du sauvetage de l'industrie des Grands Lacs.

Sa marche vers la piscine fut stoppée par deux fillettes :

— Tu peux m'attacher mes bretelles, Diana?

— Tu me mets de la crème sur le dos, Diana?

A la grande satisfaction des enfants, elle s'acquitta de ces deux tâches avec le plus grand sérieux, puis les embrassa, gratifia chacune d'elles d'une petite tape sur le derrière, et plongea, parfaitement bien sûr, dans l'eau bleue.

Il la rejoignit un peu plus tard, mais nagea nettement moins que son kilomètre quotidien, pour la même raison qui l'avait fait perdre au golf. Il eut vaguement l'idée d'un petit jeu aquatique, dans lequel il tenterait de lui mettre la tête sous l'eau. Mais il se ravisa : elle n'aimerait probablement pas et, en plus, elle serait peut-être bien trop forte pour lui.

— Dix! s'écria-t-il quand elle sortit de la piscine.

— Pour mon physique?

— Dieu sait que ça va de soi. Plus que ça. Comme un juge des jeux olympiques, je voulais dire dix pour le golf, les enfants, le plongeon et la natation.

— Vous dites des méchancetés avec une certaine facilité, n'est-ce pas? Ses lèvres étaient serrées de rage. Est-ce que ça vient de votre état de poète?

Il remarqua qu'elle avait des taches de rousseur sur le nez, et aussi juste au-dessus de la poitrine. Elle a du sang irlandais, cette princesse orientale. Tant mieux.

— Quand un homme parviendra enfin à surmonter votre pruderie et vos craintes et réussira à vous mettre dans son lit, il est probable qu'il y prendra d'abord un plaisir fou; jusqu'au jour où il réalisera que des juges invisibles, dans votre cerveau, évaluent chaque performance, et les vôtres plus rigoureusement que les siennes.

Et il attendit l'explosion, tandis qu'elle considérait en silence ce qu'il venait de lui asséner.

Bizarrement, sa colère tomba d'un seul coup.

— Vous vous trompez au sujet des enfants; en tout cas partiellement. C'est seulement par plaisir. Si je n'étais pas juriste, je serais dans l'enseignement. C'est drôle, les enfants font ça depuis que j'ai douze ou treize ans. Je dois leur inspirer confiance.

Une femme sur dix mille aurait laissé passer ce qu'il venait de lui dire. Il décida de pousser le bouchon un peu plus loin.

— Je vois que vos origines modestes vous ont quand même permis de faire des choses « par plaisir ».

Elle se raidit, le fixant d'un regard d'acier.

Si Grace O'Malley avait son sabre, se dit-il, je serais un homme mort.

Mais elle se laissa aller sur sa chaise longue et ferma les yeux.

— D'accord. Disons que vous avez marqué un point. Maintenant, parlez-moi de la sidérurgie.

— Pas avant de savoir quelque chose. Ces fillettes, elles vous avaient rencontrée ici?

— Une ou deux fois, oui.

— Et depuis, elles attendent?

— Eh oui.

— Et ce genre de chose se produit tout le temps?

— Souvent, oui.

— Et vous adorez ça.

— Evidemment. Et ensuite, vous allez me demander pourquoi je n'ai pas d'enfants. Et je vais vous répondre que j'ai pris la difficile décision de faire une carrière. Et que je ne me crois pas capable d'être à la fois une bonne juriste et une bonne mère. Satisfait?

— Non.

— Pourquoi pas? Encore que ça ne vous regarde pas vraiment...

— Parce que je pense que vous pouvez faire n'importe quoi si vous le voulez, Diana Marie Lyons. D'ailleurs, je n'aimerais pas vous avoir pour ennemie.

— Je vous crois.

— Et j'aimerais vous avoir pour...

— Oui? Elle ouvrit les yeux et le regarda.

— J'allais dire, avant d'être interrompu, que j'aimerais vous avoir... pour mère.

— Deux points! Elle rejeta la tête en arrière et éclata de rire. Et je serais très sévère avec vous, petit garçon. Alors, ces Grands Lacs?

Conor Clarke ne comprendrait que plus tard la raison de cette réponse et il réaliserait qu'il aurait dû s'en étonner un peu plus.

— Ce qu'on appelle le *Rust Bowl*, cette ceinture d'usines qui entoure les Grands Lacs, n'est pas seulement une ressource précieuse pour la nation; c'est aussi un investissement qui peut être incroyablement payant. Comme chaque fois qu'il s'engageait dans ce sujet, Conor quitta ses airs de poète et mit sa casquette de politicien et de vendeur. Cette région n'a pas besoin d'être protégée comme si elle était une espèce en voie de disparition; elle n'a même pas besoin d'une énorme subvention du gouvernement, comme Chrysler ou Lockheed. Il ne lui faut que des investisseurs imaginatifs et courageux.

— Et des abattements fiscaux, interrompit-elle.

— Nous prendrons ce qu'on nous donnera, bien sûr, mais je suis pour la réforme du système fiscal. Si nous perdons nos déductions, il y aura d'autres moyens de faire de l'argent. D'un air absent, il lui toucha la main. Quand de jeunes avocats brillants comme vous quittent le service public et entrent dans le secteur privé, ils trouvent des moyens pour de vieux avocats comme moi...

— Je ne ferai jamais ça. Elle retira sa main aussi vivement que s'il avait eu la lèpre. Il était si absorbé par son explication qu'il s'en aperçut à peine.

— Je disais donc que le *Rust Bowl* a les immeubles, les réseaux de transport, la main-d'œuvre spécialisée, une structure politique et financière expérimentée et, surtout, beaucoup d'eau. Nous autres, habitants de Chicago, nous ne réalisons pas à quel point l'eau est importante, parce que nous en avons tant. Et puis, pourquoi iriez-vous installer votre entreprise dans le sud alors que vous pourriez économiser un tas d'argent en choisissant la région des Grands Lacs?

— Je ne sais pas. Pourquoi?

Je viens de parler pendant plusieurs minutes sans penser à sa poitrine. Je ne dois pas être humain. Je ne lui ferai jamais aucun mal, je ne l'exploiterai jamais, je serai toujours doux et tendre et aimant à son égard. Je le promets.

Mais attention, je ne promets pas que je ne me livrerai pas à toutes sortes d'activités obscènes avec elle. Mais ce sera à son rythme.

Il estima que ces pensées constituaient une marque de respect suffisante envers la déesse.

— Parce que vous pensez que la main-d'œuvre est moins chère dans le sud et que vous n'avez jamais réalisé que vous pourriez faire des économies de construction d'usines et parce que, de toutes façons, votre firme n'a pas pour habitude de récupérer de vieilles usines.

— Et alors?

— Et alors, j'achète les vieilles installations de U.S. Steel pour vous, mais je les achète pas cher, parce que U.S. Steel sait que ça lui coûterait une fortune de les démolir. Ensuite, je les retape pour que vous puissiez y fabriquer des ordinateurs pour vos robots, ou y assembler des magnétoscopes japonais, ou faire des maisons préfabriquées, ou peut-être même toutes ces choses à la fois. Je vous fournis en plus des logiciels d'ordinateur merveilleusement simples pour faire fonctionner ça et je vous vends le tout pour la moitié du prix qu'aurait coûté votre usine neuve au Texas. Et, pour vous convaincre encore mieux, j'accepte qu'une partie de mon argent me soit payée sur les bénéfices que vous réaliserez en vendant les produits qui sortiront de votre usine de récupération. Vous ne pouvez pas refuser une offre pareille.

— Et naturellement, vous réalisez un bénéfice monstre. Elle se tourna sur sa chaise longue pour attraper ses lunettes de soleil.

— Plus que si je plaçais mon argent en bons du Trésor, oui. Mais les coûts sociaux seront de loin inférieurs à ce qu'ils seraient si le gouvernement essayait de monter la même opération. En plus, nos gouvernants préféreraient le suicide collectif à un projet qui risquerait de nuire au sud.

— Combien de bénéfice? Vint-cinq pour cent par an? Elle tendit la main vers la crème solaire. Il fut un temps où c'était un taux usuraire.

— Ce n'est ni aussi simple, ni aussi certain. Parfois zéro pour cent et ensuite, si on a de la chance, cent pour cent.

— Mais c'est scandaleux! Et sans aucun risque. Elle saisit le tube qu'il venait de prendre.

— Non, justement. Le risque est très élevé. Dans *Business Week*, on ne vous parle que des succès.

— Je ne lis pas *Business Week*. Elle s'enduisait furieusement de crème.

— Alors vous devriez. En tout cas, on peut perdre beaucoup d'argent dans ce genre de projet et un investisseur ordinaire ne devrait pas s'y risquer. On dit que les citrons poussent vite mais qu'il faut longtemps pour faire une perle. Prenez Federal Express, qui est l'un des plus réussis de ces projets. Personne ne peut plus s'en passer, n'est-ce pas? Eh bien, il a fallu trois capitalisations avant que ça accroche. Même quand on a les moyens de prendre des risques, on ne peut pas s'attendre à réussir à tous les coups. Par contre, quand on fait de l'argent, ça vaut la peine. Retirez ça et personne ne voudra plus prendre aucun risque. C'est grâce à des gens qui savent prendre des risques que nous sommes plus forts que qui que ce soit en informatique, par exemple.

— Plus forts que les Japonais? demanda-t-elle d'un ton sarcastique.

— D'une façon générale, oui. Il eut un faible sourire de satisfaction. Entre autres, personne au Japon n'a encore développé un programme de comptabilité qui arrive à la cheville du nôtre.

— Un programme, naturellement, sur lequel vous avez gagné cent pour cent?

— Cinq cents, à vrai dire.

— Et vous ne trouvez pas ça criminel?

— En fait, commença-t-il en effleurant ses doigts, les comptables qui l'utilisent trouvent qu'on devrait plutôt nous canoniser. Elle ne retira pas sa main. Une jeune femme un peu indécise, dirait-on. Et puis j'ai réinvesti la plus grande partie de l'argent dans d'autres projets.

— Pour faire encore plus d'argent? Elle paraissait vraiment intéressée.

— Promettez-moi de ne pas vous moquer.

— Bien sûr.

— Pour aider mon prochain. Sérieusement.

En effet, elle ne se moqua pas. Elle continua simplement son interrogatoire sans toutefois lui retirer ses doigts.

— Et les syndicats?

— Certains d'entre eux... Il lui prit carrément la main et changea brusquement de sujet : Vous voulez dîner avec moi ici, au club?

Elle hocha la tête, comme si sa décision avait été prise d'avance.

— Formidable... Où en étais-je? Ah oui, les syndicats. Certains d'entre eux coopèrent; les autres sont méfiants. Les plus intelligents comprennent que nous pouvons fournir des emplois à des ouvriers qui ne feront plus jamais d'acier chez U.S. Steel. Mais ils savent également que notre productivité doit être aussi bonne que celle d'une usine non syndiquée dans le sud. Parfois, nous indexons les salaires à la productivité et aux bénéfices; parfois, nous donnons des actions aux employés, ou nous mettons des délégués syndicaux au conseil d'administration; parfois, nous faisons des produits qui demandent moins de main-d'œuvre.

— Donc, au bout du compte, il y a toujours des hommes et des femmes sans emploi?

— Moins que si l'usine restait fermée. Soyons sérieux; rien n'est jamais parfait. Certains employés de la nouvelle usine n'ont jamais travaillé à l'ancienne. Un grand nombre de ceux qui ont travaillé à l'ancienne usine ne travailleront pas pour la nouvelle, et c'est souvent parce qu'ils ont atteint l'âge de la retraite. Mais au moins, il y a des gens qui gagnent leur vie dans la communauté, ce qui veut dire qu'il y a du travail pour les commerçants, les médecins, les ecclésiastiques, et même les croque-morts. Peut-être que les choses ne seront plus jamais comme elles étaient quand la production d'acier battait son plein, mais elles vont bien mieux que si les immeubles restaient vides, ou s'ils étaient remplacés par des projets immobiliers de luxe, avec marina et piscine intérieure.

— Que pensez-vous de ceux qui disent que les gens comme vous gagnent leur argent sur le dos des ouvriers au chômage?

— Vous êtes un bon avocat. Il lâcha sa main pour des raisons pratiques, se mit sur le ventre et tendit un index accusateur vers elle. La réponse, c'est que je gagne de l'argent, quand j'en gagne, en réduisant leurs problèmes, malgré ce que vous lisez parfois dans la presse de Chicago. Mais je ne peux pas éviter les ressentiments. Si je réussis un bon montage politique, financier, social, technique, alors j'ai de l'argent à investir dans un autre projet. Si j'échoue trop souvent, je suis obligé de m'installer comme avocat quelque part.

— Et tout cela prend combien de temps?

— Ordinairement? Trois matinées par semaine. Quand les choses sont sur le point d'aboutir? Cent heures par semaine. Ça arrive peut-être une fois par an.

— Un bon emploi, pour ceux qui peuvent le décrocher.

Il lui en voulut soudain de ses sarcasmes, qu'il avait pourtant à peine remarqués. Il leva une main vers elle et posa ses doigts sur son visage.

— Ecoutez, Diana Marie Lyons, dit-il gravement, vous êtes une femme très intelligente et, dans ce maillot de bain, vous êtes l'une des beautés les plus époustouflantes que j'aie jamais eu le plaisir de contempler. Au point que mon imagination de poète est en panne. J'ai l'intention de tomber amoureux de vous, et d'ailleurs, je le suis déjà à moitié. Toutefois, il y a des moments où vous semblez avoir un registre comptable à la place du cerveau et un chronomètre à la place du cœur... Doit-on absolument juger la valeur d'une activité selon le temps qui y est consacré?

Il y eut un éclair dangereux dans ses yeux et il se prépara pour l'explosion. Une fois de plus, elle ne vint pas.

— Bien sûr que non. Elle haussa ses merveilleuses épaules, ce qui fit nettement tomber sa colère, et laissa sa main où elle était. J'ai tendance à chercher la bagarre et même... à porter des jugements. Elle sourit et toucha sa main, ce qui constituait une acceptation. Les pirates irlandaises sont comme ça, vous savez. Vous vous souvenez de ce que Grace O'Malley a fait aux Flaherty, non?

Il ne s'en souvenait pas, mais rien n'avait moins d'importance. Il retira sa main et conclut sa défense :

— Je serais totalement incapable de m'occuper de l'administration de ces projets au jour le jour. Je commettrais des erreurs dangereuses et je n'aurais plus l'esprit assez libre pour imaginer de nouveaux montages.

— Donc pour être bon dans votre métier, il faut aussi être poète? Le menton appuyé sur son poing, elle le regardait en souriant.

Il faillit se rebiffer de nouveau, mais réalisa qu'elle était sérieuse.

— Je n'ai jamais eu le courage de le dire.

Elle trouva qu'il avait la joue chaude. Son sourire s'élargit encore et sa peau devint encore plus chaude.

— Nous devrions peut-être nous habiller pour dîner?

— Vous voulez vraiment acheter l'usine de U.S. Steel?

— Pas encore. La presse s'y intéresse encore trop. Ces choses-là doivent se faire discrètement, au début.

— Ce ne sera pas trop cher?

— L'usine?

Elle rougit.

— Non, le dîner.

En riant, il lui donna une tape sur les fesses, pas trop fort.

— Vous voulez bien arrêter?

— Pas si vous réagissez comme ça.

— Vous aimez les fessées?

— Parfois, et juste comme ça.

— Parlez-moi encore de prix et vous allez être servie!

Elle le considéra d'un air faussement sérieux.

— Une perspective intéressante. Au fait, j'ai mon mot à dire? Elle l'avait laissé lui passer un bras autour des épaules, tandis qu'ils se dirigeaient vers les vestiaires.

— Au sujet de quoi?

— De votre coup de foudre. Je suppose que ça vous arrive une fois par semaine?

— Ce n'est pas juste, dit-il avec un petit rire. Vous me connaissez déjà trop bien. Oui, ça m'arrive souvent. Parfois, mais seulement parfois, c'est sérieux. Et puis non, vous n'avez pas votre mot à dire.

— Voilà une attitude bien dictatoriale, fit-elle d'un ton léger.

— Pas le moins du monde. C'est moi qui tombe amoureux, donc c'est moi qui ai mon mot à dire. Vous, vous avez le choix de répondre ou pas. Jusqu'à présent, je dois dire que toutes les femmes ont réagi avec un ensemble remarquable.

Ils étaient arrivés à l'entrée des vestiaires.

— En disant « Non merci »?

— Parfois. Il l'embrassa, plus longuement et plus tendrement qu'auparavant. Il crut ressentir un peu plus de chaleur de sa part.

— Remarquable. Elle lui fit un clin d'œil complice. En tout cas, moi, je dirai merci pour le dîner. Et avant de disparaître dans le vestiaire des dames, elle lança par-dessus son épaule : Et le baiser!

Conor Clarke poussa un profond soupir. Cette fille était tout à fait séduisante. Mais elle était aussi épuisante. C'était comme ça avec ces piratesses irlandaises.

Que vais-je faire d'elle? se demanda-t-il sous la douche.

Question parfaitement ridicule, mon cher.

Il se souvint beaucoup plus tard qu'une petite voix, tout au fond de lui, l'engageait à plus de prudence.

Tu es la mouche et elle est l'araignée, disait la voix. C'est toi l'esclave à vendre, pas elle.

4

Elle l'attendait sur la terrasse qui surplombait le dix-huitième trou, un cocktail à la main, l'évaluant sans complaisance tandis qu'il s'approchait d'elle.

— La veste et le pantalon sont assortis à la couleur de vos yeux. Je suis loin de faire le poids.

— Vous avez remarqué la couleur de mes yeux?

— Je n'ai pas passé la journée à admirer vos pectoraux... A propos, quel aurait été le score si vous n'aviez pas passé votre temps à vous rincer l'œil comme un gamin? Avouez que vous m'avez menti sur votre handicap?

La soirée va être longue... Dieu du ciel, elle n'arrête donc jamais?

Il va falloir que tu t'habitues, mon ami. Elle est comme ça. D'ailleurs, ça te plaît. Tu aimes te mesurer à elle; ça t'excite.

— J'avais sous-estimé. Ça arrive dans les affaires, Maître... Pardon? Oui, je ne devrais pas, mais je vais prendre la même chose que Madame.

Elle portait une robe légère couleur tabac, ce genre de robe qui permet à une femme d'être suffisamment habillée pour un dîner sans pour autant souffrir de la chaleur. Ses cheveux bruns, enfin défaits, se répandaient sur ses épaules nues et elle portait une simple chaîne d'or au cou.

— Vous étiez prête pour un dîner...

— Je me suis dit que si je me tenais à peu près bien, on me permettrait peut-être de manger avec les riches.

— Ces gens-là ne sont pas des riches, répéta-t-il avec un visage fermé.

— Je sais. Elle lui toucha de nouveau la main, et ses doigts s'attardèrent. Quand j'étais petite, nous allions parfois passer une journée à Michigan City et j'avais l'impression d'aller chez le jet set.

— Ce sont des gens bien plus gentils que ceux du jet set, répondit-il en lui caressant les doigts. Finalement, elle retira sa main, mais très doucement.

— Pourquoi m'avez-vous laissé gagner? demanda-t-elle, apparemment plus curieuse que fâchée.

— Vous allez encore vous mettre en colère.

Elle faillit répondre sèchement, mais se reprit à temps :

— Je promets que non, dit-elle doucement.

— Eh bien... Il décida que la meilleure tactique consistait peut-être à dire la vérité, ce qu'il risquait rarement si tôt dans sa relation avec une femme.

— ... Je pense qu'il y a deux raisons. Tout d'abord, je voulais montrer dès le début que, bien que je sois effectivement un macho insensible qui ne pense qu'au sexe, je n'ai rien contre l'idée de me mesurer sur un terrain de golf à une femme qui joue mieux que moi. Je tiens d'ailleurs à ce que nous établissions une chose : handicaps mis à part, vous êtes meilleure au golf que moi. D'accord, Maître?

— D'accord. Elle hocha la tête, sa curiosité maintenant éveillée. Je me déclare dûment impressionnée par votre féminisme, encore que je conserve des doutes quant à vos motivations. Ensuite?

— Ensuite, vous m'avez fasciné dès le premier instant et je voulais vous étudier. J'ai pensé que je pourrais en apprendre plus sur vous si je vous laissais gagner. Fâchée?

— J'ai promis. Alors vous avez appris que j'avais une certaine allure sur un terrain de golf, que j'étais dure avec moi-même et que j'avais un livre de comptabilité à la place du cœur. C'est ça?

— Entre autres choses.

— Qui sont? Elle traça un motif sur la table avec son verre.

— Que vous êtes l'une des filles les plus mystérieuses et adorables que j'aie jamais connues, qu'avec votre autorisation, je veux vous connaître mieux et que désormais, je jouerai franc jeu avec vous.

— Si j'ai bien compris, j'ai au moins mérité mon dîner?

— Haut la main.

— Vous me trouvez mystérieuse? Aucun homme ne m'avait jamais dit ça.

— C'est pourtant vrai. Alors... Inexplicablement jaloux, il se demandait déjà qui étaient les autres hommes.

— Alors... quoi?

— Est-ce que j'ai votre autorisation pour apprendre à mieux vous connaître?

— Pour le moment, je réserverai mon jugement. Elle continuait ses arabesques sur la table.

— Et vous, que pensez-vous?

— De quoi? Elle but une gorgée et le regarda prudemment par-dessus le bord de son verre.

— De Conor Clement Clarke, playboy, amoureux des arts et des sciences, homme d'affaires, piètre marin, malheureux en amour jusqu'à présent, mais non sans espoir, tricheur d'une certaine façon au golf, entouré de femmes belles et riches...

— Oh lui... Mettons que je sois moins sûre que ce matin pour ce qui est des hordes de belles femmes.

— Je ne sais pas si je dois me sentir soulagé ou insulté. Il se tortilla sur sa chaise.

— Détendez-vous, fit-elle gaiement. J'ajouterai qu'il est loin d'être laid et qu'il a une sorte d'expression de chiot réprimandé qui éveillerait l'instinct maternel de n'importe quelle femme.

— Hé là...

— Si vous pouvez m'enlever mes vêtements, j'ai le droit d'enlever les vôtres. Elle se sentit rougir légèrement. Psychologiquement parlant... pour l'instant.

— Bien sûr. Pourquoi ses joues étaient-elles soudain si chaudes?

— Quand aurez-vous assez d'argent?

— Pardon?

— Votre père a fait des quantités d'argent extraordinaires en spéculant sur les marchandises. Qu'était-ce déjà? ... ah oui, le porc et le soja. Il a gagné et perdu des millions là-dedans. Vers la fin de sa vie, au début des années soixante-dix, il a fait plus que la somme de tout ce qu'il avait gagné et perdu jusque-là. La Bourse de commerce était plus importante que tout pour lui. Rien d'autre ne comptait. Ni la seconde femme qu'il avait épousée sur le tard, ni le fils unique qui ne l'intéressait guère, surtout depuis qu'il avait compris que ce fils ne deviendrait jamais une vedette du football universitaire. Votre mère et votre père sont décédés à un an d'intervalle et vous avez hérité d'un nombre considérable de millions, parce que votre père, qui se croyait immortel, n'avait jamais pris la peine de faire un testament pour vous en empêcher. Vous avez alors entrepris de doubler cette fortune, tout en continuant d'assumer votre image de playboy, mécène, poète...

— Le poète n'est pas une image.

— D'accord. Comme je l'ai déjà dit, vous réussissez très bien. Mais je voudrais savoir combien d'argent vous voulez gagner avant de vous être prouvé, à vous-même et au fantôme de votre père, que vous étiez capable de faire mieux que lui tout en restant une espèce d'intellectuel de la Renaissance.

Heureusement qu'elle m'a laissé mes caleçons, se dit-il avec un frisson intérieur.

— Je ne suis pas encore arrivé au double. Beaucoup plus tard, trop tard, Conor Clarke se demanderait pourquoi cette fille était si bien documentée sur un homme qu'elle rencontrait pour la première fois.

— Vous ne m'avez pas encore répondu. Elle prit son verre. C'est vous qui avez dit que j'avais un chronomètre à la place du cœur; c'est vous qui m'avez imaginée sur un lit devant un aréopage de juges. Je m'estime donc...

— Le double suffira, dit-il sombrement.

— Et ensuite vous vous contenterez d'écrire des poèmes?

Maintenant, il était totalement amoureux d'elle. Elle était la meilleure. Sa cousine Maryjane méritait une médaille.

— Pourquoi pas? Elle vida son verre et secoua la tête quand il fit mine d'appeler le serveur.

J'aime ce que je fais.

— C'est amusant de prendre des risques financiers?

— Pas autant que d'être déshabillé par vous. Il eut un sourire féroce. Elle ne perd rien pour attendre.

— Je suis sérieuse.

— Moi aussi. Enfin, plus ou moins. C'est un travail intéressant et utile. J'ai peut-être plus de gènes paternels que je ne le croyais. Je ne sais pas.

— Alors vous trouvez que vous faites un travail utile en gagnant de l'argent?

Il n'aurait pas aimé être devant elle à la barre des témoins.

— Quelque chose comme ça, oui.

— Et l'appât du gain?

— Peut-être qu'il joue son rôle aussi. J'essaie de ne pas le laisser prendre trop d'importance. Que dire de plus?

Le crépuscule envahissait rapidement le terrain de golf. Elle l'observait attentivement, les mains jointes devant elle comme une mère supérieure. Graduellement, ses traits se détendirent, pour devenir presque tendres.

— Vous pouvez m'emmener dans la salle à manger où je mangerai du saumon poché. Vous pouvez aussi me pardonner d'avoir été aussi désagréable dans ma curiosité.

— Allons manger. Il sourit et prit son bras pour la guider vers le restaurant.

Bon sang, elle venait de remporter une nouvelle manche à ce jeu du chat et de la souris auquel ils jouaient depuis le matin. Tandis que tous les yeux se tournaient vers sa belle compagne, il pensa qu'il pourrait peut-être encore sauver la face en la félicitant de son triomphe.

— Diana Marie Lyons, commença-t-il avant d'avoir vraiment réfléchi à ce qu'il allait dire, vous êtes une jeune femme très belle et très intelligente. Vous utilisez votre intelligence, fort judicieusement, pour tenir à distance les hommes qui sont attirés par votre beauté. Ce qui explique que vous soyiez encore vierge. Il s'en voulut immédiatement de cette dernière phrase. Je tiens à dire ici que, bien que j'aie perdu la joute d'aujourd'hui, l'intellectuel de la Renaissance que je suis ne se laisse pas intimider par les femmes qui lui sont supérieures en intelligence, en esprit et au golf.

— Je demande une trêve! Elle leva les mains en souriant. Mangeons notre saumon et buvons le vin blanc que vous allez m'offrir. Sans nous battre.

Il se demanda si ce serait jamais possible avec une fille comme Diana Marie Lyons, son grand amour.

Mais elle fut charmante, enjouée, et même un peu grise vers la fin du repas.

— Ce vin est excellent, fit-elle en hochant la tête. Il vit un nuage passer dans ses yeux et une question se former sur ses lèvres. Puis le nuage s'estompa et la question ne fut pas posée.

— C'est une bouteille *très* chère, répondit-il.

— Je n'ai rien demandé. Elle baissa la tête pour qu'il ne la voie pas rougir. J'avais peur de votre main droite.

— Elle me fait encore mal. Il examina sa main. Des muscles solides comme du roc.

— C'est le squash. Il faudra que nous fassions une partie, un de ces jours.

Il eut vaguement envie de faire un commentaire sur son postérieur, mais décida que c'était prématuré et se rabattit sur un sujet plus sûr.

— Alors, que faites-vous pendant les soixante-dix heures de travail que Donny Roscoe vous impose chaque semaine? Ils étaient retournés sur la terrasse pour prendre le café (décaféiné pour elle. Tiens, ma dulcinée dort mal? Peut-être pourrons-nous trouver une solution à ce problème, bientôt?)

— Je travaille pour le gouvernement. Elle fut instantanément sur la défensive.

— Ça, je le sais. Il saisit sa main fermement, bien décidé à ne pas la laisser échapper cette fois. Elle ne tenta pas de s'échapper. Quelle sorte de travail pour le gouvernement?

— Oh, fraude fiscale, ce genre de chose... En fait, c'est dans les journaux; je suppose qu'il n'y a rien de mal à en parler, du moins superficiellement.

— Je ne lis pas beaucoup la presse locale. Sa main était remarquablement soumise pour une main qui savait faire des choses aussi extraordinaires au golf.

— Nous jetons un coup d'œil sur les affaires de votre ami Broderick Considine, du comté de Cook.

— Broddy Considine? Ce vieil escroc? Vous avez du pain sur la planche. Mon père disait que c'était le politicien le plus tordu parmi les démocrates de tout le comté. Et ça représente du monde!

— Pourtant, il s'entendait bien avec votre père, non?

— Ils jouaient au golf chaque fois que mon père trouvait le temps, c'est-à-dire environ deux fois par été. Bien sûr, mon père contribuait au financement des campagnes de Broddy. J'ai l'impression que tout le monde le faisait, à l'époque. Encore aujourd'hui, je lui donne quelques milliers de dollars tous les quatre ans, en souvenir du bon vieux temps. Il a bien des défauts, mais on le garde, un peu comme on garde les vestiges de l'architecture originale de Chicago.

— Il n'est pas plus ou moins impliqué dans vos affaires?

— Broddy? Surtout pas! Je ne suis pas totalement idiot, Diana Marie Lyons.

— Je ne me souviens pas très bien, dit-elle après un instant de silence, ce doit être l'heure tardive, ou tout l'alcool que vous me forcez à boire dans vos efforts pour attenter à ma chasteté... Elle eut un gloussement et fit mine de retenir un hoquet ...mais n'êtes-vous pas impliqué dans une ancienne fonderie à Cokewood Springs?

— Exact. Ça s'appelait United Foundry Works et... mais vous avez raison! J'avais oublié que Broddy faisait partie des actionnaires. C'est moi qui ai eu cette idée, d'ailleurs : c'est beaucoup plus facile de faire avancer ce genre d'affaire avec un homme comme lui. Bien sûr, mes avocats ont vérifié qu'il n'y avait pas de conflit d'intérêt.

— Personne n'a jamais dit cela. Il eut l'impression que la main de Diana se raidissait dans la sienne. C'est seulement que les affaires de M. Considine sont extrêmement complexes. Il faudra peut-être des années pour les démêler.

— Ou des siècles. Quel gaspillage, pensa-t-il; voilà une jeune femme aussi belle qu'intelligente qui perd son temps à débrouiller les magouilles d'un vieillard qui sera probablement mort avant d'avoir accompli le premier jour de sa peine de prison. Et tout ça pour faire un peu plus de publicité à cet autre requin de Donny Roscoe, qui ne pense qu'à son avenir politique. Elle devrait travailler pour Rich Daley; ça lui permettrait d'acquérir une vraie expérience juridique. Ou alors, elle devrait enseigner le dessin à des enfants; les siens surtout. Il faudra que je m'occupe de ça.

— Ce n'est donc pas une de vos grosses affaires?

— L'une des plus faciles. Si j'ai bonne mémoire, la société va produire des machines qui vont tester d'autres machines pour s'assurer qu'elles fonctionnent bien. Très technique tout ça. Ce qui devrait attirer un tas d'ingénieurs vers des banlieues en perte de vitesse, comme Homewood et Flossmoor ou Olympia Fields, qui ont besoin de sang nouveau.

— Est-ce que c'est l'un de ces projets à cinq cents pour-cent?

Il eut un rire franc et confiant.

— Quand on a de la chance, il y en a un tous les dix ans. Non, le projet de Cokewood est surtout intéressant par le produit qu'il va permettre de faire : si nous pouvons prendre de l'avance dans la technologie des machines automatiques qui fabriquent des machines automatiques, nous pourrions nous retrouver, dans les années quatre-vingt-dix, avec l'équivalent de Silicon Valley dans notre comté.

— Vous êtes allé à Cokewood Springs? Elle retira sa main; c'était trop beau pour durer.

— Une fois, je crois. Une usine parfaite. C'est la société qui m'avait demandé de trouver un endroit. Il y avait plein de jolies petites maisons qui avaient besoin d'une couche de peinture. En tout cas, si votre bureau est en train de fouiner, vous pouvez regarder mes déclarations d'impôts autant que vous voulez.

— Je ne serais pas en train d'en parler avec vous, dit-elle avec raideur, si nous en avions l'intention.

— Je sais. Bon sang, rendez-moi votre main. Je n'ai pas l'intention de me jeter sur votre corps de vierge. Pas ce soir en tout cas.

Elle s'exécuta sans commentaire.

— Voilà qui est mieux. Je ne garantis rien pour l'avenir.

— Je vous ai déjà dit que je saurais me défendre.

Il se demanda si c'était vrai. Sous le masque de force et de compétence, il y avait une femme vulnérable, effrayée, et peut-être esseulée. Les deux étaient séduisants, surtout si on les mettait ensemble.

— Je disais donc que je payais mes impôts. J'ai été contrôlé chaque année depuis la mort de mon père. Je suis blanc comme neige. Et si je dois aller un jour en prison, j'espère que ce sera pour quelque chose de plus excitant que de l'évasion fiscale.

— Comme quoi?

— Emmener des piratesses vierges dans un autre Etat dans un but de luxure. Hawaï ne serait pas mal. Encore qu'il n'y fasse pas très chaud à cette époque de l'année.

— Revenez en janvier, avec vos propositions malhonnêtes.

Elle gloussa de nouveau. Ce vin à soixante dollars valait beaucoup plus s'il la faisait rire.

— Vous aimez déflorer des vierges? Elle le considéra avec le sérieux qu'ont les gens légèrement gris.

— Je préfère attendre leur nuit de noces, répondit-il d'un ton léger. A moins qu'elles ne me sautent dessus, ce qui arrive fréquemment, comme vous pouvez vous en douter.

— Je m'en doute.

Il lui avait dit la vérité quant à ses intentions : sa moralité de poète estimait qu'une femme qui a su rester vierge jusqu'à vingt-cinq ans ne pouvait être déflorée que le soir de ses noces. Cependant, il était essentiel que ces noces aient lieu avant son vingt-sixième anniversaire.

Par ailleurs, elle était épuisante. Il savait maintenant qu'il était amoureux d'elle, mais estimait qu'il valait mieux l'examiner plus en détail plutôt que de prendre des décisions hâtives.

Il devait pourtant admettre que, mis à part son interrogatoire, elle était une compagne de dîner délicieuse. Flattée de se savoir admirée et légèrement grisée par l'alcool, elle riait de ses pires plaisanteries, l'écoutait attentivement parler de Silicon Valley, et imitait la plupart des politiciens de l'Illinois. Sa meilleure imitation était celle de son patron, Donald Bane Roscoe.

— Mon bureau, zézaya-t-elle à travers des incisives largement découvertes, ne tolèrera aucune condamnation qui ne me mènera pas tout droit à la maison du gouverneur.

— Comment pouvez-vous travailler pour cet homme et vous moquer de lui? C'était à son tour d'être choqué.

Elle haussa les épaules. Je peux aussi me moquer d'un homme qui m'invite à dîner. Et elle se composa un visage de poète un peu fou, qui ressemblait assez à celui que Conor avait souvent vu dans son miroir. *Ils étaient deux amants, par une nuit glaciale...*

Sans se préoccuper des regards qu'il risquait d'attirer, Conor lui ferma les lèvres d'un long baiser.

— *Le regard bienveillant d'innombrables étoiles*... continua-t-elle avant que sa phrase ne se perde dans une bordée de petits gloussements.

Une femme dangereuse. *Tremendum et fascinans*. Je pourrais avoir de gros problèmes. Dès ce soir d'ailleurs.

Il se contenterait donc d'une petite bise discrète et s'en irait rapidement. Il ne fallait pas, cependant, que ce genre de relation dure trop longtemps.

Ce fut dans un silence complice qu'il la reconduisit jusqu'à la maison d'été de Maryjane, à Grand Beach.

— Une seule lumière dans la maison? demanda-t-il.

— Maryjane et Gerard arrivent ensemble demain matin. Il prend un week-end prolongé. Il ne voulait pas qu'elle conduise seule jusqu'ici; le bébé, vous savez...

— Mais c'est pour dans trois mois...?

— Si vous avez un jour le courage de vous marier, vous serez comme ça quand votre femme attendra son premier enfant.

Il n'avait pas envie de se disputer encore avec elle.

— Vous serez en sécurité?

— Avec la famille de Rich Daley au bout de la rue? Il n'y a pas de sécurité plus grande, sauf dans un cloître.

— Ils ne sont plus si sûrs de nos jours. Il alla ouvrir sa portière et s'inclina tandis qu'elle sortait de la voiture. Son féminisme ne semblait pas lui interdire d'accepter ce genre de courtoisie. Je vous appellerai demain.

— J'attendrai dès le lever du soleil, fit-elle ironiquement. Non, je ne veux pas finir sur une pique. Ce fut une journée des plus intéressantes. Ça ira?

— J'en ai apprécié chaque instant. Il lui tint le bras pendant qu'ils se dirigeaient vers la porte. Le gros des effets de l'alcool avait disparu.

— Même si nous nous sommes un peu chamaillés?

— C'est un plaisir de se chamailler avec une femme aussi belle. Il se pencha vers elle pour un chaste baiser d'adieu.

— Merci, dit-elle simplement.

Il ne sut pas comment leurs lèvres et leurs corps s'étaient soudain retrouvés emmêlés. Leurs deux cœurs battaient la chamade. Elle était douce et chaude et tendre... et tout à fait sans défense. Elle se rend, pensa-t-il confusément en se dégageant.

— C'était très agréable, Diana. Il lui caressa doucement le visage. Vous embrassez encore mieux que vous ne jouez au golf.

— Je... Elle prit une profonde inspiration. Merci.

— Bonne nuit, Diana.

— Bonne nuit, Conor.

— A demain.

Sur la route qui le ramenait chez lui, Conor réalisa qu'il aurait pu rester avec elle cette nuit. Une jeune femme chaste comme Diana Lyons ne s'offre pas aussi facilement, à moins d'être terriblement indécise, effrayée et esseulée.

Et si j'avais accepté son offre.

Elle m'aurait probablement détesté à tout jamais.

Il y a quand même quelque chose qui ne colle pas tout à fait. Et j'ai intérêt à trouver ce que c'est avant de m'enferrer encore plus.

5

Il faudrait que j'aille nager dans le lac, se dit Diana, son crayon jaune numéro deux en suspens au-dessus d'une page vide de son journal intime.

Mamma trouvait que c'était une perte de temps. « Qui le lira jamais? demandait-elle. Ne dit-on pas qu'il vaut mieux écrire des lettres d'amour à d'autres plutôt qu'à soi-même? »

Parfois, Mamma et elle étaient amies. D'autres fois, elles étaient ennemies, mais seulement quand Diana semblait menacer le bonheur de Papa.

Ce dernier estimait que c'était bon d'enregistrer ce qui se passait dans notre vie. Il lui avait montré les notes qu'il avait prises alors que, jeune avocat, il avait déjà deux enfants et un autre en route; puis d'autres qui dataient du temps où il était enquêteur en chef du ministère de l'Agriculture et qu'il poursuivait les fraudeurs de la Bourse de commerce.

Diana avait été impressionnée par le feu de son idéalisme. Même au plus fort de son propre enthousiasme, elle ne s'était jamais fait d'illusions sur l'influence qu'elle pourrait avoir sur l'avenir du monde. C'était peut-être bien la différence entre les années cinquante et les années quatre-vingt.

"Tu vois, Maria," avait dit Papa, "ça valait la peine d'écrire ce journal, puisqu'au moins ma fille cadette en tire une inspiration."

Mamma n'avait pas répondu. Elle ne répondait jamais quand elle n'était pas d'accord avec Papa.

Il n'aimait pas les petits livres reliés en faux cuir que les jeunes filles utilisent parfois pour y écrire leurs pensées. « Une personne sérieuse n'a pas besoin de dépenser son argent à ça. J'ai toujours utilisé un cahier à spirale ordinaire et un crayon numéro deux, et ça fait très bien l'affaire. Ce qui est important, c'est le contenu, et pas le contenant. »

Au collège, un garçon qui avait le béguin pour elle lui avait offert un journal relié de cuir véritable; elle ne l'avait jamais utilisé. Il était toujours dans une armoire, avec différents autres souvenirs d'une époque révolue: elle avait décidé depuis qu'elle n'était pas le genre à se marier.

Devant la fenêtre de sa chambre, le lac était aussi calme qu'un pot de café froid. Elle avait arrêté la climatisation en arrivant. C'était bien de Maryjane de la laisser fonctionner toute la journée alors qu'elle savait qu'il n'y aurait personne jusqu'à minuit et qu'en plus, une seule personne dormirait dans la maison.

Il aurait pu y en avoir deux, se dit-elle. Mais elle s'empressa de chasser cette pensée terrifiante et fascinante.

Je ne devrais jamais boire de vin après un cocktail.

En plus, on n'avait pas besoin de la climatisation la plupart du temps. C'était même du gaspillage quand on vivait au bord d'un lac. Nos grands-mères n'avaient jamais eu besoin de ce genre de luxe.

Elle était assise sur son lit, vêtue d'un long T-shirt, essayant de se rappeler ces mots qui lui étaient venus si facilement sous la douche cet après-midi.

Le seul qui lui revenait sans cesse était le mot « obsession »; elle l'avait déjà écrit en grosses lettres majuscules sur une page autrement vierge.

Un qualificatif intéressant, mademoiselle. Si tu l'es encore ce soir, ce n'est certainement pas de ta faute.

Je n'ai jamais rien fait d'imprudent de toute ma vie. J'ai toujours été la personne posée, réfléchie, responsable, que mon père m'a appris à être. Et aujourd'hui...

— Si tu ne veux pas jouer au golf seule aujourd'hui... Maryjane avait posé la pointe de son stylo sur une liste des membres du Long Beach Country Club.

— Ça ne me dérange pas, avait répondu Diana d'un ton indifférent. J'ai seulement dit que j'avais suffisamment pratiqué et que je devrais être prête à me mesurer à quelqu'un.

— Personne d'acceptable dans les A ni dans les B...

— Je ne cherche pas un mari; seulement un partenaire de golf, homme, femme ou enfant. Et en plus, je peux jouer seule, comme je l'ai déjà fait. D'ailleurs, ton club est un peu trop huppé pour moi.

Beaucoup trop huppé. Je ne devrais même pas y mettre les pieds. D'ailleurs, si Maryjane n'était pas une amie d'école et si elle n'avait pas autant insisté pour que je lui tienne compagnie pendant l'absence de Gerry, je n'oserais même pas mettre les pieds dans cette maison. Papa n'était pas très chaud. Il disait que les Irlandais d'ici étaient des prétentieux.

En fait, il y en a un certain nombre qui ne savent même pas comment on fait pour être prétentieux.

— Voyons les C... Maryjane avait ignoré ses protestations. Cain... non, il est puant. Carmody... tu passerais ton temps à le repousser... Clarke; voilà! Elle avait sauté d'enthousiasme. Que dirais-tu de jouer avec le plus recherché de nos célibataires, Conor Clement Clarke?

Elle aurait dû dire non, tout simplement. Mais ça l'avait tentée de le rencontrer, de l'étudier de près, de se faire sa propre idée, pour le cas où on lui proposerait de faire partie de l'équipe qui enquêtait sur lui.

Maryjane lui avait dit qu'il était très mignon et très gentil, qu'il ne fallait pas croire tout ce qu'on lisait sur lui dans les journaux, et qu'ils s'entendraient très bien tous les deux.

Ensuite, elle avait entendu Maryjane passer son coup de fil et elle avait réalisé que c'était contre toutes les règles de sa profession que d'accepter de jouer au golf avec lui. Elle s'était même levée de la table du petit déjeuner pour dire à son amie de ne pas prendre le rendez-vous.

C'était trop tard.

— Tu vois! Il se souvenait de toi! Je l'ai toujours dit : impossible de t'oublier. Je lui dis : "Ça te plairait de jouer au golf aujourd'hui avec mon amie Diana?" et il me dit : "La superbe déesse brune aux yeux bruns?" Alors je lui dis : "C'est une très bonne golfeuse" et il me dit : "Oui mais elle est mariée, non?" Alors là, je lui dis : "Jamais de la vie" et il me dit : "Les hommes sont des mufles; c'est combien, son handicap?" Je lui dis : "Quatre" et il fait : "Hé ben!" Alors je lui dis : "Qu'est-ce que tu en dis?" et il me dit : "Qu'on m'amène la belle Diana." Et voilà.

— Il est un peu playboy, non?

— Ça, c'est ce que disent les journaux. En vérité, il est très fûté et très gentil et puis un peu... un peu triste, tu vois?

Ce matin, non. Mais maintenant, elle voyait.

Agacée, Diana jeta son crayon et son cahier sur le lit. Rien. Absolument rien. Elle était vide, totalement dissociée d'elle-même, comme un observateur détaché, froid, sans aucune complaisance. La femme qui avait joué au golf avec Conor Clarke, qui avait discuté et ergoté avec lui, qui s'était grisée pendant le dîner et qui avait tenté maladroitement de le séduire, cette femme était une étrangère qu'elle n'aimait pas et qu'elle ne voulait pas connaître.

Comment ai-je pu me conduire ainsi? Bon sang, je suis Procureur des Etats-Unis; je méprise cet homme; son père a détruit le mien. Si j'aimais vraiment Papa, je ne pourrais même pas penser à Conor Clarke comme amant. Mes réactions sont viles, obscènes même.

Incapable de tenir en place, elle se leva et alla sur le petit balcon de sa chambre. L'air humide de la nuit la calma et la rassura.

Comme la main d'un homme?

Arrête, petite idiote.

Impulsivement, elle enleva son T-shirt et le lança sur une chaise.

Pourquoi ai-je fait ça? Personne ne peut me voir ici, mais je suis une fille prude; je ne m'étais jamais déshabillée dehors auparavant. Ai-je tellement envie d'avoir un homme avec moi?

Oui, bien sûr, mais pas lui.

Quand ils s'étaient vus, la réaction avait été instantanée. Leurs yeux ne s'étaient pas lâchés dès l'instant où il était entré dans la maison.

— Je ne veux pas jouer au golf avec elle, Maryjane. Son sourire était à la fois séduisant et fou. Elle va me battre.

— Vous avez peur de vous faire battre par une femme? avait-elle dit nerveusement. Je suis prête à vous accorder un handicap généreux.

— Vraiment? Il lui avait fait un clin d'œil appréciateur et son cœur s'était mis à battre à tout rompre. Il avait continué pendant tout le reste de la journée. Et il avait fini par lâcher pendant le dîner. Et pourtant, elle voyait clairement quel genre d'homme il était.

Pendant le dessert, il avait parlé de Silicon Valley, des déboires de Fairchild Camera, de Bob Noyce et d'Intel, de circuits intégrés et de microprocesseurs, du phénomène Atari, d'hommes qui valaient trente millions de dollars avant leur trentième anniversaire, d'espionnage industriel, d'espions japonais, des Hell's Angels et de la drogue, de scandales matrimoniaux, de procès et de menaces de mort.

Il semblait adorer tout cela, le capitalisme dans toute sa splendeur. Un beau pirate sans moralité. Pas étonnant qu'il la compare à une piratesse. Il aimait plus le jeu que l'argent, la victoire que le profit.

Pourtant, il y avait aussi de la tristesse dans ses yeux. Son père avait dû le faire souffrir énormément. Mais ce n'était pas une excuse...

Les arguments pour et contre lui se tamponnaient dans sa tête. Finalement, elle fut trop épuisée, trop indécise, pour continuer à penser à lui.

Elle leva les bras vers le ciel:

— Mon Dieu, aidez-moi!

La seule réponse fut un léger souffle de vent qui tenta d'agiter l'air humide et lourd.

Diana s'assit lourdement sur la chaise, enfouit sa tête dans ses mains et se mit à sangloter.

6

Conor n'appela pas Diana le lendemain comme il l'avait promis. La maison venait d'être construite et ne figurait pas encore dans l'annuaire. Dans sa chambre de la confortable auberge Creekwood, il voulut d'abord appeler les renseignements, mais décida qu'il préférait réfléchir d'abord à toute cette « affaire ». Sa vie amoureuse n'était qu'une longue série d'erreurs et d'occasions manquées, jalonnée de courtes rencontres sans lendemain avec les beautés généralement fades avec lesquelles on le voyait dans les journaux.

Aucune d'entre elles, pas même Naomi, ne l'avait jamais affecté autant que Diana Lyons. Merveilleuse, délicate petite Naomi qui, sans aucune aide de sa part et après avoir failli être sa maîtresse, avait réussi à devenir une bonne amie et une confidente.

Que penserait Naomi de Diana? Naomi et son mari le rabbin à calotte, qui seraient presque certainement dans son box au stade cet après-midi-là.

La réaction en chaîne entre eux avait commencé dès l'instant où il était entré dans la maison de Maryjane. Quand il s'était penché pour prendre son sac de golf, il lui avait involontairement effleuré la main et les hormones avaient commencé leur danse folle.

— Je peux le porter moi-même, avait-elle dit sèchement. Mais ses yeux bruns étaient agrandis par la surprise, comme si, pouvait-il l'espérer? elle avait été saisie par son charme.

De son côté, dès cet instant, il s'était mis à se demander si elle serait bonne au lit.

— Voyons! avait dit Maryjane, toujours aux aguets malgré son bavardage incessant. Amusez-vous bien tous les deux! Conor, je parie sur Diana!

Conor n'aimait pas les femmes compétitives. Il ne supportait pas les avocates agressives et ambitieuses. Il n'était pas attiré par les grandes filles athlétiques. Gentleman ou pas, il préférait les blondes.

Mais rien de tout cela n'avait plus aucune importance.

Pourtant, le souvenir du mariage désastreux de ses parents engageait Conor à la prudence. Mais dans certains cas, comme pour Naomi, c'était plutôt l'inverse.

Diana Marie Lyons, peut-être involontairement, certainement sous l'effet de l'alcool, l'avait rapidement mis au pied du mur. Maintenant, il fallait qu'il réfléchisse.

Malheureusement, avant qu'il puisse commencer sa réflexion, il reçut un appel de San Jose. Une nouvelle crise chez Infobase, sa société de logiciels. Le jeune génie qui l'avait fondée ne comprenait pas pourquoi Conor insistait tant pour modifier la stratégie de marketing et pour entrer en bourse. Il pensait que la poule aux œufs d'or allait continuer de pondre éternellement et voulait garder son jouet pour lui tout seul et pour le reste de ses jours.

Ensuite, il y eut plusieurs appels d'un groupe de dissidents d'une grosse compagnie d'ordinateurs qui avaient une idée brillante. Leur employeur ne voulant rien entendre, ils se tournaient vers Conor pour qu'il les aide à fonder une nouvelle entreprise. L'idée lui plut assez, mais depuis le cas d'Intel, chaque technicien du comté de Santa Clara croyait qu'il suffisait de trouver un investisseur pour devenir millionnaire.

Enfin, l'un de ses informateurs de San Jose lui apprit, en grande confidence, qu'un groupe d'employés insatisfaits de National Semiconductor étaient sur le point de partir avec un système de reconnaissance de la parole que tout le monde allait s'arracher.

Tu parles!

Tout cela le garda au téléphone jusqu'à dix-neuf heures et il eut toutes les peines du monde à faire comprendre à tous ces Californiens les mystères des fuseaux horaires.

Il finit par appeler Diana à dix-neuf heures trente, après s'être un peu emporté contre une opératrice des renseignements téléphoniques.

Naturellement, à cette heure-là, un vendredi soir, il n'y avait pas de réponse.

Il mangea seul, puis décida d'aller faire une longue marche dans les bois. Quand il revint, il s'aperçut qu'il n'avait même pas pensé à elle.

De retour dans sa chambre, il composa immédiatement le numéro, sans avoir besoin de regarder le papier sur lequel il l'avait noté.

Personne, bien sûr. Ils devraient avoir quelqu'un pour prendre les messages. Une femme remarquable, cette Maryjane. Un peu fofolle, mais très intelligente. Elle fera une mère extraordinaire. Gerry a de la chance.

Et il a deux ans de moins que moi.

Bon sang! Comme dit Naomi, plus on attend et plus il devient difficile de prendre une décision.

Demain. Je penserai à ça... à elle... demain.

Le samedi matin, le temps était clair et il y avait un bon vent du nord-est. Conor partit tôt pour la marina de New Buffalo où l'attendait un voilier qu'un de ses amis lui avait prêté pour le weekende. *Brigid*, son propre bateau, était resté à Chicago pendant qu'il faisait son pèlerinage annuel au lieu de vacances de sa jeunesse.

L'effort physique qu'il dut fournir pour piloter seul un voilier de dix mètres par un vent de dix-huit nœuds l'empêcha de penser à son autre sujet favori: les femmes. Une femme en particulier.

Mais tandis que, de retour à la marina, il amarrait le bateau, il réalisa qu'il avait déjà pris sa décision.

Diana Marie Lyons était une femme fascinante. Elle était séduisante, sexy même, malgré elle, intelligente, spirituelle. Elle était bien tout cela. Mais elle était aussi très seule, hantée par des démons qui ne lui plaisaient pas. Elle faisait partie de ces idéalistes militantes qui terrifiaient Conor. Il en eut le frisson. En fait, Diana l'aurait probablement terrifié, s'il n'avait pas eu tout de suite des idées salaces.

En plus, elle avait un problème: elle se posait des questions sur ce que coûtaient les choses, ce qui n'avait aucun sens à notre époque. Peut-être qu'elle était en croisade contre les riches? Donc contre lui.

Non, tu ne dois pas t'embarquer dans une aventure avec elle. Naomi aurait été horrifiée de te voir avant-hier soir. Tu as eu de la chance d'être sauvé par ton instinct.

Pourtant...

Il n'y a pas de pourtant.

Si. Elle a bu le vin et elle a dit qu'elle l'aimait. Elle a plaisanté sur cette histoire de prix. Et puis elle s'est détendue. Une vraie militante n'aurait pas pu laisser sa cause à la porte du restaurant comme elle l'a fait si facilement.

Et tu lui as plu. C'est vrai; elle a été aussi impressionnée par toi que toi par elle.

Ce qui n'est pas une preuve de goût de sa part. Tout ce que ça signifie, c'est qu'elle est en chaleur autant que toi. Dans ce cas, vous auriez dû vous précipiter au lit ce soir-là.

Mais tu n'aimes pas les aventures d'un soir. Tu ne veux pas devenir un vrai playboy célibataire, pas vrai?

Donc, tu dois l'oublier.
C'est ça.

7

— Enfin! Maryjane jouait très bien le rôle de la mère irlandaise courroucée, même si elle ne l'était pas encore tout à fait. J'avais fini par croire que tu ne répondais jamais à ton téléphone! Est-ce que tu veux faire du ski nautique avec notre bateau, à Pine Lake? Il y aura Cat O'Connor, tu sais, la fille de Nancy O'Connor, la nièce du juge Kane, avec son copain, mais elle doit être à la plage à onze heures; elle a un travail de surveillante; alors elle veut commencer tôt. Qui d'autre? Diana bien sûr! Oui. Elle reste une journée de plus. Elle dit qu'elle n'a pas fait de ski nautique depuis cinq ans. Alors c'est d'accord, hein? Huit heures.

Elle raccrocha et se tourna vers Diana: Alors c'est décidé. Il sera ici à huit heures et les gamins vous retrouveront derrière la maison. C'est parfait, hein?

— Si tu le dis. Elle venait de passer les trois derniers jours à attendre que le téléphone sonne. Elle aurait dû interdire à Maryjane de l'appeler. Mais elle en avait été incapable.

D'ailleurs, elle voulait se mesurer à lui, au ski nautique.

— Souviens-toi qu'il est vraiment très gentil mais qu'il a souffert parce que son père était une tête de lard. Il joue au poète irlandais, mais il y a une bonne part de douleur là-dedans aussi. Je t'assure!

— D'accord, d'accord, soupira Diana.

8

— Ecoutez, monsieur Clarke, fit Cat O'Connor, elle est très mignonne et tout, mais on pourra jamais tenir là-dedans tous les quatre. Les poings sur ses jolies hanches, elle regardait la Ferrari de Conor avec mépris. Voilà ce qu'on va faire, monsieur Clarke, vous allez prendre Diana dans votre petite voiture et John va m'emmener dans son minivan. D'accord?

— D'accord, Cat. Comme tu voudras.

Comme son ami le père John Blackwood Ryan l'avait dit à Conor avec un mélange d'anxiété et de fierté, sa nièce était « un véritable petit chef ».

— Comme ça, monsieur Clarke, John pourra me ramener pour que les mamans ne s'affolent pas sur la plage, et puis vous, vous pourrez emmener Diana chez Sage's pour prendre un lait malté au chocolat.

— Sage's? Seize ans et ça faisait déjà l'entremetteuse... Ça existe encore?

Conor avait remarqué que, dès le premier instant, Diana avait été « Diana » pour les adolescents, mais que lui était « monsieur Clarke » un adulte, un homme de la génération de leurs parents, un vieux en somme.

— Oui. Et leurs laits maltés sont toujours excellents. Je suis sûre que Diana a très envie d'y goûter; pas vrai Diana?

— Bien sûr. La petite ségrégation n'avait pas échappé à Diana et elle s'amusait énormément. Monsieur Clarke pourra toujours prendre un Coke diète s'il a peur pour sa ligne!

— L'angoisse! acquiescèrent les deux adolescents en chœur.

Diana était d'excellente humeur et arborait une tenue d'entraînement molletonnée rose, marquée des mots GRAND BEACH en grosses lettres noires. Le mannequin parfait pour une annonce publicitaire, se dit Conor.

Ses bonnes résolutions avaient complètement disparu dès qu'il avait entendu la voix de Maryjane au téléphone. Une journée de plus, ce n'est pas si grave.

Il engagea son impatient bolide sur l'autoroute, déplorant une fois de plus les limitations de vitesse américaines.

— Content de savoir que je sors avec une adolescente.

— Oh vraiment, Monsieur Clarke ! Elle eut un rire ravi.

— Appelez-moi encore comme ça devant ces gamins et je vous garantis que vous l'aurez, votre fessée!

— J'en meurs d'impatience! Elle rit de nouveau. Apparemment, elle était parvenue à la même décision que lui : savourer l'instant qui passe et ne pas se soucier de l'avenir.

Tandis qu'ils traversaient New Buffalo, Conor lui expliqua les graves problèmes sociaux que posait la « gentrification » de cette ancienne communauté de Tchèques et de Lituaniens que l'on venait de renommer «Harbor Country».

— Journalistes, artistes, écrivains, musiciens, ils se précipitent tous pour acheter de vieilles maisons en train de s'écrouler. Après, ils retapent tout ça et on finit par se croire à Cape Cod ou à Martha's Vineyard.

— Je ne connais ni l'un ni l'autre.

— Je sais, seulement Detroit une fois. Alors, ce qui se passe, c'est qu'on commence à voir des avis sur les arbres, et les boulangeries, et les magasins des bouquinistes, et des gens qui font la queue pour acheter le *New York Times*, et des orchestres de musique *folk* et des ateliers d'art dramatique en été. Tout un tas de trucs comme ça.

— Et ce n'est pas bien? Elle ne savait toujours pas tout à fait s'il plaisantait ou pas.

— Après, il y a les magasins d'antiquités et les colonies d'écrivains et puis, avant longtemps, des gens qui vous attendent à la sortie de la pharmacie le dimanche matin pour vous faire signer des pétitions. Les libéraux se doivent d'avoir une conscience politique, même en vacances au bord d'un lac, même le dimanche. Et puis finalement, il y a les manifestations pacifiques.

— Je suis bien d'accord. Et après?

— C'est la culture, divine Diana aux longs cheveux bruns. Il arrêta la voiture au feu rouge de New Buffalo, mit le clignotant à droite et dit : Je crois que je vais vous embrasser tout de suite. Il se pencha et lui donna un baiser léger. Cette fois, il obtint une nette réaction. Je ne pense pas que j'aurais le courage de le faire si les autres adolescents étaient là.

— Vous êtes incorrigible, Conor Clarke! Ce fut sa seule protestation. Mais continuez de m'éclairer sur l'invasion de la culture à New Buffalo.

— Ce n'est pas New Buffalo qui m'inquiète. Ils peuvent avoir toute la culture qu'ils voudront. Je pense plutôt à ce qui se passera quand la culture finira par s'étendre jusqu'à Grand Beach. Si on « gentrifie » Grand Beach, c'en sera fait de nous autres Irlandais : nous sommes incapables de survivre à l'avènement de la culture; et ce sera notre mort à tous.

— Vous n'êtes pas seulement incorrigible, vous êtes impossible!

— Il faut bien que je fasse quelque chose pour vous impressionner, avant d'être ridiculisé au ski nautique. En tout cas, vous me suivez, n'est-ce pas : quand le *New York Times* fera son entrée à Grand Beach, ce sera le commencement de la fin.

— Maryjane reçoit le *Times* chez elle tous les jours.

— Vous voyez?

— Il y a aussi les Ryan...

Il eut envie de mettre son bras autour de ses épaules, puis décida qu'il ferait mieux de se concentrer sur la route, au moins à l'aller. Fortifié par un lait malté de chez Sage's, il serait capable de n'importe quoi...

— Les Ryan sont l'exception. Depuis 1945, quand Ned a racheté la Vieille Maison à son retour de la guerre, tout le monde sait que les Ryan sont complètement fous. Mais, par définition, ce que font les Ryan est acceptable. Ça fait partie de la culture indigène, vous voyez? Prenez Cat par exemple : il n'y a personne de plus typiquement Irlandais qu'elle; et pourtant, elle a l'intention de faire un doctorat en lettres, vous vous rendez compte? A quoi peut bien servir le grec à l'ère de la démocratie, je vous demande un peu?

— Je répète que vous êtes impossible, Conor Clarke.

— Je fais juste l'intéressant, ma chérie.

— Je suis votre chérie?

— Vous voulez bien? Pour aujourd'hui au moins? Sans obligation.

— Rien de mal à ça.

— Vous voyez cette petite route? Celle qui tourne là?

— Oui.

— Au bout, il y a une vieille maison que mon père possédait. Figurez-vous que c'était une ferme où on cultivait des groseilles. Et c'est là que j'allais me saoûler avec mes copains quand j'allais au collège. Un jour, mon père l'a confiée aux fermiers du coin et l'a complètement oubliée. C'était un endroit merveilleux pour se saoûler. Les flics sont venus une fois. Nous étions presque tous en âge de boire de l'alcool, mais ils nous ont accusés de faire du tapage.

— Et alors?

Il décida que, tout bien réfléchi, il pouvait mettre sa main sur son cou.

— Alors, comme nous ne dérangions personne, j'ai lâché les noms de quelques personnages importants et tout s'est arrangé.

— Et c'était légal? Elle posa la question sans agressivité.

— L'autodéfense est un droit, délicieuse Diana. Quand la loi vous attaque indûment, vous avez le droit de vous défendre.

— Par n'importe quel moyen?

— Je ne sais pas ce que ça veut dire. Certainement pas en ayant recours à des moyens immoraux.

— Je vois.

Il resta silencieux pendant un moment, puis reprit:

— Ce qui est bizarre, c'est que je suis encore propriétaire de cette ferme. C'est tout ce qui reste de l'empire immobilier de la famille Clarke dans cette région. J'aurais peut-être dû en garder un peu plus. Avec tous ces gens à la mode à la recherche de vieilles maisons branlantes, qui sait: j'aurais peut-être fait un beau petit profit?

— Cinq cents pour cent?

Il lui serra affectueusement la nuque.

— Vous avez raison, Diana Marie Lyons; il y bien plus d'argent à faire dans l'informatique que dans l'immobilier rural.

— Pourquoi avez-vous tout vendu, Conor? Maryjane m'a montré la maison que vous aviez près du terrain de golf. C'est un endroit adorable. Et vous aimez revenir, apparemment, même si vous vous cachez dans les bois, comme dit Maryjane.

C'était une question parfaitement naturelle. Une femme a le droit de se renseigner sur l'enfance de son homme. Et puis Maryjane lui avait déjà préparé le terrain. Cela lui faisait mal, encore aujourd'hui.

C'est un endroit merveilleux, Diana. Bien mieux que Cape Cod ou Martha's Vineyard. Mais avec mon père, ce n'était pas possible.

— Oh!

Il lui jeta un rapide coup d'œil et son cœur fit plusieurs sauts périlleux dans sa poitrine: elle avait les yeux pleins de larmes de compassion. Pour lui.

Et la journée ne faisait que commencer.

— Il avait cinquante-cinq ans quand je suis né. Mais il ne voulait pas d'enfant. Je ne sais pas si Maryjane vous a donné beaucoup de détails. Il était né au tournant du siècle, des amours d'un charretier alcoolique et d'une servante. Il mentit sur son âge pour pouvoir faire la guerre de 14-18, survécut de justesse à l'épidémie de grippe espagnole, épousa sa première femme à sa sortie de l'armée et lui fit deux enfants avant la crise de 1929.

— Je n'avais pas réalisé qu'il était aussi âgé. Sa voix douce était pleine de tendresse. Je suis vraiment amoureux de toi, ma fille. Malgré tous tes complexes.

— Il fut ruiné, comme tout le monde. Mais il réussit à ramasser quelques sous en vendant de l'immobilier et des assurances de porte en porte. Il n'y avait pas de courtiers à cette époque, chère âme...

Il ne fallait pas qu'il ait l'air trop sérieux. C'était un histoire sérieuse, bien sûr, tragique même, mais pas totalement, grâce à Dieu.

...Juste après Pearl Harbour, quand son unité de réservistes fut appelée, il avait plus de quarante ans et son fils aîné venait d'entrer à l'école militaire. Il aurait pu s'en sortir, mais il ne l'a pas fait. Combien de fois ne me l'a-t-il pas répété, à jeun et ivre d'ailleurs : "J'aurais pu me défiler, mais je n'ai pas voulu." Quand il est rentré de la guerre, il avait été blessé deux fois et il était colonel. Mais il ne lui restait pas grand-chose d'autre : sa femme et son plus jeune fils avaient été tués dans un accident de train et son aîné, qui était devenu commandant dans les Marines, est tombé à Iwo Jima.

— Mon Dieu, le pauvre homme!

— Ouais... Il aimait sa femme passionnément et il adorait Matthew, le Marine. Ses vieux copains m'ont raconté qu'il avait complètement changé de personnalité. Il avait décidé qu'il allait consacrer le reste de sa vie à l'argent et au plaisir. Et tout au long des trente-trois ans qui ont suivi, il n'a manqué ni de l'un, ni de l'autre. Après avoir gagné et perdu des fortunes, il a finalement pris une grande gifle au début des années soixante-dix, comme vous le rappeliez l'autre jour.

— Conor, je suis désolée...

— Pas de quoi. Il a eu des tas de femmes, de petites traînées surtout, et jusqu'à la fin. Ma mère était sa secrétaire, une vieille fille, comme on disait à l'époque, de trente ans. Elle s'occupait de tous ses dossiers, les bons et peut-être même les autres. Je ne comprends vraiment pas comment il a pu l'engrosser. Ils avaient peut-être bu tous les deux. Contrairement aux petites traînées, elle ne prenait pas de précautions. Et il s'est retrouvé avec une femme qu'il ne voulait pas, et un gamin qu'il voulait encore moins, parce qu'il n'avait rien de commun avec son Matthew adoré...

Il s'arrêta à un croisement. Il va falloir que je me dépêche si je veux avoir fini avant d'arriver à Pine Beach.

... Bref, j'ai su beaucoup plus tard qu'ils n'avaient vécu ensemble qu'un an. Il s'occupait bien de nous par contre: ma mère n'a jamais toléré un seul mot de travers sur lui, même quand elle était ivre. Il débarquait de temps en temps, sans avertir, parfois saoûl, parfois non. C'était ça qui me tuait. On ne savait jamais quand il allait arriver et de quelle humeur il serait. Il voulait savoir si j'étais une lavette qu'il fallait secouer, ou un futur associé possible. Je l'adorais et j'avais peur de lui; je l'aimais et je le haïssais...

Il s'interrompit. La peine était toujours là.

— Pauvre petit garçon!

— Il a survécu, Diana. Et pas si mal, finalement.

Je ne veux pas voir ses larmes, surtout pas.

— Alors je suis devenu un petit malin, à la langue bien pendue et à l'imagination fertile. Mes profs et mes petits copains m'admiraient et, d'une certaine façon, ça se justifiait. Mais seulement jusqu'à ce que Papa débarque de nouveau, sans crier gare. Matthew – comme je le détestais, ce pauvre gars – avait fait la fierté de son équipe de football, à l'école militaire. Mais moi, je n'étais qu'une chique molle, le petit fifils à sa maman. Et puis les gènes ont fait leur effet et, tout d'un coup, j'ai été assez grand et fort pour jouer au football moi aussi, au collège. Alors, mon père s'est mis à venir à tous les matches pour voir comment je jouais. J'étais bon, mais pas assez pour faire partie des vedettes. Quand, finalement, j'ai été remplacé, il y a eu des journées bien tristes à Grand Beach... il y a environ dix ans de ça... Il ne m'a jamais plus parlé.

— Dieu du ciel!

Ils s'arrêtèrent pour s'engager sur la petite route qui menait au lac: Pine Lake, parsemé de petites embarcations, brillait comme un miroir au soleil du matin. Il n'y avait pas encore de skieurs.

— Le plus drôle, ma chérie d'un jour, c'est qu'il était le seul qui ne m'aimait pas. J'avais de très bonnes notes, j'étais toujours élu aux comités, et je tenais l'alcool mieux que la plupart des autres. Le vrai futur yuppie. Je ne dirai pas qu'il n'y avait que son opinion qui comptait; il n'était pas là assez souvent pour ça d'ailleurs. Mais il comptait quand même beaucoup.

Enfin, j'ai survécu! ajouta-t-il pour alléger l'atmosphère.

— Mieux que ça, je trouve.

Cette fois, ce fut elle qui l'embrassa, avec fermeté et détermination. Ah, vive l'instinct maternel!

— Je pense que nous devrions arrêter. Il se dégagea en riant. Si je ne me trompe, divine Diana, la petite Chrysler là-bas contient la célèbre Cat O'Connor, dite Le Chat, gardienne des petits enfants et de la moralité de Grand Beach qui, en ce moment même, doit être scandalisée d'avoir vu un vieil homme comme moi se jeter sur une adolescente comme vous.

Ouf! se dit Diana, heureusement pour moi!

9

— JAMAIS je n'irai là-dedans la première, annonça Le Chat d'un ton catégorique. C'est GLACIAL!

— Pas tout à fait. Conor mit une main dans l'eau. Elle est à peu près à vingt-cinq degrés.

— Si vous trouvez que cette eau GLACIALE est CHAUDE, c'est que vous n'avez pas de sang dans les veines, Monsieur Clarke!

— Dégonflée, railla John. Tu skies pas mal pour une fille, Cat, mais tu es quand même une dégonflée.

— Je suis meilleure que toi, cornichon. Jamais de la vie je n'irai dans une eau aussi GLACIALE. Elle retira son chandail, révélant le plus minuscule des hauts de bikinis que Conor ait jamais vu.

— C'est toujours à nous les femmes de nous sacrifier, hein, Cat? Diana eut un sourire supérieur, pour montrer qu'elle faisait partie de la conspiration féminine.

Elle était aussi à l'aise avec les adolescents qu'elle l'avait été avec les petites filles de la piscine quelques jours auparavant. Alors que Conor avait pris Cat au pied de la lettre, Diana avait tout de suite compris. Ce fut seulement en voyant Cat passer l'un des gilets de flottaison et ajuster le ski de slalom à sa pointure, que Conor réalisa que toute cette tirade n'avait été que de pure forme et que la jeune fille était fermement décidée à être la première skieuse de la journée.

— Je vais MOURIR! cria-t-elle en ressortant de l'eau après un plongeon parfait. Ouillouille, je vais MOURIR. Monsieur Clarke, je vous en SUPPLIE, mettez le moteur en marche!

— Ah les filles, commenta John d'un ton résigné.

Obéissant, Conor mit le moteur en marche.

— Ces trucs-là s'enlèvent?

— Les gilets? demanda John innocemment.

— Ce n'est pas de ça que je parlais.

— Si ça arrivait, et je ne dis pas que ça arrive, il prit un accent vaguement hispanique, nous trop polis pour régarder.

— Silence toi! ordonna Diana. Conor, cette pauvre fille est en train de geler. Démarrez.

Il poussa donc la manette des gaz et le bateau bondit en avant, suivi de Cat.

— Elle est bonne, dit Diana respectueusement.

— Pour une fille, admit John.

— Pour n'importe qui.

Conor jeta un coup d'œil par-dessus son épaule: Cat coupait l'eau avec grâce, traçant un mur de goutellettes sur son passage. Tandis qu'il regardait, elle sauta une vague aussi facilement qu'un enfant saute à la corde.

— J'espère que je serai aussi bon qu'elle quand j'aurai son âge, marmonna-t-il.

— Taisez-vous et surveillez les autres bateaux, lui lança sévèrement sa femme d'un jour.

— Je suis TOTALEMENT épuisée, annonça Cat en revenant vers le bateau à la nage après avoir enfin lâché le filin et s'être laissée élégamment couler dans l'eau. Il ne fait pas si froid quand on s'habitue. Comment j'étais?

— Pas mal, concéda John.

— Pour une fille. Conor commençait à connaître les règles du jeu.

— Cornichon, répliqua Le Chat, l'admettant à l'essai dans le monde des adolescents.

Elle plaça ses mains sur le plat-bord, prit une profonde inspiration, et se hissa dans le bateau d'une seule poussée.

— Tu commences à savoir remonter pas trop mal, admit John. Pour une fille.

— L'échelle est cassée? demanda Conor en lançant à Cat une serviette qui clamait BUDWEISER.

— Conor! Diana parut scandalisée par la stupidité de la question.

— Il n'y a que les VIEUX qui montent par l'échelle. Cat se tortilla derrière la serviette pour s'assurer que son maillot était bien à sa place.

— A qui le tour?

— Moi, bien sûr. Diana portait le même maillot de bain qu'à la piscine, ses bretelles sévèrement attachées, ce qui n'y changeait pas grand-chose.

— John, conduis pour que Monsieur Clarke puisse regarder Diana.

— Tu t'es foulé un poignet ou quoi? John prit possession des commandes comme s'il avait au moins le rang d'amiral. Oh, j'oubliais, les filles ne savent pas conduire.

— Cornichon!

Diana plongea en beauté, ajusta le ski comme si elle n'avait rien fait d'autre de l'été et fit signe à John qu'il pouvait démarrer. Il poussa les gaz à fond et Diana bondit hors de l'eau.

— Holà! s'exclama Le Chat en se dirigeant vers l'arrière du bateau, il faut que je voie ça!

Cat avait charmé Pine Lake par sa grâce. Diana l'attaqua avec une puissance sauvage, aussi élégante que l'adolescente, mais deux fois plus forte.

— Je veux dire, c'est vraiment la femme moderne, hein, Monsieur Clarke?

Conor acquiesca sans demander ce que ça voulait dire.

— Je veux dire, elle est vraiment bien baraquée, mais elle fait pas baraquée du tout, vous savez?

— Je suis d'accord, Cat, quoique nous parlions probablement de deux choses différentes.

— Hé, fais gaffe à la barque, cornichon! Puis avec un sourire féroce à Conor: ça aussi, maintenant que vous le dites. Mais je veux dire, c'est comme ça que nous serons toutes, les femmes modernes, baraquées, mais pas vulgaires. Elle est le contraire de vulgaire, cette nana.

— Et comment.

Nouveau sourire féroce.

Femme moderne ou pas, Diana dut s'y reprendre à deux fois pour remonter à bord, sans l'échelle bien sûr. La seconde fois, elle refusa la main tendue de Conor et se hissa dans l'embarcation avec force trémoussements adorables.

— Moby Dick a échoué, annonça Conor.

— Monstre. Essayez un peu d'en faire autant.

— Au tour du cornichon. Je conduis.

Conor tendit la main vers le ski, tandis que Diana s'enroulait modestement dans une grande serviette blanche.

— Non, Monsieur Clarke, fit Cat en riant, je parlais de l'autre cornichon.

John était un bon skieur, peut-être légèrement meilleur que Cat, mais pas aussi impressionnant que Diana. Quand il fut revenu sur le bateau, par le plat-bord bien sûr, Conor annonça:

— Bon, eh bien nous rentrons à la marina. John, tu reconduis Cat à la plage pour qu'elle puisse faire son boulot de baby-sitter et moi, j'emmène Mademoiselle Lyons chez Sage's.

— Quoi? s'écrièrent les trois adolescents avec un bel ensemble.

— Ne comptez pas sur moi pour me mesurer à vous. C'était un coup monté, hein?

Diana parut franchement fâchée contre lui.

— Il faut skier, Conor, supplia Cat. C'est pas sympa de nous lâcher comme ça.

Diana sursauta. Puis, comprenant ce qui venait de se passer, elle étouffa un rire: Conor avait enfin été admis dans le monde des adolescents et il avait appris à jouer leur jeu.

— Les garçons, protesta-t-elle en soupirant bruyamment.

Après de nombreuses discussions, Conor fut finalement persuadé de sauter à l'eau, ce qu'il fit aussi maladroitement qu'il le pouvait. Il se débattit un moment avec le ski, parvenant enfin à le mettre. Dans le temps, il était meilleur que les trois autres. Mais c'était dans le temps, comme le lui rappelèrent ses trois tortionnaires quand il tomba la tête la première à son premier démarrage. Quand les quolibets et les rires se furent calmés, il repartit, pour tomber sur la partie opposée de son anatomie. Les rires et les quolibets redoublèrent.

Finalement, les gestes lui revinrent et il finit par sortir de l'eau, réussit à maintenir son équilibre pendant les secondes les plus cruciales et traversa le sillage du bateau comme une flèche. Les rires et les quolibets cessèrent.

Il était épuisé mais triomphant quand il remonta dans le bateau, par l'échelle.

— Pas mal, admit Cat.

— Pour un vieux, fit Diana, plutôt impressionnée. De la force mal dégrossie, mais beaucoup de force.

— Ouais, dit Cat. Il devait être très bon quand il était jeune, il y a vingt ans à peu près.

Il ne fut plus question de ses prouesses aquatiques. La conversation se concentra sur les créatures qui se cachaient sous les eaux calmes du lac: rats musqués, anguilles et une algue carnivore nommée Jason (qui semblait d'ailleurs avoir une sœur Jessica).

— Mais c'est vrai, Conor, insista Cat. Je l'ai vue de mes yeux! Même qu'elle ressemblait au monstre du Loch Ness!

— Je sais, répliqua Conor, elle était déjà là quand j'étais adolescent, il y a vingt ans.

— Je croyais que ça faisait plus longtemps.

Tandis qu'elle s'installait dans le minivan, Le Chat lâcha sa salve d'honneur:

— Tu peux en prendre deux, Diana, mais seulement un pour lui. Il est vraiment rouillé. TOTALEMENT!

C'est ça, pensa Conor. Et c'est maintenant que les choses deviennent sérieuses.

10

Diana n'avait jamais été si près de se rendre. Tandis que Conor skiait gracieusement sur les eaux calmes de Pine Lake, elle s'était observée sans complaisance. Et elle avait vu une femme en admiration devant le corps d'un homme, une femme qui mourait d'envie de sentir sa chair en elle, une femme qui se complaisait à se voir glisser sur la pente de l'érotisme.

Contrairement à Conor, elle était capable de dissimuler ses désirs. Elle se cachait, comme elle l'avait toujours fait avec les hommes, derrière son intelligence et son sens de la répartie.

Mais on ne trompait pas Le Chat aussi facilement.

— Monsieur Clarke n'est pas vraiment si vieux que ça, hein Diana? Je veux dire, il pourrait pas skier aussi bien, hein?

— Juste un peu plus vieux que moi.

— Ce qui n'est pas totalement vieux du tout, c'est ça?

— C'est ça.

— Tu l'aimes bien, Diana?

Franche et sans détours cette vieillarde au corps d'adolescente.

— Je l'aime bien, Cat.

— Beaucoup?

— Beaucoup.

Profond soupir, qui pouvait vouloir dire: Tant pis; de toutes façons je n'avais pas beaucoup de chances avec quelqu'un d'aussi vieux.

— Il t'aime bien, lui.

— Tu crois ça?

— Totalement.

Un autre soupir. Cette fois pour dire: Je trouve que vous faites un beau couple... pour des gens qui ne sont pas encore totalement vieux.

Jusqu'alors, Diana avait vécu en paix, son corps acceptant sans broncher la discipline de fer qu'elle lui imposait. Mais, depuis qu'elle avait rencontré Conor Clarke, il s'était rebellé. Donne-toi à lui, insistait-il; oublie tes principes; oublie tout ce que tu sais sur lui. Laisse-le prendre ta vie en charge.

Elle se défendait pourtant, jugeant absurde l'afflux d'hormones que cet homme suscitait en elle.

Mais s'il essayait de lui faire l'amour avant la fin de la journée, elle n'était pas du tout sûre de pouvoir résister. Toutes ses défenses étaient tombées. Il suffisait qu'il fasse un geste.

— Est-ce que tu vas te... je veux dire te marier avec lui?

Conor venait de lâcher le filin et de se laisser couler doucement.

— Je ne pense pas, Cat. Ce n'est qu'une amourette de vacances. Tu sais comment c'est : aussi fugitif qu'un baiser du samedi soir .

— Je sais pas... Cat soupira de nouveau. Ça peut être pas mal, un baiser du samedi soir... Je vous verrais bien ensemble.

Epuisé, Conor avait essayé de remonter dans le bateau, mais Cat et Diana s'étaient liguées pour le repousser à l'eau.

En le touchant, Diana avait ressenti comme un choc électrique.

— Hé! Vous êtes deux contre moi! Conor avait fait mine de contourner le bateau, mais était soudain apparu sur l'échelle, et avait saisi Diana dans ses bras pour la forcer à reculer. Le Chat était restée prudemment à l'écart de la bataille.

— Lâchez-moi! avait crié Diana, tout en se disant que, s'ils avaient été seuls, elle l'aurait attiré sur elle, au fond du bateau.

Il avait obéi, beaucoup trop vite, et avait pris sa serviette.

— Et de quoi parliez-vous, mesdemoiselles, au lieu de m'admirer?

— Des hommes, avait lâché Cat d'un ton méprisant, et de leur bêtise. Des vrais cornichons. Ils oublient les règles.

— Les règles?

— Oui, le dernier skieur doit rentrer l'échelle, dit Diana qui s'était ressaisie.

— Des cornichons. Le Chat avait fait un clin d'œil. Rentrons maintenant.

11

— Vous étiez extraordinaire avec ces gamins, Diana. Conor la regardait avec admiration, tout en attaquant son lait malté. Mmmm... toujours aussi bon. Vous devez être une très bonne juriste, mais je suis sûr que vous feriez une excellente enseignante.

— C'est facile, il suffit de les aimer, de les écouter et de s'amuser avec eux. Hé! c'est vraiment le meilleur lait malté que j'aie jamais goûté. Le Chat ne mentait pas.

— Les chats ne mentent jamais! s'exclamèrent-ils en chœur et ils se mirent à rire comme des gamins.

Il y a bien longtemps que je ne me suis pas autant amusée. J'espère que vous n'êtes pas au bout de vos ressources.

— Je ferai un effort. Buvez votre malt; contrairement aux instructions du Chat, nous allons en reprendre tous les deux. Si vous promettez de ne rien lui dire.

C'était vrai qu'elle avait pris plaisir à sa journée jusque- là. Pourquoi la vie ne pouvait-elle pas toujours être comme cela? Pas de soucis, pas de criminels à poursuivre... surtout pas de beaux criminels aux épaules larges et aux yeux bleus, et qui passaient si rapidement de la joie à la tristesse.

Elle avait décidé de savourer totalement sa journée et de prétendre qu'elle ne faisait rien de vraiment mal. Papa disait toujours que « c'est si facile de pécher quand on a décidé d'oublier les conséquences ». Elle comprenait maintenant ce qu'il voulait dire.

— Vous étiez vraiment bon, Conor. Elle buvait à tout petits coups, pour faire durer le plaisir. Quand vous avez fait votre premier saut, la petite gamine a ouvert les yeux tout ronds et a murmuré « Super... » comme si elle venait de voir apparaître un archange.

— Qu'on me donne deux jolies spectatrices et je trouverai toujours le moyen d'être « super ».

— Elle est mignonne, n'est-ce pas? Parfois, j'envie les filles comme elle; j'aimerais pouvoir porter une seule fois un bikini comme ça sans avoir l'air d'une idiote.

Conor finit son verre.

— Quoi que je réponde à ça, je vais avoir des problèmes.

— Pas du tout. Je promets.

— Je connais vos pareilles quand on parle de ces sujets; donc je ne vous croirai pas. Ceci dit, si vous craignez vraiment de porter un bikini comme celui-là, la seule partie de votre anatomie qui pose un problème...

— Oui? Elle leva son verre comme pour le lui lancer à la tête.

— ... est votre tête.

Elle reposa son verre et se remit à le siroter.

— Vous êtes rusé, Conor Clement Clarke.

— Si vous décidez d'essayer le bikini, dites-le moi. Je viendrai au spectacle. Et ne me frappez pas; je le dirai au Chat.

— Vous étiez comme ces deux-là quand vous aviez leur âge et que vous viviez ici?

— Cat et John? Mon Dieu non. Ce sont des innocents. Bien sûr, ils prennent peut-être une bière de temps en temps...

— Le Chat?

— Bien sûr, elle a presque dix-sept ans... Ils en boivent peut-être même deux le vendredi soir. Mais ils sont trop sportifs pour boire six bières en une soirée.

— Vous buviez tant que ça à dix-sept ans?

— Vous voulez dire quatorze. Il regardait fixement son verre vide. J'ai levé le pied quand ma mère est morte. Elle avait été ivre chaque jour pendant les dix dernières années de sa vie. Je ne voulais pas en faire autant.

— Je ne vous ai pas vu boire beaucoup.

— Non, mais je crois que ce truc-là va me poser un problème. Il retourna son verre. Ce n'est pas aussi bon que de faire l'amour, mais presque.

— Vous avez remarqué l'autre soir que je ne tenais pas tellement l'alcool. Nous ne buvons jamais à la maison et je prends rarement un verre à l'extérieur.

— Mais vous êtes Italienne! Il se corrigea vivement : Je veux dire que votre mère est Italienne. Vous ne buvez pas du vin à tous les repas?

— Mon père est contre. Il dit que c'est peut-être très bien en Sicile, mais pas parmi les Irlandais d'Amérique.

— Il a peut-être raison... Conor ne paraissait pas convaincu, essayant encore d'imaginer une famille italienne privée de vin.

— Et si vous me parliez encore de vos entreprises à haut risque?

— Si vous buvez un autre lait malté avec moi.

— J'en mourais d'envie... C'est vrai que c'est moins bon que le sexe? Je ne vois rien qui puisse surpasser ceci.

Les yeux de Conor s'agrandirent de surprise, puis il réalisa qu'elle plaisantait.

— Vous m'étonnerez toujours, ma fille...

On commanda les boissons et Conor, rayonnant, reprit son exposé.

— Une entreprise à risque est tout simplement une bonne idée qui a besoin d'argent. Il y a trois conditions à observer cependant. Il faut que l'idée soit innovatrice, mais pas toujours technique : microprocesseurs, logiciels, génétique. Il faut aussi qu'il y ait un marché potentiel, même si ce marché ne le sait pas. Voici cinq ans, il y avait peu d'écrivains qui voyaient les ordinateurs personnels comme des outils indispensables. Il y a deux ans, les comptables n'étaient pas sûrs d'avoir tellement besoin de notre Infobase. Et puis une idée n'est pas extraordinaire si elle ne peut pas créer son propre marché.

— Vous faites croire aux gens qu'ils ont besoin de choses dont ils n'avaient jamais eu besoin auparavant?

— Pas vraiment. Quand il était lancé, Conor ne ressentait même pas la critique. Nous aidons les gens à reconnaître des besoins qu'ils ont déjà, mais dont ils ne sont pas conscients, ou dont ils n'ont jamais tenu compte parce qu'ils savaient qu'il n'existait rien pour les satisfaire. Par exemple, les écrivains rêvaient depuis toujours de ne pas avoir à retaper les textes une fois qu'ils les avaient corrigés.

— Je vois.

— A peu près la moitié des choses que nous faisons touchent à l'informatique et à l'électronique. Ensuite, il y a la médecine, dont l'importance sociale est évidente. La communication de données et les produits de consommation – comme la ligne de vêtements de golf Diana Marie Lyons que j'aimerais tant lancer – représentent environ dix pour-cent chacun. Et enfin l'automatisation industrielle, qui est mon grand dada, la génétique et l'énergie, comptent pour à peu près deux pour-cent chacune.

— Alors vous faites partie des plus téméraires?

— Si on veut... C'était un compliment, mais il avait un exposé à terminer. Comptant sur ses doigts, il reprit: Deuxièmement, l'idée doit avoir besoin d'argent et ne pas pouvoir l'emprunter auprès d'une banque ordinaire. Dans l'informatique, en général, il s'agit d'un groupe de techniciens jeunes et ingénieux qui n'arrivent pas à vendre leur idées à la société qui les emploie.

— Aucune loyauté envers l'entreprise qui leur a permis de démarrer?

— Pas beaucoup; surtout maintenant qu'il y a eu suffisamment d'exemples. Le moindre programmeur ou technicien de Santa Clara se voit déjà patron du prochain Intel ou Lotus. Il y a encore trois ou quatre ans, ils faisaient tout ce qu'ils pouvaient pour persuader leur employeur puis, en désespoir de cause, finissaient par monter leur propre boîte.

— Et troisièmement l'argent?

— Exact. De bien des façons, Laurence Rockefeller a ouvert la voie à ce type d'investissement. C'était l'idéaliste de la famille, le philosophe, et il a eu l'idée de mettre son argent dans des idées à base scientifique ou sociale. Avant la guerre, il avait sauvé la compagnie aérienne Eastern. Après la guerre, il a décidé de rendre service au monde et, entre 1945 et 1961, il a dépensé neuf millions de dollars sur des idées de ce genre, les sciences et l'aérospatiale.

— Et il a gagné combien?

— On parle d'au moins quarante millions.

Diana pensa que, pour son père, l'après-guerre avait été un grand espoir, suivi d'une amère désillusion. Le père de Conor, qui avait déjà plus d'argent qu'il ne pouvait en dépenser, en avait gagné encore plus. Tout cela paraissait injuste.

— C'est remarquable.

— Absolument; à part le progrès scientifique, il aura permis de créer des emplois pour des centaines de milliers de personnes, des revenus pour le gouvernement, sous forme de taxes, et une meilleure technologie pour nous tous.

— Un idéalisme profitable, en somme.

— Précisément. Un autre lait malté?

— Vous voulez absolument me faire grossir! Je ne suis déjà plus très sûre de pouvoir me traîner hors d'ici... mais je veux bien en partager un.

— Parfois, on voit une idée merveilleuse, mais sans avoir les moyens de la développer. Alors on la laisse passer, ou on se débrouille par tous les moyens.

Par tous les moyens? Son enthousiasme lui faisait-il oublier le souci de la moralité?

— Et ensuite, il y a la Chine...

— La Chine? Elle lui versa un peu plus de la moitié du troisième malt.

— Le Royaume du Milieu. La plus grande nation de l'histoire du monde. Un passage à vide au cours du dernier siècle, mais c'est périodique. La Chine est sur le point de reprendre la place qui lui revient de droit et sera notre rivale au cours du troisième millénaire. Le Brésil aussi, mais je ne risquerais pas mon argent là-bas.

— Vous voudriez aider les Chinois à devenir nos rivaux?

— S'ils ont un intérêt dans la survie de la terre, ils ne la détruiront pas... Tenez, vous m'en aviez donné trop... Dieu merci, ils ont été socialistes assez longtemps pour nous laisser un bon handicap. Croyez-moi, oubliez Silicon Valley et le Rust Bowl et misez votre argent sur la Chine.

Vraiment un pirate. Ou peut-être un gentilhomme aventurier, comme Sir Walter Raleigh. Ce qui revenait au même.

— Pourquoi ne vivez-vous pas à Hong Kong... ou à Los Altos, puisque vous aimez tant Silicon Valley?

Il parut surpris.

— Je suis un Irlandais catholique de Chicago! Je ne pourrais jamais vivre ailleurs qu'ici.

Un aventurier pas aventureux alors. Drôle d'homme.

— Est-ce qu'il vous arrive... elle jouait avec son verre en évitant son regard... d'avoir besoin d'argent?

— Je ne suis pas Laurance Spelman Rockefeller. Allez, videz votre verre et allons faire les antiquaires et goûter au vin du Michigan.

Le reste de la journée se passa dans une brume délicieuse pour Diana, une sorte de rêve surréaliste, peuplé d'objets anciens, de vin blanc sec, de sourires éclatants et de baisers qui la paralysaient et la faisaient glisser de plus en plus rapidement sur la pente qui la mènerait à la reddition totale.

Après tout, ce serait très agréable d'appartenir à unhomme tel que Conor, qui vous offrait des antiquités horriblement chères : "Ce coffret a peut-être appartenu à un de ces garçons qui sont revenus de la guerre, qui lisait Dickens et Scott tandis qu'il courtisait sa bien-aimée et qu'il allait à la pêche sur Pine Lake." Ou bien qui vous faisait boire du vin jusqu'à ce que la tête vous tourne : "Essayez celui-ci, Diana, il est amusant. Nous finirons bien par damer le pion à vos ancêtres italiens." Et qui vous maintenait constamment sur le qui-vive : "Ce n'était qu'un tout petit baiser, mais j'ai fini par vous décider à participer."

Quand elle s'écroula finalement pour une sieste tardive avant le dîner, elle était heureuse comme elle ne l'avait jamais été. Elle avait refusé une partie de tennis qu'elle était certaine de gagner ("Je suis ivre, Conor. Et vous savez ce qui m'arrive quand je suis ivre... D'accord, peut-être, mais pas pour jouer au tennis.") Elle se disait que ça ne pouvait pas durer, que c'était mal. Demain, elle se détesterait, et après-demain et pendant très longtemps.

Mais dans son sommeil bienheureux, Diana se disait que, peut-être, demain n'arriverait jamais.

12

— Nous sommes dans les bois autour de Vienne. Tu es une espionne qui essaie de me soutirer une copie d'un traité secret et moi, je suis un archiduc qui cherche à t'attirer dans son harem. Le tutoiement était venu tout naturellement.

— Et le serveur est Sherlock Holmes déguisé, avec un accent allemand. Elle buvait son sherry avec prudence. Il n'a pas besoin de travailler demain; moi si.

Ils étaient à la limite entre les Etats du Michigan et de l'Indiana, mais la vieille auberge aurait pu tout aussi bien se trouver quelque part en Europe. Diana avait pensé à la Suisse, mais Conor avait peut-être raison; elle ne connaissait ni la Suisse ni les bois autour de Vienne.

— Parle-moi de Diana, dit-il en attaquant son escalope viennoise; mis à part le fait qu'elle a un appétit respectable.

— Je crains bien d'avoir à me mettre à la diète dès demain. Elle soupira. Il n'y a pas grand-chose à raconter; mon premier quart de siècle a été parfaitement terne et respectable.

— Nous pourrons peut-être changer le deuxième, dit-il d'un ton léger. Il était tout en gris ce soir : chemise, pantalons, chaussettes, blouson, le genre de gris qui faisait ressortir ses yeux bleus, ces yeux qu'elle ferait mieux de ne plus jamais regarder, de peur de s'y perdre. Mon Dieu, mais je n'ai rien écrit dans mon journal depuis que je l'ai rencontré. Quatre jours de silence. Comment vais-je expliquer ça?

— Je suis la benjamine d'une famille de six enfants. Mon père est à la retraite; il a fait carrière comme avocat de la fonction publique. C'est un homme brillant, qui a choisi de servir son pays au lieu de faire fortune. Il a connu ma mère en Italie pendant la guerre : elle n'était encore qu'une fillette et il l'a sauvée d'un viol collectif. Il a attendu qu'elle soit assez âgée et il est retourné là-bas pour l'épouser. Je suis fière de dire que j'exerce le même métier que mon père. Elle se sentit sourire faiblement. Avant d'être débordée de travail comme je le suis maintenant, j'avais l'habitude de battre les fanfarons de mon quartier au squash, le samedi matin. Je n'ai pas trouvé le temps pour le faire dernièrement.

Elle se sentait un peu ridicule, comme si elle s'était déshabillée avec maladresse devant lui. Le matin, Conor lui avait parlé de sa vie clairement et de façon sensée. Elle était en train de rater lamentablement un effort similaire.

— Le squash est ton sport principal? Ses platitudes ne paraissaient pas le déranger.

— Le squash et le volleyball. Je faisais partie d'une équipe universitaire. Et j'ai été championne junior de squash pendant quelque temps.

— Et tu pourrais faire le circuit de golf professionnel... Tu aimes ta piccata de veau?

— Excellente. Et non, je ne pourrais pas jouer le circuit professionnel.

— Tu veux dire que tu ne veux pas, ce qui est différent.

Est-ce que ta mère travaille?

— Elle est gérante d'un petit magasin de mode; Maryjane t'avait certainement dit ça.

Il n'a pas le droit de m'interroger sur ma famille.

— Comment est-elle?

— C'est ma mère.

— Naturellement, mais comment s'est-elle adaptée à la vie américaine, par exemple?

Une question beaucoup trop précise, pensa Diana. Je ne veux pas me retrouver à la barre des témoins; pas avec ces yeux-là posés sur moi.

— Très bien, je pense. Elle est vieux-jeu pour certaines choses et très moderne pour d'autres. Elle a eu du mal... Elle s'interrompit, craignant un instant de révéler un secret, puis continua : ...à comprendre l'adolescence de ses premiers enfants. Elle n'avait jamais vécu les expériences d'une fille comme Cat O'Connor. Mais elle a appris très vite. Je me sens très proche d'elle.

Parfois, pensa-t-elle. D'autres fois, elle tente de me donner des conseils en forme de dictons populaires. Si je lui disais combien tu m'attires, elle répondrait probablement « Quand une femme veut un homme, elle doit faire tout ce qu'elle peut pour l'avoir; elle ne doit reculer devant rien ».

Et après, si je lui disais qui tu es, elle se transformerait en volcan. Mais je ne te veux pas. C'est seulement comme si.

— Donc ta mère a une sorte de carrière?

— Elle a un emploi. Ce n'est pas facile d'envoyer six enfants au collège sur le salaire d'un avocat du gouvernement. Maintenant que les enfants sont grands, bien sûr, elle n'a aucune raison de ne pas travailler.

— Mais la carrière et le mariage sont incompatibles au début?

Pourquoi faut-il qu'il continue de me piquer ainsi? Il ne peut pas me laisser tranquille?

Elle posa sa fourchette d'un geste brusque.

— Ceci vous surprendra peut-être venant d'une féministe comme moi, mais pendant les cinq premières années d'un mariage, la première tâche de la femme...

— Est d'élever ses enfants? demanda-t-il l'air surpris.

— Laissez-moi parler. Sa première tâche consiste à apprendre à rendre son mari heureux; physiquement et émotionnellement. Les enfants aussi bien sûr, mais ils rendent la tâche en question plus difficile et plus essentielle.

— Pourquoi? demanda Conor, estomaqué.

Elle reprit sa fourchette, ce qui signifiait qu'elle voulait clore le sujet :

— Ça devrait être évident : les enfants sont plus influencés par la relation de leurs parents que par quoi que ce soit d'autre dans leur environnement.

— Heureux mari, fit Conor à mi-voix.

— C'est ce que j'essaierais de faire en tout cas. Et je m'attendrais à la même chose en retour.

— Et il aurait intérêt à s'exécuter, dit-il avec un clin d'œil.

— Il est injuste mais pourtant vrai, continua-t-elle sans se laisser démonter, qu'un homme peut faire les deux à la fois, tandis qu'une femme ne le pourra probablement jamais. Le féminisme intelligent consiste à choisir. Moi, j'ai choisi de faire une carrière.

Bon sang, que tout ça sonne faux. Il faut pourtant que je lui fasse comprendre que notre petit rêve doit prendre fin ce soir.

— Je suppose qu'ils ont de la *Sachertorte* ici; c'est un gâteau viennois au chocolat et aux framboises. Meilleur que le sexe, comme le lait malté... je n'aurais peut-être pas dû dire ça, vu le sujet de notre conversation.

— Les prêtres et les religieuses peuvent bien choisir le célibat; pourquoi pas une femme ordinaire?

Conor se frotta le menton, un geste auquel elle commençait à s'habituer.

— Tu as raison, belle Diana, tu en as tout à fait le droit. Tout à fait.

— Sauf que?

— Sauf que... Il hésita.

— Continue.

— Deux *Sachertorte* s'il vous plaît... Sauf que, quand on est aussi vieux que moi, je veux dire TOTALEMENT vieux, on s'aperçoit que le monde ne peut pas répondre à des règles de jeu aussi bien définies. Il y a de tas de femmes et d'hommes qui arrivent à faire à peu près correctement plusieurs choses à la fois. Mais toi, tu sembles t'interdire la possibilité d'en faire autant, de peur de ne pas atteindre la perfection. Tu ne pourrais pas te contenter d'un juste milieu?

— Non. Vous avez du décaféiné? Merci. Non, je ne pourrais pas. Je ne juge pas les autres, mais j'estime que je ne serais pas capable de faire les deux d'une façon qui me satisferait.

— Voilà qui me semble plutôt définitif, dit-il en se caressant le menton. S'agirait-il peut-être de perfectionnisme?

— C'est facile à dire, riposta-t-elle, quand on n'a pas besoin de travailler pour gagner sa vie, à part un coup de fil ou deux ici et là. Pendant ce temps, la chérie d'un jour fait une sieste pour pouvoir vous distraire au dîner. Tu essaieras de travailler quatre-vingts heures par semaine comme moi et on verra si ta philosophie de la vie reste la même.

— Diana, la délicieuse distraction du dîner. Ce n'est pas une belle allitération? Il se pencha par-dessus la table et lui effleura les lèvres d'un baiser léger. Il faudra que je m'en souvienne pour un de mes sonnets.

— Idiot. Pourquoi était-ce si difficile de lui en vouloir?

— Mange ton gâteau. Il est délicieux.

Il l'était. En fait, elle en mangea deux parts.

13

Au lieu de retourner chez Maryjane, ils avaient descendu les marches qui menaient à une minuscule plage, au pied de la maison et s'étaient assis, la main dans la main, sur le sable.

Parmi ses nombreuses qualités, cette fille en avait une particulièrement remarquable : elle savait se taire quand il fallait. Elle était magnifique. Un peu trop de principes, peut-être, mais une force de caractère qui lui permettait de les combattre si quelqu'un la guidait.

Quelqu'un comme moi.

Je me demande à quoi ressemble sa mère. Elle doit être grosse et laide, et elle doit crier tout le temps, comme ces personnages qu'on voit dans les films de Fellini.

Elle semble révoltée. Une vocation? Pourquoi pas? Mais travailler pour une vermine comme Donny Roscoe toute sa vie? Bizarre.

En fait, ce n'est pas elle le problème, c'est toi. Tu crois être capable de faire le poids en face d'elle tous les jours de ta vie?

Toi qui as été effrayé par des femmes moins déterminées qu'elle?

Il jeta un coup d'œil à sa compagne silencieuse. Elle portait la même robe que jeudi. Elle s'en était excusée: « Je ne m'attendais pas à être sortie deux fois de suite ».

— Tu peux t'habiller comme ça tous les jours; je ne me plaidrai pas, avait-il répondu.

— Phallocrate.

Maintenant, un châle sur les épaules, elle paraissait si vulnérable. Elle pense qu'elle peut se débrouiller toute seule, mais elle a tellement besoin d'affection qu'elle serait une proie facile pour n'importe quel type un peu baratineur.

Et il n'aurait même pas besoin d'être aussi bon que moi. Diana Marie Lyons, tu n'es qu'un petit agneau sans défense. Si ce n'est pas moi, ce sera quelqu'un d'autre. Ce sera peut-être le genre d'homme qui brisera ton cœur si fragile.

D'un autre côté, je te ferai peut-être de la peine moi aussi. Et dans ce cas, il vaudrait mieux que ce soit un autre que moi.

Il va falloir que nous réfléchissions à tout ça. En tout cas, rien de physique ce soir; juste un petit baiser d'adieu pour que nous puissions tous les deux prendre un peu de recul pendant quelques jours. Ou quelques semaines.

— Conor...

— Tu vas devoir te lever à cinq heures du matin, si tu veux aller en ville avec Gerry.

— ... il faudrait que ça puisse durer toujours.

— Oui, mais...

— Il y a les dures réalités de la vie.

— C'est ça. Nous devrions t'envoyer dormir dans ton petit lit, dans la chambre du futur bébé.

Toujours la main dans la main, ils remontèrent les marches vers la maison. A mi-chemin, l'architecte prévoyant avait ménagé une plateforme équipée de chaises longues et d'une balancelle; de quoi remplacer la plage quand le lac, fâché contre ceux qui vivaient trop près de ses berges, reprenait ses droits sur la petite bande de sable.

— Conor, s'exclama-t-elle, effrayée, le ciel est en feu!

C'était vrai : des bandes de lumière verte et rouge couvraient le ciel comme des rideaux géants.

— C'est une aurore boréale, dit-il en passant un bras protecteur autour de ses épaules nues. Ils regardèrent le spectacle grandiose que leur offrait la nature : des éclats de lumière blanche, puis de grandes vagues multicolores se succédant en ondes lentes à travers le ciel de minuit. Il faisait encore chaud; près de vingt-cinq degrés. La femme qu'il tenait dans ses bras était chaude elle aussi et, à sa grande inquiétude, il réalisa qu'elle semblait soumise, une captive prête à se rendre, alors qu'il ne voulait ni d'une captive, ni d'une reddition.

— C'est si beau, dit-elle dans un soupir. Il y a tant de beauté et de merveilles dans le monde. Pourquoi sommes-nous trop préoccupés par nos haines pour prendre le temps d'en jouir?

— Maintenant, c'est toi qui parles comme un poète languissant.

Plus tard, elle devait se souvenir vaguement qu'elle avait fait le premier geste. Toujours est-il qu'ils se trouvèrent tout à coup serrés l'un contre l'autre dans une étreinte passionnée, leurs lèvres se dévorant mutuellement, leur mains s'explorant avec une sorte de frénésie désespérée.

Soudain, elle fut sous lui, allongée sur la balancelle, sa robe baissée jusqu'à la taille, ses seins magnifiques glorieusement dressés au clair de lune, les pointes dressées sous ses baisers. Tandis que ses mains la caressaient fiévreusement, elle gémissait en se débattant faiblement, résistant sans vraiment résister.

Solitaire, curieuse, affamée, et totalement incapable de se défendre.

Conor Clarke – le vrai Conor Clarke, pas le sauvage qui était sur la balancelle – observait cela avec horreur. Il était en train de profiter de la faiblesse d'une femme solitaire et effrayée. Sa virginité ne devait pas lui être ravie ainsi, même si ses seins étaient si doux contre sa bouche. Fais-le cesser avant qu'il soit trop tard pour vous deux.

Alors, au tout dernier instant, il cessa.

Il ne sut jamais comment il était arrivé jusqu'à la maison, où il posa son front enfiévré contre une vitre.

— C'était de ma faute. Elle se tenait devant lui, rajustant sa robe d'un air misérable. Je suis désolée.

— C'est ça, répondit-il amèrement. Les gamins de mon âge n'ont aucun contrôle sur eux-mêmes.

— Qu'est-ce qui t'a fait arrêter?

— Je ne sais pas. Mes inhibitions, la crainte, peut-être un reste de vertu, probablement un mélange d'affection et de respect. Il prit une profonde inspiration et se força à rire : Peut-être le sens du risque, comme dans mes investissements?

— Merci, dit-elle simplement. Elle lui toucha le bras. Je ferais mieux de rentrer maintenant.

— Je t'appellerai demain... J'ai l'impression que nous avons tous les deux besoin de quelqu'un dans notre lit, tous les soirs.

— Avant ce soir, je n'aurais jamais cru ça. Elle ouvrit la porte du luxueux « cabanon ». Merci, Conor Clement Clarke, pour une journée très intéressante.

— Du début à la fin? Il se força à rester à distante respectable.

— Absolument.

— Je t'appellerai.

AUTOMNE

Quatrième chant

Amante:

Mon amant est venu ouvrir cette porte secrète —
Baignée, parfumée et dévoilée, j'attendais calmement —
«Epanouis-toi, oh femme parfaite,» me dit-il tendrement,
Sous ses caresses je devins sienne à tout jamais, complète!
J'étais impuissante, comme l'argile sous ses doigts.
Habile maître du jeu, il m'a fait son amante,
Me remplissant de sa flamme incandescente,
Et allumant ce feu qui brûle toujours en moi.

Puis, à mon tour je dévêtis mon cher amour.
Et le dévorai pleinement, dévoilé tout entier,
Explorai et me réjouis de sa jeune virilité,
Et de mes mains avides en traçai le contour.
Je caressai et tourmentai mon pauvre bien-aimé,
Eveillai son désir de mes mains indiscrètes.
«Ne te cache pas, chéri, tu es beau dans ta nudité;
Je ne cesserai pas avant d'y être prête.
Tu es intelligent, bon et tendre, je le sens,
Et dur comme le roc ton ventre, tes bras, tes cuisses,
Un arbre, une montagne, un gardien de délices,
Qui saura trouver place dans mon corps et mes plans.»

«Cheveux noirs, yeux bleus, peau bronzée,
Mains avides, jambes viriles, corps puissant —
Mais aussi enfant confiant, attendrissant,
Poitrine féroce, cachant un coeur blessé.
Repose ici calmement, sur mon lit parfumé,
Où je t'entourerai d'affection et d'amour.
Mes lys et mes épices seront à toi toujours,
De mes caresses folles j'adore te tourmenter.
Je contemple fièrement ton sourire ravi,
Oh!... Reste, mon amour, jusqu'à la fin de ma vie!»

Chant d'amour, 5:2–6:3

14

— Nous voulons Conor Clarke. Les petits yeux rusés de Leo Martin étaient posés sur elle, voyant non pas une femme, mais un pion sur son échiquier. Et pour ça, nous avons besoin de vous.

C'était déjà humiliant pour une femme que d'être évaluée par un homme; mais c'était encore pire d'être évaluée par un homme qui se moquait bien que vous soyez une femme ou non.

Leo regardait le mobile de Calder, dehors sur la place. Contrairement aux jeunes adjoints, il avait un bureau de bois et un fauteuil confortable. Comme eux, cependant, il n'offrait à ses visiteurs que deux chaises d'acier. Derrière lui, des photos d'une famille qu'on ne voyait jamais, et autour de laquelle les collaborateurs de Leo avaient tissé tout un tissu de fantasmes souvent irrévérencieux.

— Je vois, dit Diana, sentant son estomac se nouer.

Leo s'adossa dans son fauteuil, son visage mince et presque monacal semblant exprimer la satisfaction qu'il éprouvait d'être le premier adjoint au Procureur des Etats-Unis, le vrai pouvoir derrière le trône, quel que soit l'occupant du trône. C'était un homme mince au front haut, avec des cheveux poivre et sel et des yeux gris. Comme le père de Diana, c'était un fonctionnaire de carrière. Les Procureurs des Etats-Unis changeaient, du fait de leurs ambitions politiques; Leo, lui, restait pour faire tourner la boutique et s'assurer que les lois soient appliquées.

— Si on attend les gens des impôts, ça prendra des années, vous les connaissez. Et en plus, ils risquent de ne rien trouver. Mais Donny veut le démolir et c'est vous qui allez le faire.

— Je vois, dit de nouveau Diana. Il était notoire, au bureau, qu'il valait mieux laisser Leo terminer son histoire avant de parler.

— C'est une vermine, Diana. Leo croisa ses mains derrière sa nuque. Un sale petit rapace pourri, qui fait de l'argent sur le dos des pauvres gens au nom du progrès social.

Diana attendit, tandis que Leo la considérait, comme s'il attendait une réponse.

— Il raconte qu'il veut ramener les emplois dans le Middle West... Leo se pencha en avant, le menton appuyé sur une main, comme un Jésuite en train de prêcher contre la pilule contraceptive. Il ramasse toutes ces vieilles usines pour une bouchée de pain et ensuite il s'enrichit avec.

— Je n'aime pas ça non plus, Leo, mais où est le crime?

— Nous sommes convaincus qu'en plus de son profit, il vole les compagnies.

Diana savait que la phrase « nous sommes convaincus » signifiait que Leo avait une impression et que Donny, naturellement, se fiait aux impressions de Leo; surtout quand elles pouvaient amener une condamnation qui attirerait beaucoup de journalistes de la télévision.

— Que puis-je faire?

— Je voudrais d'abord insister sur le fait que le désir de Donny d'attirer l'attention de la presse n'a jamais été plus justifié. Avant tout, nous devons contrôler ce type d'investisseurs; la plupart sont des escrocs d'ailleurs. Deuxièmement, ma foi... vous lisez les journaux; vous savez que Conor est un petit salopard arrogant.Et il vole les pauvres. Bien sûr, ce n'est pas un salopard de Wall Street qui fait des millions avec des renseignements privilégiés; mais il est pire. C'est un hypocrite qui prend les emplois des hommes qui travaillaient dans ces usines, les donne à des yuppies, et ensuite vole ses propres investisseurs. Il devrait être derrière les barreaux et c'est là qu'il finira. Mais pas pour assez longtemps à mon avis.

Leo n'aimait pas les gens riches, ni ceux qui passaient souvent à la télévision, sauf son patron. Quand il était lancé sur ce sujet, son visage s'animait du zèle d'un véritabe croisé.

Il sait aussi juger rapidement ses nouveaux assistants, se dit Diana. Il sait que c'est le genre de situation qui motive les gens comme moi. Dommage qu'il ne m'ait pas parlé de ça deux semaines plus tôt.

— Qu'attendez-vous de moi?

— Facile. Il eut un sourire de pêcheur sûr de sa prise. Il est dans l'affaire de Cokewood Springs avec votre ami Broddy Considine. Broddy touche des pots de vin là-bas, comme partout. Nous sommes convaincus que Clarke est mêlé à ça. Vous êtes déjà accrochée aux basques de Broddy. Secouez-le un peu plus et, quand il sera mûr, faites-lui comprendre que s'il chante sur le sujet de Clarke, ça lui évitera la taule.

— Je vois.

Il y avait toujours la possibilité d'un faux témoignage de la part de Considine. Et en bon Procureur, elle devrait s'assurer que son témoin disait la vérité avant de le traîner devant un jury. Sinon, comme disait Leo, nous passons pour des idiots si ça se sait, et Donny passe pour un idiot devant les journalistes.

— Je ne devrais peut-être pas m'en mêler, Leo...

Et pourquoi donc? La voix de Leo avait pris un ton froid qui, pour ceux qui le connaissaient, était un signe de colère; une colère qui avait marqué la fin de la carrière de certains des prédécesseurs de Diana.

— Je... j'ai des relations personnelles avec M. Clarke.

— Vous couchez avec lui? aboya-t-il.

— Non... non, bien sûr. J'ai joué au golf avec lui pendant mes vacances. Et nous sommes sortis une ou deux fois.

— Ce n'est rien, alors. Aucune importance, vraiment, Diana.

— Vous avez peut-être raison.

— Vous êtes amoureuse de lui?

— Bien sûr que non.

— Donny sera déçu si vous refusez.

Quand Leo détruisait de jeunes Procureurs adjoints, et surtout des femmes, il attribuait immanquablement le coup de grâce au fait que Donny était déçu. Comme si tout le monde ne savait pas que Donny n'était « déçu » que quand Leo lui disait de l'être.

— Je comprends.

Il y eut, dans les yeux de Leo, un bref éclair de compréhension.

— Ecoutez, Diana, vous êtes l'un des meilleurs éléments que nous ayons eus ici depuis longtemps. Je comprends votre souci d'éthique. Si vous voulez rester en dehors de cette affaire, personne ne vous en voudra.

— Merci Leo.

— Franchement, dans le monde d'aujourd'hui, personne ne verrait rien à redire si vous couchiez avec lui. Nous pourrions vous faire porter un micro et dire que vous êtes un agent. En fait, ça pourrait être utile que vous restiez en rapport avec lui. Mais ce sera à vous de décider. Fiez-vous à votre conscience. Cependant, je dirai, tout à fait entre nous, que je ne vois personne qui pourrait vous accuser de conflit d'intérêt à ce stade.

— C'est vrai. Elle hésita. Nous sommes seulement sortis ensemble une ou deux fois. Rien de sérieux.

— Prenez votre temps, Diana. Leo parlait d'un ton apaisant, rassurant. Réfléchissez à tout ça tranquillement avant de me donner votre réponse.

— Merci beaucoup, Leo, dit-elle sincèrement. Elle se rendait bien compte qu'il la manipulait, mais elle lui était tout de même reconnaissante de lui laisser une journée ou deux de répit.

— Je vous demande seulement une chose, Diana, pour moi...

— Bien sûr.

— Vous connaissez le quartier Est, passé le lac Calumet, près de la limite de l'Indiana?

— Je n'y suis jamais allée, mais je sais où c'est.

— Oui, c'est un endroit plutôt perdu. Je voudrais que vous preniez la journée demain et que vous alliez vous promener par là-bas. Il y a des maisons plus que centenaires. L'église du coin est très ancienne. Tout le quartier était habité par des employés de Republic Steel. Après la guerre, quand l'aciérie marchait bien, on y a construit des bungalows neufs. Un endroit charmant, un vrai village, vous voyez ce que je veux dire?

— Parfaitement. Il n'y a pas eu un massacre dans ce coin-là, dans les années trente?

— J'oubliais que vous étiez brillante. Il eut un sourire de carnassier observant sa proie. Oui, en 1937 pour être exact. En tout cas, l'aciérie n'existe plus. C'est LTV qui est propriétaire de l'usine. Six cents ouvriers, alors qu'il y en avait six mille.

— C'est terrible!

— N'est-ce pas? Eh bien, il semblerait que votre ami Conor Clarke envisage de racheter l'usine et d'en faire un de ces endroits où des robots assemblent des composants électroniques importés du Japon. Ce sera la mort de ce quartier. Les copains de Clarke achèteront les maisons et les revendront à des yuppies, dont quelques-uns travailleront devant des consoles d'ordinateurs à l'usine. Voilà le genre de vautour qu'il est.

Plus tard, beaucoup plus tard, Diana se demanderait comment elle aurait réagi si elle n'avait pas été aussi incertaine de ses sentiments envers Conor Clarke.

Ce fut avec amertume qu'elle répondit :

— Mais il est pire que son père!

Nullement surpris par la référence à Clem Clarke, Leo renchérit :

— C'est exact. Et nous sommes les seuls qui puissions l'arrêter, Diana.

15

Le quartier Est fit pleurer Diana, pas parce qu'il était déprimant, mais parce qu'il lui rappelait tant l'endroit où elle avait vécu petite fille.

A première vue, il n'y avait pas de signes de détérioration : les magasins de la 106e rue étaient tous ouverts; des fillettes en uniforme, dont quelques-unes étaient noires, bavardaient devant l'école St-François; les vieilles maisons étaient toujours bien peintes et les pelouses bien entretenues.

Ensuite, on remarquait le nombre de pancartes « A vendre », la façon dont les hommes marchaient sur la rue principale, tête baissée, l'âge des voitures, l'air malheureux des femmes. La communauté tentait bravement de continuer à vivre comme si de rien n'était.

Quand Conor rachèterait la vielle usine et quand les yuppies s'abattraient sur le quartier, les journaux de Chicago salueraient sans aucun doute leur œuvre salvatrice.

Mais les gens qui avaient mis toute leur vie, leurs efforts et leurs espoirs dans ce quartier, seraient partis.

Il n'était pas mieux que ces gens qui gagnent leur vie en transformant des quartiers blancs en quartiers noirs.

Leo a raison : nous devons l'arrêter.

Suis-je amoureuse de lui? Si je le suis, et même si ce n'est qu'une aventure, je ne peux pas me permettre de travailler sur cette affaire.

Comme Diana aurait pu s'y attendre, Mamma avait explosé lorsqu'elle s'était confiée à elle. De confidente, elle s'était transformée en ennemie, en cantatrice chantant l'air de la vengeance dans un opéra de Donizetti.

— Le fils de Clement Clarke? Je te maudis de lui avoir seulement adressé la parole! Tu sais pourtant que ton père a passé des années à essayer de le mettre en prison!

— Mais où est le rapport avec son fils? avait demandé Diana, timidement, terrifiée comme chaque fois que sa mère était de cette humeur.

Mamma ne voulut pas entendre un mot. Quand elle entrait dans une ses rages théâtrales, elle était belle à couper le souffle et même sa fille ne pouvait pas s'empêcher de l'admirer.

— Pendant des années, il a travaillé sans prendre de vacances, en dormant seulement deux ou trois heures par nuit; il s'est ruiné la santé, et tout ça parce qu'il voulait mettre un mécréant derrière les barreaux. Et puis, quand il a eu toutes les preuves, Clarke a appelé ses amis politiciens et ils ont fait retirer l'affaire à Papa. Ils lui ont donné un travail de petit scribouillard dans un coin. Ça lui a brisé le cœur! Tu m'entends, petite traînée? Le père de ton petit ami a brisé le cieur de ton propre père! Je crache sur ta tombe!

— Ce n'est pas mon petit ami, avait marmonné Diana. Mais, comme d'habitude, la furie de Mamma avait été contagieuse. Maintenant, elle aussi sentait monter sa colère contre Clement Clarke, ce misérable salopard!

— Après, il lui a fait perdre son emploi. Et il lui riait au nez quand il le voyait dans la rue! Son fils vit du sang de ton père! Ton devoir --c'était la grande scène finale-- est de lui demander des comptes! De rendre à la famille Clarke ce qu'elle a fait à notre famille! Tu nous déshonores tous!

— Tu as raison, Mamma! avait crié Diana en se joignant au chœur, il faut l'envoyer en prison!

Les éruptions de sa mère n'étaient que passagères. Si, une demi-heure plus tard, elle avait rencontré Conor et qu'il avait joué de son charme considérable, Mamma aurait oublié sa rage. Par contre, l'instinct de la *vendetta* avait dû être transmis à Diana, en même temps que certains gènes primitifs des Celtes, et elle sentait que le mélange était dangereux.

Elle ne pouvait pas se fier à ses propres émotions. Et il fallait qu'elle soit sûre d'elle-même, avant d'accepter de se joindre à l'équipe qui avait pour objectif de mettre Conor en prison.

Elle n'était probablement qu'un passe-temps; une fille à peloter pendant les chaudes soirées d'août.

Elle décida d'attendre le lundi suivant. Si elle n'avait pas de nouvelles, cela voudrait probablement dire qu'elle n'en aurait plus jamais et elle pourrait se décider sans arrière-pensée.

Ce délai ne plairait pas à Leo, mais il le lui accorderait.

16

Conor ne parvenait pas à la chasser de son esprit. Cette fille le hantait jour et nuit; il sentait la douceur de sa peau, le goût de ses lèvres; il voyait la forme de son corps, l'éclat de son sourire, la grâce de ses gestes; il entendait le son de sa voix.

Je la désire, comme je n'ai jamais désiré personne.

Je ne peux pas vivre sans elle.

Alors pourquoi ne pas l'appeler?

Je n'ai pas son numéro.

Tu pourrais le demander à Maryjane.

Ou chercher le numéro de son bureau dans l'annuaire. Ce n'est pas un secret.

En fait, tu l'as déjà cherché; il est marqué sur le bloc, près du téléphone. C'est lundi matin. Elle doit déjà être à son bureau, en bonne employée qu'elle est. Pourquoi ne l'appelles-tu pas?

Parce que tu as peur d'elle; voilà pourquoi.

Et pourquoi as-tu peur d'elle?

Parce qu'avec elle, ça risque d'être beaucoup plus qu'une petite aventure.

Pourquoi?

Parce qu'elle te désire autant que tu la désires, et qu'à la fin, elle n'a même pas pris la peine de le cacher. Tu as peur d'être l'objet d'un désir aussi fort que le tien.

Allez, j'y vais.

Il prit le téléphone, composa les six premiers chiffres et raccrocha.

17

— Si le fils de Clem savait ce que je faisais? Broderick Considine tripotait le gros diamant qu'il portait à l'annulaire de la main gauche. Bien sûr qu'il le savait. Rien d'écrit, si vous voyez ce que je veux dire. Le gamin avait besoin d'un peu d'argent; pas beaucoup, mais un peu. Une bonne occasion à ne pas rater, je crois.

— Vous êtes certain? Diana tapotait un gros dossier de son stylo à bille.

— Est-ce que c'était son idée...? Est-ce que j'aurais pris un tel risque sans qu'il soit au courant?

Physiquement, Broderick Considine faisait penser à Tip O'Neill, en plus mince : visage rubicond, chevelure blanche, costume sur mesure, bijoux coûteux, eau de Cologne tout aussi coûteuse et un peu trop abondante, et le discours évasif, les clins d'œil entendus d'un vieux politicard en train d'expliquer les rouages de ce beau métier à de jeunes apprentis pas trop brillants. Pourtant, ce n'était pas de politique qu'il parlait, mais de corruption et de fraude. De plus, il se flattait d'être aussi expérimenté comme coureur de jupons que comme politicien, témoin une longue série de photos de maîtresses adolescentes sur son bureau. Cela ne l'empêchait pas de faire imprimer sur ses cartes de vœux annuelles le portrait de famille classique, femme, enfants et petits-enfants.

Diana devait faire appel à toute sa volonté pour rester polie avec lui. Bien sûr, c'était un vieil homme qui luttait pour préserver sa dignité; mais il n'avait droit à aucune dignité. Il aurait dû se trouver en prison, et là, on lui enlèverait toute dignité. Mais il était aussi l'appât qui permettrait de prendre un poisson bien plus gros.

— Eh bien, demanda-t-elle, est-ce lui qui a suggéré de détourner les fonds de Cokewood Corporation?

— Je ne l'avais pas dit? Il eut un sourire rayonnant et rajusta son épingle de cravate à tête de diamant.

Shelly Gollin vint au secours de Diana :

— Veuillez répondre directement à la question, Monsieur.

Shelly était un mince jeune homme brun de New York, un juriste brillant, encore plus ambitieux, si cela était possible, que Donny Roscoe. Depuis sa plus tendre enfance, toutes les femmes qui l'avaient entouré éprouvaient une sorte d'adoration pour lui. Il s'était donc attendu, lorsqu'il avait pris ses fonctions à peu près en même temps que Diana, à ce que cette dernière ne fasse pas exception à la règle. Au bout de trois jours, elle l'avait remis à sa place si vertement qu'il s'était mis à la traiter comme si elle avait été au moins impératrice. Une fois, il avait vaguement suggéré la possibilité d'une relation plus intime; Diana lui avait fait clairement comprendre qu'il ne devait nourrir aucun espoir de ce côté et qu'il valait mieux qu'il se contente de rapports amicaux.

Il avait accepté et, depuis, était devenu une sorte d'ange gardien, ce qui avait son utilité mais pouvait parfois devenir gênant.

— Oui, c'est lui. Considine secoua la tête, comme pour montrer qu'il ne comprenait pas la lenteur des jeunes gens d'aujourd'hui. Il m'a dit de parler à Harry McClendon, le trésorier; c'est un comptable de là-bas; d'ailleurs, le fils de Clem aime engager des gens du cru. Il m'a dit de lui parler pour voir ce qu'il accepterait, en liquide, pour trafiquer les livres. Il l'a très bien fait, d'ailleurs. Un sacré bon comptable, ce Harry.

— Mais pourquoi saigner sa propre entreprise? demanda Diana, pour s'assurer que le jury ait une réponse claire, lors du procès.

— Ecoutez, Mademoiselle, comme je l'ai dit l'autre jour, on n'a jamais trop d'argent. Je suppose qu'avec tous ses projets, il a eu besoin d'un peu de liquide. D'ailleurs, c'est ce qu'il m'a laissé entendre, si vous voyez ce que je veux dire. En plus, la moitié de l'argent vient de Allen Corporation vous vous souvenez, ce sont eux qui reprennent la vieille usine. Et il va gagner un bon paquet de plus quand il revendra le tout à Allen. Alors, c'était comme une sorte de dépôt, une avance, si vous voyez ce que je veux dire. Il fit un geste large de la main, encore capable d'être théâtral malgré l'âge. Il a peut-être l'intention de rembourser quand il aura vendu quelques actions de sa société d'ordinateurs. En attendant, il avait besoin d'un peu de liquide et il n'a fait de mal à personne, vous voyez?

— Un million de dollars? C'est ce que vous appelez « un peu de liquide »?

— En fait, il n'a pris que deux cent mille dollars ce jour-là, quand nous étions chez Phil Schmid, vous savez, ce restaurant du quartier sud.

— Je connais le quartier sud de Chicago, monsieur Considine.

Son père lui avait dit que Broderick T. Considine, membre du conseil du comté de Cook, trempait depuis trente ans dans toutes les escroqueries de la partie sud de cette région. Son père et Conor Clarke étaient au moins d'accord là-dessus. Ce n'était qu'un vieil homme méprisable, qui tentait de sauver une partie de sa méprisable dignité, tandis que la loi le poussait inexorablement en direction du tas d'ordure où il aurait dû être depuis longtemps.

— Et l'argent vous est revenu en liquide, à M. McClendon et à vous-même, et vous avez donné la moitié de votre part à M. Clarke; c'est bien ça?

— C'est cela même, belle enfant. Son sourire d'admiration se changea rapidement en regard de concupiscence, tandis que ses petits yeux rusés la déshabillaient de nouveau. Shelly, son chevalier servant, poussa un soupir tandis que Considine poursuivait : A vrai dire, pas tout à fait la moitié.

— Ce n'était pas dangereux?

— Seulement si vos services avaient décidé de faire un audit en règle. Et même alors, vous n'auriez peut-être rien trouvé. Harry est foutument bon comme comptable, vous savez.

— Je vois. En somme, sans votre grand désir de nous aider, M. Clarke pourrait dormir sur ses deux oreilles?

— Ma foi, vous avez dit que vous vouliez apprendre quelques saloperies sur lui...

— Ce n'est pas ce qu'a dit Mademoiselle Lyons, intervint Shelly. Veuillez effacer ça, Madame Jones. La sténographe aux cheveux blancs hocha la tête; elle connaissait les rouages du bureau du Procureur des Etats-Unis. Mademoiselle Lyons vous a demandé si vous pouviez nous aider dans notre enquête sur la corruption dans le domaine des sauvetages d'usines, et vous vous êtes mis à nous parler de M. Clarke, c'est bien ça?

— Exactement. Il cligna de l'œil. M. Roscoe a dit que, si je coopérais, il pourrait peut-être convaincre le juge Kane d'éviter à un vieil homme comme moi d'aller en prison.

— Nous n'avons pas fait de promesses – elle ferma les yeux – et nous n'avons aucune raison de penser que le juge Kane présidera à ce procès. Cela dit, il est évident que nous tenons compte de la bonne volonté d'un témoin dans nos recommandations au juge.

— C'est bien ce que je voulais dire. Sans ouvrir les yeux, elle savait qu'il souriait de toutes ses dents.

Broddy Considine était peut-être un vieil escroc proche de la sénilité, mais il connaissait parfaitement les règles du jeu; et si, à l'occasion, il choisissait de ne pas être trop clair, c'était à la fois pour maintenir un semblant de dignité et pour rappeler aux deux gamins qui lui faisaient face qu'il lui restait encore un ou deux atouts dans sa manche.

Diana rouvrit les yeux :

— Avez-vous jamais dit à M. Clarke qu'avec sa surface financière, il n'avait pas besoin des deux cent mille dollars que vous lui avez remis le... elle regarda ses notes ...quatorze mai?

Elle avait demandé directement à Considine s'il avait des renseignements sur Conor Clarke. C'était contraire aux règles, mais les procureurs du gouvernement contrevenaient souvent à cette règle-là.

"Ne vous souciez pas des petites règles," lui avait dit Leo Martin, elles sont faciles à contourner. "Quant aux grandes..." il avait levé ses mains fines et nerveuses ..."eh bien, il faut faire un peu plus d'efforts, mais à l'occasion..."

Légalement, c'était une philosophie que son père n'aurait pas approuvée, mais il n'avait jamais travaillé pour quelqu'un comme Leo Martin. S'il en avait eu l'occasion, peut-être aurait-il eu plus de succès dans sa lutte contre le père de Conor Clarke.

— Je répète, M. Considine, avez-vous dit à Conor Clarke que ce qu'il faisait était illégal?

— Oh bien sûr! Il secoua la tête tristement. Je lui ai dit que ça ne valait pas la peine, que ça risquait de le mener en prison. Mais il a ri et il m'a dit qu'il pouvait se payer les meilleurs avocats de la ville et qu'il ne fallait pas que je m'inquiète.

C'était bien le genre de chose que pouvait dire Conor. Elle jeta un coup d'œil à Shelley, qui eut un hochement de tête entendu.

— Je pense que ce sera tout pour aujourd'hui, M. Considine. Nous vous remercions de votre coopération, et en particulier pour ces nouveaux renseignements sur M. McClendon. Vous nous avez été d'un grand secours.

— Ce sera toujours un plaisir de parler avec une jeune femme aussi belle et intelligente que vous. Il lui prit la main : Vous ne serez pas trop dure avec le garçon de Clem, n'est-ce pas? C'est un enfant gâté, mais il n'est pas méchant.

Elle retira sa main.

— Je ne peux pas répondre à ce genre de question, M. Considine, et vous le savez très bien.

Il savait aussi qu'à ce jeu, il suffisait de plaider coupable. Un ou deux mois, six peut-être, et Conor Clarke retrouverait ses Ferrari, son bateau et ses hôtesses de l'air. Don Roscoe ferait un pas de plus vers le poste de gouverneur, la presse aurait une nouvelle victime à se mettre sous la dent et tout le monde éviterait la perte de temps et la dépense d'un long procès. Pas beaucoup de justice, mais un peu quand même.

Quelques mois d'humiliation rendraient Conor Clarke un peu moins arrogant et attaqueraient un peu son charme.

Quelques heures plus tard, Leo Martin les rejoignait dans le bureau lambrissé de Roscoe, avec son immense drapeau américain.

— Eh bien, Maître, que comptez-vous faire maintenant? Elle se dit qu'il semblait toujours se moquer un peu de son zèle.

— Secouer McClendon comme il faut.

— Ce qui nous donnerait deux témoins à charge contre Clarke, n'est-ce pas? demanda le Procureur des Etats-Unis de sa voix nasillarde.

Donald Bane Roscoe était un petit homme dans la trentaine, avec un visage rond, de grandes oreilles et une chevelure clairsemée. Il s'était fait une spécialité du marchandage avec des témoins dont le seul but était d'éviter les foudres de la justice. De préférence il choisissait ceux qui pouvaient charger des célébrités, des « gros poissons » de la politique et permettre ainsi des condamnations dont le crédit allait naturellement au Procureur.

— Supposons que nous nous en prenions à Harry McClendon, dit Leo Martin; ses déclarations d'impôt sont probablement inattaquables.

— Comme ce salaud de Clarke, interrompit Diana furieusement. Il m'a défiée de trouver quoi que ce soit dans les siennes.

— Laissons le jeune Clarke de côté pour le moment...

Leo lui fit un clin d'œil qui la fit rougir jusqu'aux oreilles. Comme les autres, il pensait qu'elle avait couché avec Conor. Il ne servait à rien d'essayer de les détromper, surtout pas en leur parlant de sa virginité. Même Shelly ne la croirait pas.

— ...et concentrons-nous sur McClendon. Il est rusé et je ne pense pas qu'il prendra le risque de témoigner s'il n'a pas l'impression d'être au pied du mur. Le témoignage d'un Broddy Considine ne suffit pas, à notre belle époque, pour inquiéter un type comme lui. Il faudrait que nous tombions sur le dos de tous les fournisseurs qui ont participé à la conspiration, ce qui aurait pour effet d'alerter Clarke et ses avocats beaucoup trop tôt. Nous travaillerions pendant des années sans aucun résultat.

— Mais vous ne doutez tout de même pas qu'il y ait une conspiration dont le but est de ruiner ces pauvres gens de Cokewood Springs?

— Je n'en doute pas un instant, Maître, répondit Leo. Je dis seulement que ce sera difficile à prouver sans une enquête extrêmement complexe, et que nous ne sommes pas certains d'aboutir à quelque chose. D'autre part, nous devons tenir compte d'Eileen Kane. Si c'est elle qui juge cette affaire, nous avons un sérieux problème : elle ne nous a jamais pardonné l'histoire du joueur de basketball. Leo aimait à rappeler à ses interlocuteurs qu'il s'était opposé à ce procès : Hurricane Houston, le joueur en question, avait été le client d'Eileen Kane avant qu'elle soit nommée juge. Malgré sa voix douce et sa beauté, elle est dure. Et si elle découvrait que nous essayons de coincer Conor Clarke sur un terrain de golf, elle nous clouerait au pilori.

Eilen Kane était l'idole de Diana; un jour, elle espérait devenir un magistrat fédéral comme elle.

— Je n'ai pas couché avec lui, Leo.

— Personne ne vous en accuse, euh, Diana. Donny Roscoe agita la main comme pour lui donner son absolution. Naturellement, je ne pourrais jamais autoriser ce genre de procédé.

Roscoe ne parvenait jamais à se débarrasser de son ton hypocrite, même quand il disait la vérité, ce qui n'était pas le cas en ce moment. Si, pour faire condamner un suspect comme Conor Clarke, Diana devait coucher avec lui, le Procureur des Etats-Unis pour le district nord de l'Illinois n'y voyait aucun inconvénient, à condition bien sûr que personne ne l'apprenne.

— Vous l'avez battu, Maître? Leo avait un sourire sarcastique.

— Bien sûr; et sans me forcer en plus.

— Et il a essayé de... Shelly avait son air de défenseur de la veuve et de l'orphelin.

Elle décida de ne pas compliquer les choses :

— Oui, Shelly, il a essayé. Et sans beaucoup d'élégance en plus. Mais je sais me défendre. Ceci dit, je peux me retirer de l'affaire, si vous le souhaitez, Monsieur, dit-elle en se tournant vers Roscoe.

— C'est en effet une possibilité que nous devrions envisager. Il croisa ses mains comme un moine en prière. Mais il n'y a pas de raison d'en parler pour le moment, n'est-ce pas, Leo?

— Je n'en vois pas. Leo sembla mal à l'aise. Nous avons encore beaucoup de chemin à faire avant de penser à ça. Pour l'instant, Diana détient plus d'éléments que n'importe qui d'autre sur cette affaire et il faudrait des semaines pour préparer quelqu'un à la remplacer. Plus tard... ce sera peut-être différent.

— Bien sûr, bien sûr. Donny Roscoe essaya de paraître judicieux et concentré. Donc je suppose que... Il attendit que quelqu'un d'autre lui dise ce qu'il fallait « supposer ».

— Nous allons avoir un petit entretien avec McClendon. Leo Martin se leva. D'ici là, nous devrons procéder avec la plus grande prudence.

— Mademoiselle, euh, Lyons? Donny demandait toujours l'avis des avocates qui travaillaient pour lui, de peur d'être traité de phallocrate.

— Je suis d'accord. Elle se leva à son tour. Chaque chose en son temps.

Dans le couloir, Leo lui chuchota :

— Vous pouvez passer par mon bureau un instant?

— Bien sûr, Monseigneur. Elle lui sourit. Je suis prête pour mon sermon hebdomadaire.

Il lui désigna une chaise et se laissa tomber dans son fauteuil comme un homme épuisé.

— Vous n'étiez pas vraiment d'accord, hein?

— C'est un homme horrible, Leo. Et je veux le mettre en prison. Mais je suis nouvelle ici et je ne voudrais pas que mes sentiments personnels aillent à l'encontre de la politique du bureau. Elle croyait presque ce qu'elle disait.

— Je n'aime pas spécialement Conor Clarke, Diana. Mais n'oubliez pas que vous êtes une jeune personne brillante et que vous avez un grand avenir devant vous; un peu comme Eileen Kane quand elle avait votre âge. Conor Clarke ne mérite pas que vous vous accrochiez à lui.

— Je ne crois pas que je m'accroche à lui; et je n'ai pas l'intention de le faire non plus. Ceci dit, je soutiens qu'il mérite qu'on s'occupe de son cas : une société libre ne peut pas tolérer un jeune nanti qui n'a rien fait de mieux que d'écrire quelques vers et qui a pourtant des millions de dollars à sa disposition. C'est immoral et démoralisant.

— Mais pas nécessairement illégal?

— Leo, en 1943, quand mon père était sergent et qu'on essayait de réparer son poumon perforé dans un hôpital à Anzio – elle savait qu'elle aurait dû se taire, mais les mots sortaient d'eux-mêmes – Clem Clarke se prélassait devant un bureau à Melbourne. Il était major et parlait beaucoup de ses deux blessures, qui d'ailleurs n'étaient ni sérieuses, ni très héroïques. Un jour, il était si saoûl qu'il est tombé d'une jeep en essayant d'attraper une prostituée dans la rue. Il est revenu en héros, couvert de décorations. Papa, lui, est revenu avec une santé compromise à jamais. Ce n'est pas juste.

— Il y a longtemps de ça, jeune fille, dit Leo doucement. Et votre père est rentré plus tard avec une épouse merveilleuse; vous ne trouvez pas que c'est plus important que les honneurs et les médailles?

— Je suis désolée, Leo. Elle soupira profondément. C'était un mauvais exemple. Ce que je voulais dire, c'est qu'après une ou deux générations de privilèges et de pouvoir, certains êtres humains finissent par se croire au-dessus des lois. Quand d'autres croient qu'ils doivent se soumettre à cette immunité, les résultats sont graves. Croyez-moi, Conor Clarke fait partie de la première catégorie. Naturellement, tant qu'il ne contrevient à aucune loi, nos services n'ont pas à se préoccuper de lui, vous avez raison là-dessus.

— Très bien, dit-il; mais à la façon dont il le dit, elle devina qu'il n'était pas convaincu. Souvenez-vous seulement que vous êtes trop importante et trop précieuse pour vous laisser obnubiler par lui.

— D'accord. Elle se leva pour prendre congé. Comme d'habitude, elle ne savait pas où s'arrêtait le respect professionnel de Leo Martin et où commençait l'affection d'un homme qui la comparait peut-être à l'une de ses trois filles.

— Une autre chose, Diana...

— Oui?

— Asseyez-vous encore un instant, s'il vous plaît.

— Bien sûr. Elle s'assit comme une écolière dans le bureau du directeur.

— Je vous ai dit de ne pas vous laisser obnubiler par Conor Clarke. Ne vous laissez pas non plus obnubiler par le règlement.

— Je ne comprends pas.

— Donny a failli s'étouffer quand vous avez offert de vous retirer de l'affaire. Vous n'avez pas encore compris les règles du jeu?

— Pouvez-vous me les expliquer encore une fois?

— Ecoutez : il soupira patiemment. Quand Donny fait son numéro sur les libertés individuelles, c'est pour le cas où il devrait nous renier un jour. En réalité, il est ravi que vous ayez un pied dans la porte de Conor Clarke, et cela le rendrait furieux, officieusement bien sûr, d'apprendre que vous avez retiré ce pied. Vous comprenez?

— Mais...

— Plus tard, nous pourrons cacher un micro sur vous et dire que vous êtes un agent. Ne vous inquiétez pas. Sauf si vous êtes prise à faire quelque chose qui risque de nous embarrasser.

— Auquel cas on me renierait?

— Vous voyez une autre solution?

— Que je couche avec lui s'il le faut, mais en m'assurant que les média ne puissent jamais le prouver. Sa parole contre la mienne.

— Bravo mademoiselle! Il rayonnait comme un professeur fier de son élève.

— Justice fonctionnelle?

— Ecoutez-moi Diana; ça vous tenterait beaucoup de passer trois ans à l'aéroport à éplucher le matériel pornographique que les douanes confisquent?

100

— Pas particulièrement.

— Alors jouez le jeu selon les règles. Vous savez, il y a longtemps que je suis ici. Il eut un petit rire vaguement gêné. J'ai vu des centaines de jeunes gens ambitieux et brillants comme vous sortir des facultés de droit; la plupart n'étaient pas aussi brillants que vous.

— Merci Leo, dit-elle impatiemment. Où voulez-vous en venir?

— Ils se répartissent en deux catégories : ceux qui tiennent mordicus à l'éthique et ceux qui comprennent que dans un monde de durs, on joue comme les durs. Les premiers finissent au service de la pornographie et ce genre de saletés, ou dans un petit bureau d'avocats minable. Les autres deviennent des avocats célèbres et même des juges.

— On joue comme les durs?

— C'est ça. Si vous savez que quelqu'un est coupable, vous faites tout pour qu'il se mette à table ou pour qu'il soit condamné. Vous inventez des preuves, vous achetez des témoins en leur promettant l'immunité, vous persuadez les types du FBI ou du Trésor de se parjurer. Parfois, c'est facile. D'autres fois, non. Quand vous savez que votre gars a les meilleurs avocats de la ville et qu'ils vont utiliser toutes les ficelles qu'ils pourront inventer, vous en faites autant. La scule règle : ne vous laissez pas prendre.

— Et Eileen Kane? Elle était comme ça quand elle était ici?

Leo fronça les sourcils. C'était la première fois qu'il rencontrait un os dans cette tirade qu'il pratiquait pourtant depuis longtemps.

— C'était il y a longtemps, jeune fille. Le monde a changé, la pratique du droit aussi. On ne peut pas revenir en arrière.

Le bureau fut silencieux pendant un moment.

— Je n'irais pas à l'aéroport, Leo.

— Parfait. Vous nous manqueriez ici.

18

— Elle m'a dit qu'elle avait beaucoup aimé sortir avec toi, les deux fois. Ça m'a étonné d'ailleurs. Je croyais que deux personnes aussi différentes que vous ne pourraient pas se supporter. Mais elle voulait jouer avec toi parce qu'elle avait tellement entendu parler de toi. Alors je lui ai dit: "D'accord, si tu veux vivre dangereusement, je vais arranger une partie de golf". Alors elle m'a dit qu'elle était assez grande pour se défendre. Elle est compliquée, tu sais...

— Ah bon?

— C'est la faute de son idiot de père. Pense un peu: tous ses autres enfants vivent à des milliers de kilomètres de lui. Et puis Diana ne voulait pas étudier le droit. Je veux dire, tu l'as vue avec des enfants? Elle est super extra! Elle voulait devenir artiste et prof d'art. Pour les petits enfants, tu vois. Mais non, Papa était avocat et aucun des autres enfants n'était avocat, alors il a fallu que la petite dernière soit avocate. Et tout ça parce qu'un jour, il venait de perdre un gros procès à la Bourse du commerce, et qu'elle était avec lui à la maison; il a fait une crise cardiaque et elle l'a sauvé. Alors maintenant, il faut qu'elle fasse tout pour qu'il soit heureux. Moche hein?

— Horrible. Quel âge avait-elle?

— Oh tu sais, huit ou neuf ans peut-être. Je veux dire, si elle n'avait pas gardé son sang-froid et appelé le docteur, il y serait passé, hein? Mon père dit que, même s'il a cette superbe femme sicilienne qu'il a sauvée d'un viol, il n'a qu'à s'en prendre à lui-même d'avoir raté sa carrière. Mais elle, elle dit que c'est à cause de tous les politiciens véreux et qu'il est le seul avocat irlandais honnête de la ville. Franchement! Je veux dire, ils habitent dans une toute petite maison à Dalton et il a sa retraite, et elle travaille, et ils font encore semblant d'être pauvres. Ce serait vraiment chouette que tu la sortes de cette maison.

— Je ne parviens pas à la comprendre, Maryjane. Conor essayait d'endiguer le flot de paroles. Elle joue au golf, au squash et au tennis, mais elle dit qu'elle n'a pas les moyens de voyager. Ce sont pourtant des sports qui coûtent cher.

— On peut jouer au golf sur des terrains municipaux, non? Et puis il y a des terrains de squash et de tennis publics. C'est comme ça qu'elle a appris. Et puis tu devrais la voir jouer au basketball. Une vraie pro!

— C'est bien ma veine!

— Mais tu sais, elle est vraiment extra, totalement.

— Mais comment peut-on avoir grandi dans une telle atmosphère et avoir autant de... de classe? Elle est aussi à l'aise au club de Long Beach que si elle en était membre.

— Bof, tu sais, les membres de Long Beach n'ont rien de si extraordinaire; elle s'affaira à leur servir du café; d'ailleurs, tu en fais partie, Gerry aussi, et moi aussi... Tu es d'accord?

— D'accord. Pour la troisième fois, il refusa le sucre et le lait.

— Et puis il y a des gens qui ont une classe naturelle; sa mère par exemple, Sicilienne ou pas. Et puis j'ai l'impression que son père était chouette quand elle était petite. C'est après qu'il s'est aigri et qu'il est devenu si radin. Et puis elle est tellement intelligente; tu devrais la voir jauger une situation: c'est comme si elle était flic, ou politicien, ou curé, tu vois?

— Ah?

— En tout cas, il y a des gens qui ont de la classe. C'est tout.

— Mais si elle est si intelligente, comment peut-elle croire tout ce que lui débite son père?

— Ah mais... elle reprit son souffle avant de se lancer dans une nouvelle tirade; ...elle n'y croit pas vraiment. Tout au fond d'elle-même, elle sait. Je lui dis: "Diana Marie, tu sais que ton vieux débloque, mais tu lui es trop fidèle pour l'admettre. Tu sais quoi?" je lui dis: "tu as deux personnalités"; je lui dis "la fille brillante qui pourrait réussir n'importe quoi, et l'autre, qui vit sous la coupe de son père".

— Et elle dit?

— Ben, elle dit... elle dit: "Tu as peut-être raison, Maryjane, mais je suis le seul enfant qui lui reste. Il ne sera plus là pour longtemps". Et moi, je me dis qu'il risque de durer encore vingt ans. Tu sais, ce serait vraiment bien si tu te mariais avec elle.

— Je note. Et j'aurai laquelle des deux?

— Hein?

— La fille à son papa, ou la belle bête racée?

— Ben c'est au mari de choisir. Remarque, elle est dure, mais ça devrait te plaire, non?

Il décida que le moment était venu de partir. Il en savait assez. Par exemple, il avait appris que Diana contrôlait au moins une partie de sa propre destinée.

— C'était gentil à toi de lui prêter mon recueil de poèmes.

— Ah mais pas du tout! Le mien est chez moi. Ou peut-être chez maman... Je veux dire, je ne le traîne pas partout, tu vois ce que je veux dire? Elle se l'est payé elle-même. Tu vois, tu as même fait un peu d'argent avec elle.

— Vraiment?

— Ne la perds pas, Conor. Maryjane s'extirpa de son fauteuil au prix d'un effort considérable. Elle serait parfaite pour toi. Et puis vous seriez mignons tous les deux. Tiens, je vais demander à Gerry si vous ne pourriez pas être parrain et marraine du petit monstre là-dedans. Elle tapota son ventre rebondi.

— Il va falloir que je pense à lui donner une bague un de ces jours.

Peut-être, ajouta-t-il mentalement.

19

Tout en se servant un café au distributeur de son étage (pas de cadeaux pour les fonctionnaires), elle se dit que Leo n'avait pas paru convaincu. Ses émotions étaient-elles si visibles?

Parmi les centaines de jeunes femmes qui l'avaient précédée, y en avait-il eu d'autres qui étaient tombées amoureuses d'un homme qu'elles s'apprêtaient à traîner en justice?

De retour dans son bureau aveugle, avec ses murs beiges, sa moquette et ses meubles métalliques réglementaires, elle s'assit lourdement sur sa chaise et baissa la tête. *Obsession*. Le mot était parfait. Conor Clarke l'obsédait.

Elle ouvrit son dossier et retrouva l'article qu'elle avait découpé trois jours auparavant dans la chronique de Kup.

Conor Clarke, poète, homme d'affaires et sportif accompli, promet que son yacht *Brigid* ne se classera pas dernier à la régate des Trois Etats. Conor, que l'on voit ici auprès du mannequin Lyn Clifford, dit que sainte Brigitte l'obligerait à changer le nom de son bateau.

Lyn Clifford possédait une silhouette dont le moins qu'on pouvait dire était qu'elle était bien développée. Son bikini, par contre, ne l'était pas.

Diana composa le numéro du journal et demanda son contact.

— Salut, Di! J'ai les renseignements sur la photo. Mais il faut me promettre que je serai le premier informé quand l'affaire sera révélée.

— S'il se passe quelque chose. Pour le moment, c'est ultra-secret.

— Compris. Alors la photo date de l'été dernier. Clarke change de mannequin chaque été.

— Des mannequins à demeure? Elle eut du mal à conserver une voix neutre.

— Les opinions sont partagées. La majorité est persuadée qu'il les saute. Les autres pensent que c'est seulement de l'adoration platonique. C'est important pour votre enquête?

— S'il se passe quelque chose, vous serez aux premières loges. Merci beaucoup. Au revoir.

— Au revoir, Di.

Elle ne tenta même pas de lui rappeler qu'elle s'appelait Diana.

Ses longs cheveux blonds, ses yeux bleus comme l'acier, son visage juvénile et innocent, ses larges épaules, son torse musclé, ses mains d'artiste qui...

Elle repartait dans ses fantasmes. Comme toujours, elle se dit qu'elle ressemblait à une adolescente obnubilée, rêvant d'une vedette de cinéma, et qu'elle devait cesser immédiatement, mais en vain.

Elle se revoyait sur la terrasse devant la maison de Maryjane. Mais cette fois-ci, il ne s'arrêtait pas. Il lui enlevait ses vêtements, jouait de la moindre zone érogène de son anatomie, puis, doucement, une fois qu'elle était rendue au paroxysme du désir, il l'ouvrait et elle se trouvait réduite à l'état d'offrande consentante et impuissante.

Le téléphone sonna, la faisant sursauter. C'était Shelly, qui voulait savoir si elle voulait venir avec lui pour la première visite « informelle » à McClendon. Incapable de réfléchir clairement, elle marmonna qu'il était encore trop tôt pour mettre McClendon sur la défensive et qu'il valait mieux que Shelly y aille seul.

Tout ceci est absurde, se dit-elle. Je déteste cet homme et voilà que je souhaiterais être à la place de ses petites copines, à condition qu'il les saute. Mais je ne veux pas être la Lyn Clifford de l'été 1984 ou 1985. Oh, mon Dieu, faites que tout ceci soit passé avant que je me trouve en face de lui au tribunal!

Ce soir-là, quand elle sortit de la gare et se dirigea dans l'air humide et chaud vers la petite Volkswagen de son père, elle pensa qu'elle aurait préféré être sur la terrasse de Maryjane à Grand Beach, un margarita bien frais à la main. Ses parents auraient été scandalisés s'ils avaient appris que leur fille buvait occasionnellement, et avec délices, un verre de ce breuvage.

— C'est rare que ma petite fille descende du train avec le sourire, observa Papa tandis qu'elle l'embrassait. Des compagnons de voyage intéressants?

— Non, seulement une plaisanterie dont je viens de me souvenir. J'ai lu tout le long... beaucoup de travail.

Comme chaque soir, elle ne put pas s'empêcher de remarquer qu'il paraissait de plus en plus vieux depuis son attaque cardiaque. La différence d'âge entre ses parents n'avait jamais été visible, mais maintenant, Mamma (on l'appelait Anna Maria à la boutique; ça faisait plus mode) semblait avoir au moins vingt ans de moins que lui.

— Quoi de neuf aujourd'hui? demanda-t-elle à son père tandis que la voiture démarrait.

— Quelqu'un m'a appelé pour une vente immobilière. Je suppose qu'ils cherchaient un bon avocat pas cher. Et puis j'ai fini de mettre de l'ordre dans mes notes sur Anzio. Je vais enfin pouvoir me mettre sur le livre.

Un contrat de vente de temps à autre, des coupures de presse et des livres sur la guerre, des notes pour un livre qu'il n'écrirait jamais; pas étonnant qu'il paraisse si vieux. Elle maudit intérieurement les bureaucrates qui l'avaient forcé à quitter ce travail qui faisait tant partie de sa vie.

Elle l'avait supplié d'accepter l'opération à cœur ouvert, lui disant que cela lui permettrait de vivre plus longtemps.

— Mais ce n'est pas prouvé, ma chérie, avait-il dit avec un sourire triste; je viens de lire un article là-dessus.

Elle ne voulait pas admettre que cet homme si maigre qui conduisait auprès d'elle puisse souhaiter la mort. Et pourtant, il lui semblait qu'elle devait gagner un gros procès le plus rapidement possible, si elle voulait qu'il parte avec le sentiment que sa vie avait servi à quelque chose.

— Je pense que je vais faire un grop coup bientôt, Papa, dit-elle alors que la voiture s'engageait sur leur rue.

— J'espère que je vais vivre assez longtemps pour voir ça. Tu es la seule, à part ta mère bien sûr, à partager mon sens des valeurs.

— Mais oui, tu verras, dit-elle avec une conviction qu'elle était loin de ressentir.

Au dîner, Papa s'éclaircit la gorge et tapota la nappe blanche de sa fourchette. Diana fut instantanément sur ses gardes: cela voulait dire qu'elle avait fait quelque chose pour lui déplaire.

— Maria, est-ce que je me suis jamais mêlé de dire à mes enfants ce qu'ils pouvaient lire ou ne pas lire?

— Seulement quand Huberto a caché *Playboy* sous son lit, répondit Mamma en jetant à Diana un regard dangereux.

— Et si Diana a le temps, malgré son travail, de lire de l'érotisme de bas étage, penses-tu que nous devrions la laisser faire? Après tout, elle a vingt-cinq ans.

— Elle n'est qu'une petite gamine, répondit Mamma sèchement. Elle vit dans notre maison: elle respecte nos lois.

— Ah, mais c'est justement là que je veux en venir, Maria. Nous n'avons pas le droit de critiquer ce qu'elle lit hors de cette maison; mais quand elle se met à laisser traîner dans la maison des recueils de vers obscènes, il est peut-être temps qu'elle se trouve un appartement, qu'en penses-tu?

— Nous n'avons aucun besoin de son chèque de paye. Mamma se mit à débarrasser la table. Machinalement, les joues en feu, Diana se leva pour l'aider.

— Je n'ai pas laissé traîner le livre, marmonna-t-elle; il était sur ma coiffeuse, sous une pile de papiers.

— Et voilà! Tu te rends compte, Maria? Passé un certain âge, ils croient qu'ils ont le droit de cacher des choses à leurs parents!

Pauvre Papa qui n'avait rien d'autre à faire qu'à errer à travers la maison en ruminant contre la stupidité des généraux qui avaient envoyé ses camarades à la mort à Anzio. Elle n'aurait pas dû laisser les poèmes de Conor Clarke à un endroit où il risquait de les trouver.

— Dis à ton père que tu t'excuses, dit Mamma, cherchant, comme d'habitude, à rétablir la paix.

— Le fils de Clement Clarke est vil et immoral! La voix de son père était devenue aiguë, comme chaque fois qu'il était en colère. Il se croit au-dessus des lois parce qu'il a hérité de tant d'argent. La façon dont il vit est un scandale et ses poèmes devraient faire rougir n'importe quelle jeune femme, surtout si elle se veut féministe.

— Je sais, Papa, dit-elle humblement.

— Je n'oserais même pas regarder ta mère de la façon dont il regarde des femmes qu'il connaît à peine. Pourquoi lis-tu de telles horreurs, Diana? Réponds-moi.

— Je ne peux pas en parler, Papa, fit-elle d'un ton lamentable.

— Bien sûr que tu peux parler, si ton père te demande d'en parler. Mamma se mit à servir le café; après toutes ces années, une querelle entre son mari et l'un de leurs enfants ne l'empêchait pas de poursuivre le rituel du repas. Réponds comme une bonne fille.

— Si je lui réponds, il va dire qu'il ne veut plus rien entendre. Elle s'assit à sa place, se souvenant d'innombrables autres séances comparables à celle-ci, qui ne se terminaient que lorsqu'elle demandait pardon.

— J'avoue ne pas comprendre, Maria, ce qu'elle entend par là.

— Ce que je veux dire elle était soudain furieuse c'est qu'il s'agit d'une affaire confidentielle dont je ne peux pas parler. Ça devrait suffire comme explication, non? Demande-toi si tu parlais de tes secrets professionnels à la table familiale, Papa, et ensuite, laisse-moi tranquille!

— Tu n'as aucun respect, dit Mamma d'un ton peu convaincu. Peut-être devrais-tu quitter la maison dès ce soir?

— Attends Maria, ne précipitons rien. Il rayonnait soudain. Je crois que je comprends ce que veut dire cette enfant et je ne veux plus rien entendre sur Conor Clarke ni sur ses poèmes.

L'orage était passé, mais seulement parce qu'elle avait dit à son père qu'elle enquêtait sur Conor Clarke.

Elle se souvint de lui quand elle était petite; séduisant, dynamique, fier de ses six enfants et confiant dans son avenir. Tout cela avait changé parce qu'il avait refusé de plier devant des gens comme Clement Clarke, président de la Chambre de commerce.

Malgré sa colère contre la famille Clarke, elle relut *Chant d'amour* avant de s'endormir, comme une novice faisant sa lecture spirituelle dans le dortoir du couvent.

20

Je devrais avoir honte, se dit Conor Clarke en descendant de sa Ferrari dans l'immense stationnement du centre commercial. Tant pis; il faut que je le fasse.

Jusqu'à la régate des Trois Etats, il avait réussi à ne pas penser trop souvent à Diana Marie Lyons. Mais au beau milieu de la course, au moment où les voiliers passaient devant Grand Beach, il avait soudain perdu le contrôle de la barre. Son équipage avait crié frénétiquement et, au dernier instant, il s'était ressaisi et avait évité de justesse une collision.

— Bon sang, qu'est-ce qui t'est arrivé? lui avait demandé le capitaine d'un autre bateau ce soir-là, au Michigan City Yacht Club. Je ne t'ai jamais vu faire une chose aussi stupide.

— Peut-être parce que je n'ai jamais rien fait d'aussi stupide. J'ai été distrait au mauvais moment. Désolé.

— Une femme? demanda l'homme d'un ton sceptique.

— Bien sûr que non. Quelque chose de beaucoup plus sérieux : une affaire.

Ils avaient ri tous les deux.

Tu parles d'une blague...

Il sentait encore sa peau ferme et humide sur ses doigts, le goût de ses seins sur ses lèvres. Parfois, il s'en voulait d'avoir laissé passer une si belle occasion. Le reste du temps, il se félicitait de son héroïsme et du respect dont il avait fait preuve envers une vierge vulnérable.

Vierge vulnérable... allitération. Je suis un poète.

Que devait-il faire maintenant? Cette question le tourmentait, mais il n'avait pas osé la poser à ses deux confidents, Naomi et le père Ryan. Il craignait qu'ils lui disent tous les deux: "Conor, laisse tomber, cette fille est trop complexe; tu n'as pas besoin de ça". Mais il avait aussi peur d'entendre le conseil inverse: "Vas-y Conor; c'est elle qu'il te faut".

Et s'ils n'étaient pas du même avis?

Impossible. Ces deux-là étaient toujours d'accord.

Il fallait qu'il fasse un peu plus de recherche. Sans se presser. Il fallait d'abord en apprendre un peu plus sur cette fille, non?

Et c'est ainsi qu'il avait décidé d'aller voir à quoi ressemblait la mère de l'objet de ses pensées, à sa boutique de mode.

De l'extérieur, il jugea que tout ce qu'on y vendait devait être très luxueux et très élégant. Si elle travaillait dans un endroit pareil, elle ne pouvait pas être trop fellinienne.

Une dernière fois, il se remémora l'histoire qu'il avait mise au point. Il voulait acheter quelque chose pour le bébé de Maryjane. Il avait téléphoné à la boutique et on lui avait répondu qu'effectivement, la maison avait une sélection de cadeaux pour nouveaux-nés.

A vrai dire, le bébé ne devait pas naître avant deux mois encore. Le cadeau attendrait, voilà tout. Par contre, la petite fille avait déjà une existence, et même un nom : Géraldine Diana. Quant au fait qu'il allait prétendre en être le parrain, il s'avançait peut-être un peu, mais ce n'était pas totalement une impossibilité.

Il examina la vitrine. Des chemises de nuit d'automne. Le genre qu'on ne pouvait probablement porter qu'une seule fois avant de devoir les laver à la main, avec beaucoup de précautions. Pas tout à fait bon marché.

Conor fit un rapide calcul: la retraite du père, le salaire de Diana, celui de la mère dans un endroit pareil; le total approchait probablement les six chiffres, peut-être même un peu plus. Alors pourquoi parlait-elle de pauvreté? Pourquoi n'avait-elle pas de voiture?

Quelque chose ne collait pas dans cette famille.

L'intérieur de la boutique était feutré, d'un calme respectueux. Il cligna des yeux pour s'habituer à la lumière douce qui contrastait avec le soleil du dehors. Deux femmes. Aucune d'elles n'est la mère. Raté. Je suis venu au mauvais moment.

— Puis-je vous aider, Monsieur?

— Eh bien, je voudrais acheter une robe pour une jeune demoiselle à laquelle je tiens beaucoup. Très jeune en fait. Voyez-vous, elle n'a qu'une semaine et il se trouve que je suis son parrain. J'ai donc pensé qu'avec de telles responsabilités, je me devais d'offrir sa première robe à cette jeune personne. Qu'en pensez-vous?

La femme eut un sourire chaleureux:

— Ah mais la responsabilité d'un *padrino* est une affaire très sérieuse. Veuillez me suivre, Monsieur.

Padrino? Oh mon Dieu! C'est elle! Comment ne l'ai-je pas compris? Bien sûr! La ressemblance est extraordinaire!

Pour masquer sa confusion, il se lança dans une improvisation en mauvais italien, avec un accent horrible et une grammaire atroce. Peut-être la *signora* pourrait-elle lui montrer des robes de baptême? Rien de trop beau pour sa première filleule. Personne n'aurait plus d'importance, sauf sa propre fille. Non, il n'était pas marié, mais il espérait l'être bientôt. Si c'était une très belle femme? Oh que oui! Vous avez des enfants, *signora*? Six? et dix petits-enfants dont six sont des filles? Mais c'est impossible, vous ne pouvez pas être grand-mère!

Finalement, Mamma mit une main devant son nez pour tenter de cacher son rire :

— Oh, Monsieur, vous feriez un parfait Italien! La plupart des Américains hésiteraient et seraient gênés pas leur grammaire, leur vocabulaire ou leur prononciation. Mais vous, comme un vrai Italien, vous foncez, sans vous soucier des fautes.

— Vraiment?

— J'espère que je ne vous ai pas offensé.

— *Signora*, vous me charmez. Mais votre accent est romain, n'est-ce pas?

Que Dieu te pardonne, Conor Clarke.

Mamma devait avoir un peu moins de cinquante ans. Au lieu d'essayer de paraître plus jeune, ce qu'elle aurait pu faire sans mal, elle avait choisi de se composer un air mystérieux : des touches de gris savamment dispersées dans ses cheveux, quelques rides qu'elle avait volontairement oublié de maquiller, une silhouette somptueuse qu'on ne découvrait qu'au second coup d'œil. Elle savait ce qu'elle faisait.

L'image d'une femme du monde et, pourtant, elle n'était qu'une fille de la campagne qui avait évolué. Ainsi qu'une bonne actrice qui dévorait probablement les revues de mode.

Conor dut faire taire son imagination qui, comme celle de tout homme jeune mis en présence d'une belle femme, menaçait de lui donner des idées embarrassantes. Après tout, elle était assez vieille pour être sa belle-mère.

Mais une belle-mère pareille!

— Vous me flattez, Monsieur! répliqua-t-elle avec un sourire éblouissant. C'est seulement un accent sicilien un peu amélioré. Pour ma part, je dirais que vous avez étudié à Florence, mais...

— Mais pas trop sérieusement. Je me suis surtout concentré sur le chianti et les femmes florentines, qui sont loin d'être aussi séduisantes que les Siciliennes.

— Avec un bagoût pareil, vous devez être Irlandais! Venez, allons trouver une robe pour la *bambina*.

— Où en Sicile? persista-t-il tout en examinant des vêtements minuscules et adorables, et en regrettant que cette Géraldine imaginaire ne soit pas sa propre fille.

— Un tout petit village au sud d'Agrigente. Les autres Italiens disent que c'est presque en Arabie Saoudite. D'ailleurs, je dis toujours que j'ai du sang arabe dans les veines. N'est-ce pas, Elaine?

— Si tu le dis, ça doit être vrai, Anna Maria, répondit l'autre femme avec un rire tolérant.

Pas une princesse arabe, mais deux. Shéhérazade et sa fille. Ça doit être quelque chose de ramener son petit ami à la maison quand on a une mère pareille.

Pour savoir à quoi ressemblera une femme dans vingt ans, regarde sa mère, lui avait-on conseillé un jour.

C'est bien ce que je fais.

S'habille-t-elle comme ça chez elle? Elle porte une petite fortune en vêtements, bijoux et parfum. Elle doit avoir des remises, mais quand même...

La robe de baptême fut dûment achetée : deux cents dollars de dentelle irlandaise faite à la main. Et ça n'en valait certainement pas un sou de moins. Mais si la *bambina* était un *bambino*? Bah! Il y en aurait d'autres.

Il échangea encore quelques mots avec Mamma et battit en retraite. Charmante et charmeuse, mais elle savait gagner sa vie. Pourquoi toutes ces protestations de pauvreté?

De retour dans sa Ferrari, Conor Clarke exhala un profond soupir. Tu voulais savoir comment serait la fille dans vingt-cinq ou trente ans? Superbe. Et maintenant que tu le sais?

Tu vas essayer de savoir pourquoi Diana t'avait donné cette fausse impression de sa mère et de sa vie de famille. Il manque quelque chose au tableau.

Conor avait noté que la boutique fermait à dix-huit heures. Il alla à Cokewood Springs et but une bière avec les ouvriers. Les travaux allaient bon train. Ils étaient même un peu en avance sur les prévisions. Le téléphone et les bars : c'était comme ça qu'un investisseur apprenait la vérité.

A dix-sept heures quarante-cinq, il était de retour devant la boutique. Il mit des lunettes de soleil et une casquette et s'enfonça le plus possible dans son siège. L'autre vendeuse partit quelques minutes avant dix-huit heures. Cinq minutes après la fermeture, la porte s'ouvrit et Mamma apparut, complètement transformée.

Sans la taille mince et les longues jambes, Conor aurait pu jurer que c'était une autre personne, peut-être une ouvrière qui sortait de l'usine. Elle portait des lunettes épaisses, des jeans, des chaussures à semelles plates, un T-shirt et une chemise d'homme par-dessus ses jeans. Sa coiffure si soignée était cachée sous un fichu et elle portait deux sacs à provisions en papier.

Conor était trop loin pour en être sûr, mais il eut l'impression que toute trace de maquillage avait disparu.

Elle ne vit pas la Ferrari et se dirigea vers une vieille Datsun garée un peu plus loin. Il la suivit jusqu'à une petite rue calme où elle s'arrêta.

La femme que Conor vit sortir de la petite auto n'avait plus rien de commun avec l'aristocrate qui lui avait vendu la robe de baptême de Géraldine : elle avait été remplacée par une ménagère sicilienne un peu voûtée, qui se pencha d'un air las pour tirer les deux sacs de la voiture.

Bon sang!

C'est un bon moyen pour rester normal dans un monde de fous, pensa Conor. Mais quand on a une fille, devient-elle comme sa mère ou comme son père? Ou bien finit-elle par avoir une personnalité tourmentée et déchirée?

Conor resta là un long moment avant de redémarrer pour le long trajet jusqu'à son appartement de Lincoln Park.

Le père, pensa-t-il, doit être quelque chose.

ÉTÉ INDIEN

Premier chant

Amante:

Esclave captive de tes lèvres aimantes,
Prisonnière de ton étreinte si douce,
Attirée vers toi dans une folle course,
Inéluctablement liée par ton baiser brûlant,
Sombre est ma peau et fine ma taille, je sais,
Mes seins, disent mes frères, ne sont pas attirants.
Pourtant, à ton approche, je me dévêts vivement,
De ma modestie prude toute trace effacée.
Je suis tienne, mon amour, pour tout ce que tu veux.
Joue avec moi, je t'en prie, selon ton bon plaisir,
Caresse-moi, prends-moi, assouvis tes désirs.
Je ne vis que pour toi et veux te rendre heureux.

Amant:

Mais c'est moi qui suis ton esclave ravi,
Entièrement conquis par ta taille et ton visage.
Enchaîné à jamais, à ta grâce je rends hommage,
Oh maîtresse d'amour, de toi je suis épris.
Ta poitrine ferme et pleine est un don exquis,
Tes jambes fines mènent à une caverne parfumée.
Pour pouvoir m'approcher de cette nef sacrée,
De tes moindres désirs je suis le serviteur soumis.

Duo:

Pose ta tête contre ma poitrine, tout près,
Calme-moi avec tes yeux d'azur,
Guéris-moi avec tes cuisses si pures,
Dans mes bras, repose à tout jamais.
Tu es douce comme une friandise,
Ta chaleur comme celle du pain sortant du four,
Tu es un verger en fleurs qui m'enchante toujours,
Un trésor parfumé d'une douceur exquise.
Comme un vin de grand prix, bois-moi!
Consomme-moi, je n'appartiens qu'à toi!
Sous ce ciel criblé d'étoiles,
Sur ma poitrine repose calmement.

Et une fois encore, après quelques instants,
Submerge-moi dans tes soupirs de joie.
Mon merveilleux amour, dors doucement.
Ton don ce soir je conserverai éternellement.

Chant d'amour, 1:1–2:7

21

Brigid finit première de sa catégorie dans la course des Trois Etats. Au pauvre journaliste chargé d'écrire cet article que presque personne ne lirait, Conor Clarke déclara : "Sainte Brigitte m'a accordé un sursis. Mais si je fais moins bien l'été prochain, elle me fera changer le nom de mon bateau. Vous savez comme les saintes irlandaises peuvent être dures."

D'un geste irrité, Diana classa l'article dans son dossier. Comme d'habitude, la photo représentait Conor accompagné d'une demoiselle à peine vêtue (moins séduisante que Lyn Clifford, songea-t-elle avec dédain).

Ce bateau, songea-t-elle soudain, quand l'a-t-il acheté?

Elle téléphona à un magasin d'accessoires marins, où on lui donna le numéro de l'entreprise qui fabriquait ce type de voilier de course. Avec toute la voilure, un radar et des équipements de navigation informatisés, lui dit-on, *Brigid* aurait coûté environ le montant que Broddy Considine prétendait avoir remis à Conor Clarke lors d'un déjeuner, au mois d'avril.

Elle se carra dans son fauteuil d'un air satisfait. Cela semblait confirmer que son instinct ne l'avait pas trompée. Le jury allait adorer ça: un playboy vole de l'argent destiné à aider des chômeurs et s'en sert pour se payer un bateau de course auquel il a le front de donner le nom d'une sainte catholique.

La semaine suivante, il l'appela à son bureau.

— Diana Marie Lyons, de quoi suis-je coupable? demanda-t-il gaiement.

Mon Dieu, il est au courant de l'enquête!

— Je crains de ne pas comprendre, balbutia-t-elle.

— Tu m'avais promis de m'appeler pour me donner une chance de prendre ma revanche au golf. Nous sommes presque en automne et je n'ai jamais eu de nouvelles.

— Je craignais de te battre encore une fois. Sainte Brigitte t'en voudrait vraiment.

— Ah non! Elle est la patronne de la poésie et du printemps et de la télévision irlandaise, mais pas du golf.

La main qui tenait le combiné était moite; elle avait du mal à respirer. Mes vacances sont terminées et je n'ai plus le temps de jouer au golf. Il faut que je travaille pour vivre, moi.

— Ce qui est parfaitement injuste. Autrefois, les riches des deux sexes n'avaient pas besoin de travailler. Puis, au dix-neuvième siècle, les hommes se sont mis à travailler pour prouver qu'ils étaient utiles à la société, même quand ils n'avaient pas besoin de le faire. Et maintenant, c'est le tour des femmes... c'est dur pour les arts.

— Malheureusement, ma famille n'a jamais fait partie de cette catégorie sociale.

— La mienne non plus, ce qui veut dire que nous avons les mêmes droits, n'est-ce pas? En fait, je ne pensais pas vraiment à une partie de golf, mais à un concert. Mon bon ami Sir Georg donne le *Messie* de Haendel, en version intégrale, jeudi prochain; pas parce que c'est Noël, ce que tu sais probablement, mais pour marquer le trois centième anniversaire de la naissance du compositeur. Je voudrais t'inviter à venir avec moi souhaiter un bon anniversaire à Georg Friedrich Haendel. C'est à Orchestra Hall. Dîner auparavant, au restaurant du huitième étage, que tu connais certainement.

Elle ne connaissait pas et ne tenait pas à connaître.

— Les demoiselles habituelles ne sont pas libres?

— Elles sont toujours libres. Je n'en ai appelé aucune, c'est tout. Elle eut l'impression qu'elle l'avait vexé. Je peux venir te chercher à dix-huit heures?

— Non, tu ne peux pas. Ça n'avait pas été difficile. Surprise et soulagée, elle se dit que son obsession était terminée. Je dois travailler.

— Que puis-je faire pour que tu changes d'avis?

— Rien.

— Alors peut-être quand ils reviendront de leur tournée triomphale en Europe, au mois de janvier?

— Tu ne pars pas avec eux? demanda-t-elle d'un ton sarcastique.

— J'y ai pensé. Je le ferai si tu viens avec moi.

C'était une plaisanterie, mais à cette idée, son cœur se mit à jouer à saute-mouton dans sa poitrine. Mon Dieu, que m'arrive-t-il?

— Non, merci.

— Dommage. Même quand ils reviendront?

— J'ai énormément de travail en ce moment.

— Je vois. Avait-il paru soulagé? Tant pis. Mais je ne promets pas de ne pas essayer un autre jour. Si tu devais changer d'avis, femme cruelle, je suis au 642-2222. C'est pour que mes amis pas trop intelligents ne puissent pas oublier. Ou alors, si tu es aussi conservatrice que moi, c'est Michigan 2-2222. Ça fait cinq deux de suite. Compris?

— Ça coûte cher pour obtenir un numéro comme celui-là?

— Ça ne coûte rien du tout quand on a du piston. Ou des billets pour différents spectacles, par exemple. Tu as noté le numéro?

— Je n'en aurai sûrement pas besoin. Maintenant, excuse-moi, mais il faut que je retourne à mon travail.

— Désolé de t'avoir fait perdre du temps, murmura-t-il comme un petit garçon déçu.

Un petit garçon gâté. Il n'avait pas encore appris qu'il y avait certaines choses qu'il ne pouvait pas avoir. Et elle en faisait partie.

Ce n'était pas trop difficile, se dit-elle, épuisée malgré tout.

Bien sûr, en acceptant son invitation, elle aurait pu apprendre quand il avait acheté son bateau. Mais il lui suffirait de se renseigner auprès du registre des immatriculations. Bien sûr, elle n'était jamais encore allée à un concert...

Elle savait qu'elle jouait avec le feu. Si elle restait sur ses positions, ce serait terminé et elle n'aurait plus de problème. Par contre, si elle changeait d'avis, elle courait des risques graves; sa famille, sa carrière, sa vie peut-être.

— Rien de bon ne pourrait sortir de cette soirée, dit-elle à voix haute. Elle prit un rapport sur ses déclarations d'impôts, d'où il semblait ressortir qu'il payait trop d'impôts par rapport à l'estimation de sa fortune.

— Je n'irai pas, insista-t-elle.

Ce fut comme si le téléphone lui avait sauté dans les mains et elle composa les premiers chiffres sans pouvoir s'en empêcher. Elle raccrocha. Puis, sachant que ce qu'elle faisait était stupide, immoral et dangereux, elle souleva le combiné d'un geste délibéré et composa le numéro.

— Conor Clarke. Précis, dynamique, efficace.

— Je suppose que j'interromps un poème?

— Seulement des pensées qui pourraient mener à un poème.

— Quelles pensées?

— Je ne te le dirai pas.

— Tu as bien dit dix-huit heures?

— Oui.

— D'accord.

Maintenant qu'elle s'était engagée sur la voie du péché, et connaissant les dangers que cela représentait, Diana Marie Lyons ne se sentit même pas coupable. En fait, elle se sentit tellement bien qu'elle sortit pendant son heure de déjeuner (ce qui était très mal vu, à moins qu'on se rende à un repas d'affaires), pour s'acheter une robe de coton pastel avec une large ceinture pour souligner la minceur de sa taille.

Au rayon des soldes, bien entendu.

Et pendant qu'elle y était, elle alla regarder les soldes de maillots de bain et fit une acquisition si osée qu'elle en eut de nouveau les mains toutes moites.

Qui a dit que si on a l'intention de commettre le péché, autant le faire bravement?

— C'était un prêtre catholique très célèbre qui l'a dit, observa Conor joyeusement tandis que, malgré ses protestations, il l'accompagnait jusqu'à la gare. Le père Martin Luther. Mais tu ne pensais pas que nous allions pécher bravement ce soir, n'est-ce pas? Nous devons garder ça pour le week-end prochain, sur mon bateau.

— Il ne me semble pas avoir accepté d'aller faire de la voile avec toi.

Il lui serra la main, cette main qu'il n'avait pas lâchée depuis le début de la deuxième partie du *Messie*, juste après l'entracte.

— Tu n'aurais jamais dû boire le deuxième verre de vin. Tu ne tiens pas le coup; tu l'as dit toi-même. Bien sûr que tu as accepté. Appelle-moi; tu te souviens, le numéro est...

— Michigan et cinq deux... Depuis combien de temps as-tu *Brigid?*

Sa question-piège lui avait échappé. C'était sa pénitence, pensa-t-elle, pour une soirée trop agréable. Conor avait été charmant et discret, en commençant par un costume trois-pièces gris. "Pour avoir l'air d'un jeune avocat qui travaille dur et qui sort sa ravissante collègue tout aussi travailleuse", lui avait-il dit en l'embrassant modestement sur une joue.

— *Brigid*? Oh c'était tard, fin avril, début mai. J'ai eu un peu de mal avec le financement.

— Tu avais des problèmes d'argent?

— Comme tout le monde. La plus grande partie de mon argent est bloquée dans des projets et le mois d'avril est le mois des impôts. Mais j'ai finalement réussi en raclant les fonds de tiroirs.

Au cours d'un déjeuner avec Considine, pensa-t-elle, surprise de se sentir attristée. Elle n'avait eu aucune difficulté.

Il l'embrassa prudemment tandis qu'elle montait dans le train, un peu comme leur premier baiser sur le terrain de golf.

— Pas d'aurore boréale pour nous rendre fous ce soir. Tant pis pour moi.

— Bonne nuit Conor, dit-elle doucement. J'ai passé une merveilleuse soirée.

C'est un homme étrange. Dans le train, sur le chemin qui la ramenait dans sa banlieue, elle préparait mentalement ce qu'elle allait écrire dans son journal ce soir-là. *Il joue de son charme avec un art consommé. Je suppose que ça vient avec la fortune. Quand on a de l'argent, on n'a pas besoin de bousculer les autres; on peut se prétendre calme et posé, et même, à l'occasion, vulnérable. Et pourtant, je me sens totalement sans défense quand il joue de son charme avec moi. Ce qui prouve combien peu d'expérience j'ai des hommes, surtout de ceux qui pensent qu'ils peuvent avoir tout ce qu'ils veulent.*

Je dois dire que j'ai passé une excellente soirée. Quand je suis avec lui, je ne peux pas m'empêcher de l'aimer, même si je sais qu'il est superficiel et gâté. Je n'aurais pas dû aller au concert avec lui; je suis plus entichée de lui que ce matin. Bien sûr, j'ai appris qu'il avait acheté son bateau peu après le déjeuner avec Considine, et qu'il avait "raclé les fonds de tiroir pour le payer". Ce sont des renseignements utiles, mais je ne vois pas comment je pourrais les utiliser au tribunal. Ce que j'ai appris ne valait pas la peine de courir le danger que j'ai couru en sortant avec lui. Je n'irai pas faire de la voile avec lui samedi prochain. C'est la dernière fois que je le vois.

Elle avait dit à Conor qu'il n'y avait aucun danger à prendre le train si tard, mais quand trois adolescents se mirent à la chahuter, elle se dit qu'elle aurait peut-être dû accepter le risque d'arriver devant le bungalow familial dans la Ferrari de Conor. Elle leur montra sa carte du gouvernement et ils reculèrent comme si elle venait de leur jeter un sort.

— Une heure dangereuse pour prendre le train, marmonna son père à la gare. Tu aurais peut-être dû écouter des disques à la maison en lisant un bon livre, ce qui aurait été plus sûr et plus productif.

— Tu as peut-être raison, répondit-elle, soulagée de s'être tirée de cette soirée relativement indemne.

Dans son cauchemar, Conor portait un costume à queue de pie comme Sir Georg Solti et la poursuivait avec une baguette de chef d'orchestre qui se transformait en couteau à cran d'arrêt.

Après s'être brossé les dents le lendemain, elle interpréta son rêve dans son journal:

Je pense que Conor Clarke représente la mort. Papa m'a raconté que son père avait fait éliminer des hommes qui lui avaient manqué de parole. Conor ferait-il la même chose? Il a un côté violent et dangereux, mais il le cache bien. La preuve, c'est qu'il m'a presque violée ce fameux soir. Il me fait peur. Pourrait-il décider de m'assassiner un jour? Bientôt peut-être?

22

— Combien coûte celle-ci? Conor montrait la bague qui était probablement la plus chère de tout le magasin, l'une des bijouteries les plus exclusives de Michigan Avenue.

— Le rubis? demanda la séduisante dame blonde avec un sourire. Voyons...

— C'est trente mille dollars, Monsieur, intervint son acolyte, un jeune homme tout aussi blond et tout aussi séduisant. Un excellent prix d'ailleurs. C'est le genre de pièce que nous ne vendons que rarement. Il y a peu de demande pour ce genre de chose, comme vous pouvez l'imaginer.

— Je suppose – Conor soupira profondément – que cela dépend de la dame.

— Naturellement, répondirent-ils en chœur sans savoir ce qu'il voulait dire.

— Je ne pense pas que la dame vaille autant que cela, grommela-t-il. Peut-être un peu moins. Pourrais-je en voir d'autres?

La belle Diana valait beaucoup plus. Mais, même s'il était aveuglé par l'amour en cette journée d'automne froide et pluvieuse, Conor n'allait certainement pas se laisser avoir par ces deux vendeurs. Il lui était déjà arrivé d'acheter des pierres précieuses; trois fois exactement. Il les avait toutes rendues. Mais ces expériences l'avaient préparé au protocole qui régissait l'achat d'une bague de fiançailles.

— Voici un très bel article. La femme lui montrait un saphir étincelant.

— Il ne coûte que dix mille dollars, fit l'homme avec une indifférence calculée.

— Vraiment... Conor fit une grimace à la bague pour indiquer qu'elle ne méritait guère qu'il s'y arrête.

— A quel type de bague pensiez-vous, Monsieur? demanda la femme d'un ton conciliant.

— Ma foi, je suis passé devant votre vitrine et je me suis dit qu'il était temps que je pense à acheter une bague et, comme il pleuvait, je suis venu me mettre au sec.

— Naturellement, vous feriez un dépôt? murmura l'homme d'un ton suave.

— Je ne pense pas. Il soupira de nouveau. Je veux dire que si je trouve ce que je cherche, j'achèterai tout de suite. Vous prenez bien les cartes de crédit?

— Naturellement Monsieur, chuchota la femme, comme si elle avait voulu cacher que leurs clients utilisaient ce genre de chose.

— Cela dépendrait du prix de l'article. L'homme se frotta les mains onctueusement.

— Bien sûr.

Conor laissa le silence s'installer dans cet air onéreux. Allez vous deux, dépêchez-vous. Proposez-moi un marché.

— Il y aurait une remise si vous pouviez payer au comptant. La femme eut un sourire suave.

— Ah bon? Il réussit à paraître surpris. Combien pour celui-ci? Il montrait l'énorme rubis.

— Eh bien, je pense... commença la femme.

— Nous pourrions peut-être vous le laisser pour... oh, vingt-cinq mille. Bien sûr, la direction exigerait un chèque certifié.

— Vingt-deux mille cinq en liquide. Conor porta la main à son portefeuille. Faites-moi un paquet.

— Certainement, Monsieur, répondirent-ils avec empressement.

Conor compta vingt-trois billets de mille dollars, tandis que les deux bijoutiers s'efforçaient de ne pas le dévisager, ni de vérifier trop ostensiblement si les billets n'étaient pas contrefaits. Posément, il remit les deux billets de mille dollars qui lui restaient dans son portefeuille.

Il ne fut pas question de taxe de vente.

En fait, se dit-il en mettant l'écrin dans la poche de son blouson, cela prouve que je suis différent de mon père et de ma mère: elle aurait payé sans discuter, et lui les aurait forcés à baisser jusqu'à vingt mille.

Une fois hors de la bijouterie, il réalisa qu'il avait inconsciemment envisagé quelques intéressantes possibilités impliquant la belle vendeuse blonde. Après tout, si Dieu ne voulait pas que l'homme ait ce genre d'idées sur les femmes, il ne les aurait pas faites aussi jolies, non?

Celle-ci aurait probablement été une excellente compagne de lit. Je parie qu'on lui fait souvent des offres...

Serai-je comme ça toute ma vie?

Je l'espère bien.

Il n'avait pas tout à fait menti en disant qu'il était entré dans cette bijouterie par hasard. Par contre, il avait bel et bien encaissé un chèque à sa banque la veille, parce qu'il savait que le moment était venu de faire l'emplette d'une bague. Si la fille disait oui, il fallait bien être prêt à conclure l'affaire, n'est-ce pas?

Si j'avais eu une bague pour Naomi...

Nous serions peut-être mariés et sûrement pas heureux.

Le soir, quand il eut rangé le précieux écrin dans le tiroir de son secrétaire, Conor réfléchit aux deux questions qui le tourmentaient : d'abord, quand essaierait-il de lui donner la bague; et ensuite, porterait-elle un bijou aussi ostentatoire que coûteux?

23

J'ai relu ce que j'avais écrit l'autre matin et je me sens idiote. Conor ne menace pas ma vie. Ma raison peut-être, mais c'est plus par ma faute que par la sienne.

Il ne fait rien de plus que de me courtiser et ses intentions ne sont pas plus inavouables que celles de n'importe quel homme.

Le seul problème, c'est que je ne veux pas me marier avec lui, ni avec personne d'autre. En plus, si je cherchais à me marier, Conor Clement Clarke serait un parti dangereux: sa mère était alcoolique, son père était grossier, brutal et voleur, toutes choses que le fils admet d'ailleurs sans difficulté. Le fait qu'il ait eu les moyens de se payer un psychologue pour apprendre à en parler sans honte, ne change rien à la question.

Il ne faut pas que j'oublie que cet homme est le fils de celui qui a détruit mon père. Cela dit, il est difficile de haïr Conor pour ce que son père a fait au mien. En fait, il a été encore plus dur avec son fils qu'avec Papa.

Mais, comme dit toujours Papa, tel père, tel fils.

Et puis il y a ces silences étranges. Je l'ai surtout remarqué au concert l'autre soir. C'est cela qui m'avait fait penser « meurtre ». Mais ce n'est pas moi qu'il a envie de tuer. C'est probablement son père, et peut-être sa mère aussi. Une telle rage serait compréhensible.

Il se peut aussi que cela explique pourquoi il prend de tels risques en affaires, pourquoi il prend le risque d'aller en prison pour une somme qui doit être négligeable à son niveau de fortune. Comme la famille Kennedy, il joue avec la mort.

Pauvre garçon.

Mais ce n'est pas mon problème.

24

Diana pensait à Conor quand elle tomba sur Larry Whelan. Presque littéralement.

Les bras chargés de livres de droit, elle sortait d'un ascenseur de l'immeuble Dirksen, quand elle percuta violemment l'associé principal de Whelan, Bishop & James.

— Je suis désolée, marmonna-t-elle en ramassant ses livres, qui étaient éparpillés autour d'eux. Je suis vraiment maladroite.

Chose encore plus humiliante, Whelan était en conversation avec le juge Eileen Kane, le modèle et l'idole de Diana.

Larry Whelan était grand comme un joueur de basketball, avec des cheveux bruns bouclés et le sourire facile d'un politicien. En réalité, il ne faisait pas de politique, mais pouvait par contre se vanter d'être l'un des meilleurs avocats de la ville. Malgré sa réputation d'intégrité, Diana se méfiait de lui : son sourire était trop charmeur à son goût, car elle risquait trop de succomber à ce genre de charme.

— Mademoiselle Lyons, n'est-ce pas? Il l'aida à se relever et à empiler ses livres. Diana, si j'ai bonne mémoire. Vous connaissez le juge Kane?

— Oh oui. Diana aurait voulu que le sol de l'immeuble Dirksen s'ouvre sous ses pieds et l'engloutisse.

— Bonjour, Mademoiselle Lyons. L'expression du magistrat était neutre, mais ne manquait pas de sympathie. Ses yeux verts semblaient évaluer Diana. Si cela peut vous consoler, quand j'avais votre âge et que je travaillais pour le Procureur des Etats-Unis, je suis entrée en collision avec le sénateur qui a donné son nom à cet auguste édifice; une personne autrement plus considérable que M. Whelan. L'autre différence, c'est que je l'ai carrément renversé.

— C'est parce qu'il ne faisait pas de jogging comme moi, fit Whelan en riant; il n'était pas en aussi bonne forme... Mais je suis heureux de cette... rencontre, Diana, parce que je voulais vous parler de votre vice secret.

— Mon quoi?

Elle rougit de nouveau, décontenancée et embarrassée. Elle eut envie de partir en courant. Mais on ne s'enfuit pas devant un ancien président du Barreau de Chicago.

— J'apprends de source bien informée, Votre Honneur – il s'inclina en direction du juge Kane – que notre jeune demoiselle Lyons – son fichu sourire d'Irlandais étincela – est une golfeuse redoutable; handicap de trois.

— Quatre, intervint Diana machinalement. Elle le regretta immédiatement.

— Beaucoup mieux que le mien. Le juge surprit Diana par un franc sourire.

— Je pensais que votre handicap était de six au Long Beach Country Club. Une fois encore, elle se mordit la langue.

— Je suis heureuse de voir que les jeunes Procureurs du gouvernement sont encore observateurs; mais cela, ma chère, c'était avant la naissance de mon petit dernier. J'ai bien peur que le jeune Redmond n'ait marqué la fin de mes prouesses au golf. Elle eut un sourire satisfait, comme pour dire que son petit garçon de deux ans valait largement une baisse de handicap au golf.

— Ce n'est que temporaire, dit Larry Whelan. Je pensais, Votre Honneur, qu'il était temps d'étendre l'égalité des sexes au tournoi de golf annuel du barreau. Si une femme en assurait la présidence, en particulier une femme qui risquerait de gagner le tournoi, cela attirerait un grand nombre d'autres femmes, ce qui améliorerait notablement... euh, l'ambiance. Qu'en pensez-vous?

— Ce qu'il veut dire, ma chère – elle fit un clin d'œil à Diana! – c'est qu'avec une femme à la présidence, les hommes seraient obligés de jurer moins souvent et de consommer moins d'alcool.

— Je ne pourrais pas... albutia Diana.

Que dirait Papa s'il apprenait qu'elle avait seulement l'idée de participer à un tournoi de golf?

— Vous auriez probablement à jouer contre Maître Whelan ici présent et contre le Procureur de l'Etat. Et ça leur ferait le plus grand bien d'être battus par une femme.

— Nous le sommes partout ailleurs, pourquoi pas sur le terrain de golf. Qu'en dites-vous, Diana?

Bon sang! Conor Clarke avait dû parler!

— Je suis trop jeune...

— Des hommes de votre âge ont eu la présidence.

— Monsieur Roscoe...

L'espace d'un instant, terrifiée, elle craignit de dire oui. Il était encore plus charmeur que Conor. Et elle qui avait espéré qu'un jour, peut-être, elle pourrait travailler pour Whelan, Bishop & James. Elle chercha une excuse, n'importe quoi pour s'échapper.

— Je suis extrêmement occupée en ce moment; l'an prochain peut-être.

126

— Je prends note, jeune fille. Il lui serra vigoureusement la main. L'année prochaine.

— Le juge Kane parut sur le point de dire quelque chose, mais, sentant la gêne de Diana, elle changea d'avis.

Je ne pourrais jamais me sentir à l'aise dans leur monde, se dit-elle quand elle se fut réfugiée dans un ascenseur pour remonter dans son bureau. Je serais aussi empruntée que je viens de l'être avec eux.

Tout ça, c'est de la faute de Conor. Il sait pourtant ce que je pense de ce milieu. Si c'était une blague de sa part, elle n'était pas drôle.

Conor Clarke, tu es un salaud.

Elle composa son numéro.

— Conor Clarke, tu es un salaud!

— Qui, moi? Il paraissait inquiet. Qu'est-ce que j'ai fait?

— Tu t'es immiscé dans ma vie privée! Elle était dangereusement proche des larmes.

Il essaya de plaisanter:

— Tu ne sais rien de mes rêves les plus secrets.

— Ce n'est pas drôle. Tu n'avais aucun droit de parler à tout le barreau de Chicago de la façon dont je joue au golf.

— Oh! Sa voix devint timide. Je n'ai pas dit à tout le barreau...

— Tu l'as dit à Larry Whelan parce qu'il voulait une femme pour présider son tournoi. Et je suppose que tu trouves cela amusant!

— Je trouverais cela charmant.

— Tu sais parfaitement que je ne pourrais jamais me mêler à cette bande de phallocrates et d'ivrognes. Tu lui as dit juste pour m'embarrasser. Ce n'est pas drôle. C'est... cruel!

— Mais il n'y a aucune raison pour que tu sois embarrassée. Larry a dit lui-même que tu serais parfaite.

— Alors tu es plus bête que je ne pensais. Maître Whelan ne savait même pas qui j'étais avant que tu lui parles de moi.

— Merveilleuse Diana, tous les avocats mâles de Chicago qui t'ont vue une seule fois au tribunal savent exactement qui tu es.

Le compliment, qu'elle qualifia plus tard de sexiste, fut de trop. Elle fondit en larmes et raccrocha.

Elle resta furieuse tout le reste de la journée, se disant que la colère l'aiderait à se débarrasser de Conor Clarke à tout jamais.

Mais, au moment où elle s'endormait ce soir-là, une petite voix facétieuse lui chuchota qu'elle n'aurait aucun mal à battre Larry Whelan et Rich Daley sur un parcours de golf. Même en leur donnant des points d'avance.

25

La semaine suivante, Diana et Shelly Gollin rencontrèrent plusieurs fois les deux enquêteurs des services du Revenu, qui avaient été chargés d'examiner les déclarations fiscales de Clarke, Considine et McClendon, ainsi que celles des entrepreneurs soupçonnés d'avoir été impliqués dans l'affaire des dessous-de-table.

Les deux hommes étaient peu communicatifs, de bons employés dédiés à leur travail, comme le père de Diana l'avait été. Dans leur monde, il fallait souvent trois ans pour préparer méticuleusement un seul dossier, ce qui était la durée moyenne d'un mandat de Procureur des Etats-Unis. Tout en étant polis à l'égard des deux jeunes Procureurs, ils ne leur disaient que ce qu'il fallait, et même parfois moins.

C'était la dernière rencontre avec les enquêteurs avant le rapport que Diana et Shelly devaient faire à Leo Martin, puis à Roscoe. Shelly changeait rapidement : il perdait graduellement son comportement de petit prodige de New York au profit d'une attitude d'humble jeune homme désireux d'apprendre.

— Si je vous comprends bien, M. Leahy, les déclarations de M. McClendon seraient inattaquables sans une enquête très longue et très détaillée?

— C'est exact, M. Gollin. Leahy, l'Irlandais, était le moins fermé des deux. S'il avait quelque chose à cacher, il l'a très bien caché. De plus, s'il a des sources de revenu occultes, ça ne se voit pas beaucoup dans son train de vie.

— Il était terriblement prudent avec moi quand je l'ai interrogé, dit Shelly en se frottant le nez (peut-être refait, ce nez, pensa Diana peu charitablement). Il m'a donné l'impression de ne pas trop s'inquiéter des accusations de M. Considine.

— Ce qui était prévisible. Diana arrangea sa pile de papiers. J'imagine que vous avez eu plus de succès avec M. Corso, l'entrepreneur en électricité?

— Ses déclarations laissaient un peu à désirer, répondit Krause, l'autre enquêteur, un homme courtaud et sérieux. En fait, elles donnaient l'impression qu'il avait de sérieux problèmes financiers. On pourrait d'ailleurs dire la même chose sur les trois autres : Kline, Rodriguez et Crawford. Naturellement, nous

128

continuerons à enquêter sur eux aussi longtemps que M. Roscoe le souhaitera.

— Je suppose – elle tapota ses dossiers avec son stylo – que vous aurez bientôt assez d'éléments pour inculper Corso?

C'était le genre de question que les as du Revenu n'aimaient pas s'entendre poser tant qu'ils n'étaient pas absolument sûrs de leur fait.

— Si c'est ce que décide M. Roscoe, répondit Krause en examinant attentivement ses doigts boudinés.

— Naturellement, fit-elle d'un ton sec. Pour ce qui est de M. Clarke...

Les deux hommes échangèrent un regard. Il était évident que, sans leur relation avec Clarke, Corso et Crawford auraient normalement été abandonnés à la routine des ordinateurs.

Ce fut Leahy qui répondit :

— Absolument rien à dire sur ses déclarations, Mademoiselle Lyons. Il est clair que ses comptables et ses avocats ont pour instructions de rester dans la légalité la plus totale. Et, compte tenu de sa célébrité, c'est probablement une excellente politique. Si M. Clarke vole le gouvernement, il le fait d'une façon si prudente que nous ne trouverions rien, même avec des années de travail. Et franchement, j'ai l'impression qu'il n'y a rien à trouver.

— Je vois. Est-ce que toute cette prudence dans ses déclarations d'impôt vous surprend?

Leahy se gratta la tête.

— Pour être franc, oui. Quand on lit les journaux, on a l'impression qu'il n'est qu'un jeune idiot qui a trop d'argent et qui ne sait pas quoi faire avec. Mais quand on regarde ses déclarations, on se dit qu'il est au moins assez astucieux pour savoir que les enquêteurs du Revenu lisent les journaux eux aussi et que ça risque de leur donner des idées.

— Je vois. Dites-moi, Monsieur Leahy, vous êtes-vous intéressé à l'achat de ce yacht dont on parle tant? J'ai cru comprendre qu'il en avait fait l'acquisition à un moment où il avait quelques problèmes de trésorerie...

Il y eut une lueur de respect dans les yeux de Leahy. Cette fille n'était pas comme les autres jeunes juristes féminines pleines d'ambition qu'il avait vues au cours de sa carrière; elle était rusée. Il prit une note sur un bloc.

— Ce n'est pas une mauvaise idée du tout...

— Tu as impressionné ces deux vautours, lui dit Shelly quand les enquêteurs furent repartis. C'était bon, le coup du bateau. Comment en as-tu eu l'idée?

— Le talent, mon vieux.

— En tout cas, mis à part ton talent, que je n'oserais jamais mettre en doute, je pense que nous allons nous casser le nez.

— Tu crois? Tout au fond d'elle-même, elle espérait qu'il avait raison.

— Ecoute. Shelly prit ce qu'il appelait son ton de marchand de tapis. D'accord, Broddy et McClendon ont quelques petits arrangements pas très propres avec les gros entrepreneurs de Cokewood Springs. Mais rien d'extraordinaire, rien de sensationnel, juste un petit bakchich sous la table...

— Un demi-million de dollars? demanda-t-elle.

— D'accord. Je partage tes sentiments. Mais ce n'est pas grand-chose, peut-être l'équivalent d'un petit bout d'aile d'avion à réaction. Comme dit mon oncle, qui est dans la construction, c'est un métier où il faut faire ce genre de chose de temps en temps pour rester dans la course. Alors qu'est-ce que tu veux faire? Mettre tous les entrepreneurs en prison?

— S'il le faut.

— Diana, voyons! Tu sais bien que c'est absurde.

— Je ferai tout ce qui sera nécessaire pour que cet homme soit condamné.

— Tu ferais vraiment n'importe quoi? demanda-t-il, incrédule.

— Absolument n'importe quoi. Avec des criminels de luxe comme ceux-là, nous ne pouvons pas nous permettre de respecter les règles.

— La justice fonctionnelle de Leo?

— Et pourquoi pas? Tu as envie de passer deux ou trois ans à lire de la littérature pornographique à l'aéroport?

Shelly se leva et se mit à faire les cent pas nerveusement.

— J'avais un oncle, à Brooklyn, l'oncle Ladislas...

Il avait apparemment une réserve d'oncles intarissable pour illustrer ses opinions.

— Et que disait-il, cet oncle Ladislas?

— Il a fait le même métier que nous, au début de sa carrière. Beaucoup de succès, beaucoup de condamnations, le *Times* a même fait un article sur lui. Et puis un jour, au bout de cinq ou six ans, sans rien dire à personne, il est devenu fiscaliste. Il a fait des tonnes d'argent et il a vécu une vie bien tranquille.

— Et alors?

— Alors quand il a su ce que je faisais, il m'a appelé et il m'a dit : "Sheldon, mon garçon, c'est très bien de faire son travail comme il faut et de se débattre comme un beau diable pour mettre tous ces sales escrocs au trou. Mais j'ai été un jeune avocat comme toi. Et tu sais ce que je n'avais pas encore compris? Qu'un jour j'allais perdre le sommeil à me demander si je n'avais pas envoyé un ou deux innocents en prison. Bien sûr, on se dit que ce sont des salopards et qu'on peut se permettre de jouer un peu avec leurs droits. Alors on donne un petit coup de pouce aux preuves. Et puis un jour, on visite une prison. Et là, on se met à se tourmenter. Et ça ne finit plus. Sheldon, mon garçon, c'est ça qui va t'arriver un jour."

— En ce qui me concerne, je ne ferai jamais d'insomnies sur le sort de Conor Clarke.

Ce qui était totalement faux.

— Bon, bon. Donc nous tenons Broddy. Tu as vu ce rapport? Il brandit une épaisse liasse de documents. Broddy blanchit de l'argent pour des trafiquants de drogue. Un homme de sa stature et de son âge! Ensuite, nous pouvons épingler Corso sur ses impôts. Nous ne pourrons pas toucher à McClendon, ça, je te le garantis. C'est un rusé petit renard qui va rester tranquillement assis sur son derrière pendant que nous nous épuisons en vain. Quant à Clarke, nous n'avons rien contre lui, hormis le fait qu'il t'a couru après...

— Shelly, je ne suis ni ta sœur, ni ta fille...

— Bien sûr. Il se mit à rire. En tout cas, il est très improbable qu'un gars qui a autant d'argent que lui prendrait un tel risque. Même pour s'acheter un bateau de course.

— Je suis sûre que c'est un criminel, même s'il est riche, ce qui veut dire qu'il doit être renversé de son piédestal.

— Voyons, Diana, quel jury croira que cet homme, qui a tant d'argent, qui en dépense tant pour des projets utiles à la société, qui fait de si belles déclarations de revenu et qui paye tant d'impôts, quel jury croira qu'un tel homme s'est commis avec une poignée de petits escrocs?

— Tu ne sais pas comment sont les gens très riches, dit-elle sans conviction. Ils veulent l'argent non pas parce qu'ils en ont besoin, mais parce que ça leur donne un sentiment de puissance. Elle pensa à son père et à la joie qu'il aurait si Conor Clarke devait passer ne serait-ce que quelques mois en prison.

— Peut-être. Mais je sais un peu comment sont les jurés. Au début, ils n'aimeront pas Clarke parce que c'est un playboy. Mais un bon avocat va les persuader que le gouvernement est sur son dos parce qu'il est jeune et beau et généreux. Et notre grand patron aura l'air d'un idiot. Et tu sais sur qui ça retombera?

— Il n'ira pas en justice. Ses avocats proposeront un règlement à l'amiable.

— Tu crois ça? Ce type-là adore la compétition. Alors si nous essayons de lui chercher des poux, il va croire que c'est une régate et il va vouloir se battre jusqu'au bout, pour gagner bien sûr.

— Dans ce cas, il passera plus de temps en prison.

— Seulement si nous avons assez de preuves contre lui pour convaincre un jury. Ce que j'essaie de te dire, ma chère, c'est que nous n'avons pas de telles preuves.

— Donc tu as l'intention de recommander que l'enquête soit abandonnée?

— Pour l'instant oui. Si nous trouvons autre chose plus tard, nous verrons bien. Tu m'en veux?

— Bien sûr que non; je suis une professionnelle. Elle le gratifia d'un grand sourire : du moins j'essaie de l'être de temps en temps.

Leo Martin se rangea à l'avis de Shelly. Un peu plus tard, ils se retrouvèrent tous les trois dans le bureau de Donny Roscoe pour lui faire leur rapport.

Diana ne parvenait pas à s'habituer à la comédie à laquelle se livrait systématiquement son patron, et qui consistait d'abord à s'opposer aux recommandations de ses subordonnés, pour finale- ment se laisser convaincre (immanquablement). Cela lui permettait, en cas de problème, de rejeter la faute sur eux.

— Mes services, tonna-t-il, ne permettront à aucune personne de violer la loi sous prétexte qu'elle est riche et célèbre.

Mal à l'aise, Diana se trémoussa dans son fauteuil.

— Oui Monsieur, répondit Shelly dans un murmure, car il ne connaissait pas encore le scénario.

— Je suis tout à fait d'accord, Donny. Leo hocha la tête comme un vieux sage. Cependant, le cas de Hurricane Houston nous a appris qu'il était dangereux d'aller trop loin dans cette direction.

Hurricane Houston était un grand joueur de basketball noir, qui avait été accusé d'avoir falsifié une demande de prêt. Contre l'avis de Leo, Donny avait répété chaque soir devant les caméras de TV qu'il avait l'intention de faire un exemple de ce procès, pour que les jeunes Américains sachent que les étoiles du sport n'étaient pas au-dessus des lois. Il avait eu l'air plutôt ridicule quand le jury avait déclaré l'accusé non coupable.

Leo doit être pressé de rentrer chez lui, ou il ne serait pas aussi direct.

— Cette salope! cracha Roscoe, faisant allusion à Eileen Kane qui, à l'époque, représentait le joueur de basketball. Veuillez m'excuser, Mademoiselle... euh... Lyon.

— Lyons, le corrigea Diana, malicieusement.

— Oui, pardon.

— Eh bien, si le hasard la choisissait comme juge dans cette affaire – et nous n'avons pas de chance depuis quelque temps – il faudrait que nous soyons particulièrement prudents. Comme

Monsieur Gollin l'a fait remarquer, Conor Clarke serait parfaitement capable de contre-attaquer, au tribunal et dans la presse, et
nous ne sommes pas encore suffisamment prêts.

Leo était passé maître dans l'art de manipuler son patron :
d'abord, il lui faisait peur en lui parlant de la presse, puis il disait
« pas encore » pour lui laisser une porte de sortie.

— Qu'en pensez-vous, Mademoiselle Lyon? Il s'absorba dans
la contemplation du drapeau des Etats-Unis, derrière son bureau.
Je crois comprendre que c'est vous qui avez monté ce dossier.
Approuvez-vous cette recommandation?

— Oui, Monsieur; bien qu'à contrecœur.

Qu'aurait-elle pu dire d'autre tout en restant honnête?

— A contrecœur? Il se tourna vivement vers elle, surpris et un
peu contrarié qu'elle ait dérangé le scénario.

— Oui Monsieur.

— Puis-je vous demander pourquoi?

— Ce n'est rien de plus qu'un sentiment, Monsieur. Je dois
admettre que je n'ai pas réussi à rassembler suffisamment de
preuves pour aller au tribunal.

— Hum... Le patron paraissait satisfait. Alors, il fit une entorse
au scénario, ce qui était d'une rareté extrême : Pensez-vous qu'il
y ait une autre solution?

Elle sauta sur l'occasion, tout en sachant qu'il n'y tenait pas
particulièrement et que ses collègues lui en voudraient.

— Les enquêteurs du Revenu vont continuer à travailler sur le
cas de John Corso; nous pourrions peut-être leur demander
d'en faire une priorité et, s'ils découvrent quelque chose sur
Conor Clarke, cela nous permettra de reconsidérer la décision
d'aujourd'hui.

— Excellent, Mademoiselle Lyon. Superbe. Il se frotta les
mains. Je vais leur donner ces instructions et leur demander de
vous tenir au courant. Vous m'aviserez personnellement si vous
découvrez quelque chose. Tout le monde est d'accord?

Bien sûr qu'ils l'étaient.

— Félicitations, Diana, vous avez gagné, dit Leo dans le couloir.
Clarke n'est pas encore tiré d'affaire.

— Je ne vois pas ce que j'ai gagné, Leo, plaida-t-elle. Le patron
voulait une suggestion; j'en ai fait une. L'enquête est finie
techniquement, à moins que nous ne trouvions d'autres preuves,
ce qui aurait été vrai de toutes façons.

— Mon instinct me dit que nous devrions laisser Conor
Clarke tranquille. S'il est vraiment un escroc, il finira par faire
une erreur et par se faire avoir, que ce soit par nous ou par
nos successeurs. En tout cas, à partir de maintenant, vous êtes

aux premières loges. Si rien ne se passe, Roscoe oubliera toute l'histoire. Par contre, vous pouvez gagner et devenir une héroïne, ou alors perdre et les média se feront un plaisir de vous traîner dans la boue.

Diana frissonna.

— Il faut bien saisir les occasions quand elles passent, non?

26

L'occasion suivante fut la promenade en bateau, le samedi suivant. Elle expliqua à ses parents qu'elle devait travailler toute la journée et une bonne partie de la soirée. Elle se changea au bureau (blue-jean, sweatshirt et le maillot de bain si osé qu'elle venait d'acheter) et prit un taxi qui la conduisit au Yacht Club de Chicago. C'était la première fois de sa vie qu'elle allait dans un tel endroit et elle s'était promis de ne pas avoir l'air trop impressionné.

Elle ne put pas s'en empêcher pourtant. Pas tellement à cause de l'ambiance de luxe, mais surtout parce que tout était si beau; un vrai décor de cinéma.

Quand elle était étudiante, elle s'était souvent dit qu'elle ne voulait jamais être riche, parce que les gens riches n'étaient pas heureux. Maintenant, elle n'était plus tellement sûre : les hommes et les femmes qu'elle voyait ici n'avaient pas du tout l'air malheureux.

— Un vent de dix à douze nœuds, un pied de houle, c'est une journée parfaite pour le cabotage. Conor était soudain apparu auprès d'elle, lui aussi en jeans usés et en sweatshirt. C'est joli ici, hein? Ne crains rien de ces gens-là; ils se disent qu'une fille aussi jolie que toi doit sûrement appartenir à un membre. Viens prendre un café avant d'aller rencontrer *Brigid*.

Elle découvrit avec ébahissement ce qu'il appelait un café : deux œufs au jambon, du jus de fruits, des muffins (deux), un pamplemousse entier et un bon litre de thé.

— Tu ne prends pas de petit déjeuner chez toi? demanda-t-elle en avalant une gorgée de café décaféiné.

— Non. Je n'ai pas de femme pour m'en faire. Alors je me rattrape ici. Pourquoi ne manges-tu pas? J'avais pourtant eu l'impression que tu ne détestais pas ça.

— Peut-être parce que je suis nerveuse.

— De partir avec moi? Le muffin qu'il s'apprêtait à engouffrer resta suspendu en l'air. J'espère que non. Je ne pourrais jamais te faire de mal.

Elle hocha la tête, refoula les larmes qu'elles sentait venir et changea de sujet.

— On dirait que beaucoup de bateaux ne sont pas utilisés. C'est toujours comme ça?

— Même en plein été, il y en a toujours au moins un tiers qui restent au port. Le père Ryan, le recteur de la cathédrale, tu sais, le frère du juge Kane, dit que ce n'est pas vraiment un péché que d'avoir un bateau, mais que c'en est un que d'avoir un bateau et de ne pas s'en servir. Tu ne trouves pas cette autoroute horrible?

Elle suivit son regard.

— C'est vrai. Elle empêche les gens riches de bien voir la ville.

— Les entrepreneurs ont le droit de faire de l'argent, mais comme le disait lord Keynes, ils devraient construire des pyramides au lieu de défigurer le bord du lac.

— Je suppose qu'il y a beaucoup de corruption dans un projet comme celui-là?

— Je n'en sais rien. Il remplit sa tasse de thé. Je ne suis pas Procureur, moi. Mais j'ai l'impression que c'est trop risqué de faire des gros coups, de nos jours. Trop de journalistes, trop de jeunes avocats en mal de publicité. Alors il reste les petits dessous-de-table, qui sont plutôt difficiles à arrêter.

— Tu trouves qu'un pot-de-vin de quelques centaines de milliers de dollars est une affaire négligeable?

— Ne me regarde pas avec tes yeux de Procureur en ce beau matin de septembre. Il était en train d'étaler de la confiture de mûres sur un troisième muffin. Non, je n'ai pas dit ça. Je trouve que c'est immoral et illégal, mais aussi impossible à éliminer complètement. Je trouve que vous avez réussi à en supprimer la plus grosse partie, mais que vous ne pourrez pas aller beaucoup plus loin maintenant.

— Tu es contre la réglementation gouvernementale?

— Un samedi matin et elle veut parler de réglementation gouvernementale! D'accord; je réponds et nous changeons de sujet, d'accord?

— D'accord.

— Depuis une vingtaine d'années, il y a une guerre entre les investisseurs et les spéculateurs d'un côté, et les agents fédéraux de l'autre. Les premiers veulent faire de l'argent, et les deuxièmes veulent les en empêcher. Prends le marché des marchandises par exemple. Il y a dix ou douze ans, les investisseurs ont fait beaucoup d'argent là-dedans. Ensuite, le gouvernement s'en est mêlé et a plus ou moins tué le métier. D'accord, je suis bien placé pour savoir qu'il y avait des escrocs; mais une économie a besoin d'un marché des marchandises, ou de quelque chose d'approchant. Si les fédéraux sont après les grands escrocs, je suis pour eux à cent pour cent. Mais s'ils veulent tuer le commerce, je suis contre. Parce qu'on n'a encore rien trouvé de mieux que le capitalisme et le commerce. Demande un peu à Monsieur Deng.

— Donc les gens intelligents ont abandonné les marchandises pour se lancer dans le capital de risque?

— Certains. Dans les opérations de ce genre, il y a peu de fraudes : les investisseurs se disent qu'avec une bonne idée, ils n'ont pas besoin de frauder. Mais si les fédéraux veulent leur prendre tous leurs bénéfices sous forme d'impôts, c'en est fini de notre beau système américain.

— Tu penses que le gouvernement ne devrait pas intervenir dans les affaires?

— Je pense – il se leva – que si on prétend avoir un système capitaliste, on n'empêche pas les gens de faire de l'argent. Et si ça veut dire qu'on devra tolérer quelques escrocs, tant pis... Maintenant, allons faire de la voile. Tu as un maillot de bain?

— Un nouveau. Il devrait te plaire. Elle se leva aussi, en s'étonnant de ce qu'elle venait de dire.

— Je meurs d'impatience de le voir.

— Et tu tolères ce genre de corruption sur tes projets?

— Hein? Tu parles encore boutique? Non, je ne tolère pas, et quand je découvre ce genre de chose, je me débarrasse des gens impliqués. Mais je ne me fais pas d'illusions : notre système est imparfait. Prends par exemple mon projet dans le coin où tu habites. J'ai découvert que l'un des entrepreneurs était un joueur invétéré.

— Joueur?

— Un fou des paris; chevaux, football, n'importe quoi. J'ai aussi appris qu'il devait beaucoup d'argent. Je me suis donc demandé s'il n'allait pas essayer de régler ses dettes avec mon argent. Alors j'ai trouvé un très bon comptable dans le coin, Harry McClendon, et je lui ai demandé de garder l'œil sur Johnny – c'est l'entrepreneur. Je lui ai même dit de lui prêter de l'argent à un taux avantageux si c'était nécessaire. Jusqu'ici, McClendon me dit qu'il n'y a aucun problème. Donne-moi la main. Je ne voudrais pas que tu tombes dans l'eau ici. Ça nuirait à mon prestige.

— Et tu fais confiance à ce... Mc quelque chose?

— McClendon. Tu te souviens que tu ne travailles pas aujourd'hui? En tout cas, il faut apprendre à vivre avec les imperfections du système. L'employé de la scierie prend quelques planches. L'employé de banque prend dix ou quinze dollars par semaine. Combien de temps ou d'argent faudrait-il dépenser pour fouiller tous les employés de banque tous les soirs? Nous y voici. Je te présente *Brigid*.

Une fois à bord, Conor devint un professeur attentif et patient. Une fois qu'il eut expliqué à Diana ce qu'elle avait à faire, dans son rôle de « novice », il mit le moteur en marche pour sortir le bateau du port puis mit à la voile. *Brigid* bondit joyeusement à la rencontre de l'horizon et Diana ressentit soudain une impression de liberté qui lui donna envie de chanter.

— Il fait chaud. Et comme il va faire encore plus chaud... Tenant la barre d'une main, Conor se débarrassa de l'autre de son sweatshirt Chicago Yacht Club. J'attends toujours de voir ce fameux maillot...

— Si tu veux. Elle haussa les épaules d'un air indifférent.

Faisant de son mieux pour que ses gestes restent nonchalants, elle ôta son sweatshirt puis ses jeans.

— Dieu du ciel! s'exclama-t-il.

Le maillot se composait de minuscules rectangles de tissu reliés par des cordelettes quasiment invisibles.

— Je l'ai acheté avant-hier.

— En soldes, je parie?

Elle pouffa de rire.

— C'est normal, à cette époque de l'année. Tu me trouves aussi bien que Lyn Clifford?

— Ah, nous y voilà! Je vois que tu lis les feuilles de chou! De sa main libre, il se frotta pensivement le menton. Lyn est une fille très mignonne. Avec un peu de chance, beaucoup d'exercice, un bon régime et un homme qui l'aime, elle sera une femme séduisante dans vingt ans. Même dans trente. Toi, tu es une beauté classique, adorable Diana – l'espace d'un instant, il parut triste – insupportablement belle, comme la déesse dont tu portes le nom, au risque d'utiliser un cliché que tout poète devrait éviter.

— Et moi, comment serai-je dans trente ans?

— Ah... il hésita. Bien sûr, ça dépend surtout de toi, mais tu pourrais devenir une femme vraiment sensationnelle, surtout si tu apprends à sourire plus souvent. Tu seras peut-être même aussi sexy que ta mère.

— Je t'interdis de dire des choses pareilles sur ma mère, dit-elle d'un ton soudain furieux. Et puis d'abord, comment saurais-tu à quoi elle ressemble? Elle se planta devant lui, les poings serrés.

Il s'amusait beaucoup.

— Pourrais-tu t'écarter un tout petit peu s'il te plaît? Bien que tu sois bien plus jolie à regarder que les gratte-ciel de Chicago, je préfèrerais voir où nous allons. Merci. Premièrement, je maintiens fermement que ta mère est très sexy. Deuxièmement, je l'ai rencontrée à son magasin, où j'étais allé acheter une robe pour la fille de Maryjane. Je sais qu'elle n'est pas encore née, mais notre conversation au sujet de Cokewood Springs m'avait donné l'idée d'y aller. Alors je me suis arrêté en chemin. Ta mère a d'ailleurs trouvé mon accent italien irrésistiblement drôle.

— Tu n'avais pas le droit d'espionner ma famille! Elle lui agita son poing devant le visage.

— Je n'espionnais pas; j'ai seulement flirté un peu avec ta mère. Eh! arrête, tu me fais mal! Comment veux-tu que je barre si je dois me défendre contre une p iratesse irlandaise à demi nue?

— Sicilienne, espèce de salopard! Elle lui asséna une grêle de coups, non sans effet.

— Saoudienne. Soudain, son bras droit se détendit et vint s'enrouler autour de la taille de Diana. Il l'attira contre lui et sa fureur disparut comme par enchantement. Il passa une amarre autour de la barre (est-ce qu'on disait bien une amarre?) et la serra encore plus étroitement, comme pour la protéger. Elle accepta totalement cette protection. Il la regardait intensément, pas avec concupiscence, comme d'autres hommes l'avaient fait, mais avec une autre émotion à laquelle elle préférait ne pas donner de nom.

— Mamma ne parle jamais italien. Elle renifla. Elle dit qu'elle est Américaine.

— Et pourtant elle m'a parlé en italien. Elle trouve peut-être mes yeux bleus plus irrésistibles que sa fille.

— Je n'ai rien à dire contre tes yeux, répondit-elle, surprise d'elle-même. Elle essaya de se dégager, mais il ne la lâchait pas. Si seulement il pouvait cesser de me regarder comme ça!

Il lui prit le menton et la força à tourner son visage vers lui.

— Alors comme ça, tu es jalouse de Lyn, et en plus, tu es jalouse de Mamma?

— Certainement pas, s'écria-t-elle, furieuse qu'il ait si bien lu en elle.

— Du calme, sorcière. Il la serra encore plus étroitement. Je te promets de te défendre.

Des paroles parfaitement gratuites, puisque personne n'essayait de lui faire du mal. Pourtant, elle se sentit en sécurité. Elle aurait pu rester ainsi jusqu'à la fin de ses jours. La vie quotidienne, là-bas dans les gratte-ciel, n'était plus qu'un souvenir. Elle ne ressentait plus aucun besoin de parler, de répondre, de protester. Elle était parfaitement heureuse de rester passivement dans ses bras.

Il lui lâcha le menton. Ses doigts glissèrent lentement le long de sa gorge et s'arrêtèrent entre ses seins. Avec une délicatesse maladroite, il défit l'attache du soutien-gorge, le retira doucement et le lança dans la cabine.

Elle se sentit à la fois prise de court, honteuse et transportée. Soudain, elle ne faisait plus qu'un avec le vent, les vagues et les mouvements du bateau, les pulsations de tout son être s'accordant avec le rythme de l'univers.

— Ne me dis pas que je n'aurais pas dû faire ça. Toujours pas de concupiscence dans ses yeux; seulement de la tendresse. Un soutien-gorge qui se détache aussi facilement n'est pas fait pour être porté.

— Est-ce que j'ai dit quelque chose? répondit-elle d'une voix rauque.

Il la força à reculer et la tint devant lui, à bout de bras. Gênée, elle se détourna.

— Bon sang, ne regarde pas ailleurs quand je t'admire.

— De toute évidence, je veux que tu m'admires, Conor, dit-elle, les dents serrées. Sinon, je ne me serais pas habillée ainsi. C'est une nouvelle expérience pour moi. Je me sens bizarre.

— Regarde-moi, insista-t-il.

Elle obéit et sentit des larmes se former dans ses yeux en voyant son visage tourmenté.

Quel homme étrange, parvint-elle à penser; moitié vieux sage plein d'expérience, moitié petit garçon triste et maladroit.

Alors, il dit une chose surprenante :

— N'espère pas que je te laisserai t'échapper, Diana Marie Lyons; quoi qu'il arrive, je te poursuivrai toujours.

— Me voilà avertie.

— J'ai lu un article, dit-il en la reprenant dans ses bras, dans *Esquire* je crois, sur l'étiquette à respecter sur les plages où il y a des dames en monokini. Les hommes ne doivent absolument pas les regarder plus bas que le menton, même quand la dame est absolument spectaculaire.

— Vraiment? Je suppose que tu fréquentes régulièrement ce genre d'endroit. Moi, je n'y suis jamais allée.

— Je m'en doute : il n'y en a pas à Detroit.

— Pas que je sache. Mais je voulais te dire que ça ne me dérange pas que tu regardes. C'est bien le but de l'opération, non? Ce qui est étrange, c'est que ça me gêne, mais que j'adore ça.

— Au moins, vous êtes honnête, Mademoiselle Lyons.

— Parfois. Elle s'appuya plus confortablement contre lui.

— L'article disait aussi que tout cela n'était pas particulièrement érotique, sauf peut-être les jeunes mères avec leurs enfants.

— Jeunesse, expérience et fertilité.

Il l'embrassa sur le front.

— C'est toi qui devrais écrire des poèmes.

Brigid fit soudain une embardée, qui força Conor à lâcher Diana pour rattraper la barre. Puis il se mit à rire :

— Toujours aussi jalouse! Elle ferait n'importe quoi pour que je m'occupe d'elle. Tiens... il lui lança un tube de crème solaire... je serais enchanté de le faire moi-même, mais pas tout de suite. Mets-en beaucoup; il ne faudrait pas qu'Anna Maria se mette à poser des questions.

— Ma mère n'a pas l'habitude d'inspecter mes nichons tous les samedi soir, riposta-t-elle en se tournant pour s'enduire la poitrine.

Il parut trouver sa réponse extrêmement drôle. Pauvre garçon; le soleil, probablement, pensa-t-elle.

— Aurais-tu la bonté d'aller dans la cabine et de me rapporter mon bloc et un crayon?

— J'aurais la bonté.

Prudemment, elle se dirigea vers les marches, craignant à chaque instant que la jalouse *Brigid* ne la jette par-dessus bord. Une fois dans la cabine, elle regarda par un hublot et décida qu'elle pourrait très facilement être malade. Quand elle ressortit, elle regarda Conor, ses cheveux blonds au vent, et le trouva singulièrement beau. Je vais être séduite, pensa-t-elle. Je veux être séduite. Je ne veux plus être vierge.

— Soyez assez bonne pour prendre la barre, Madame. Il s'inclina profondément et lui prit le bloc et le crayon.

Elle se sentait tout à fait à l'aise maintenant dans son état de nudité avancé. C'était normal qu'une femme soit admirée, non?

— Que fais-tu? demanda-t-elle. *Brigid* était maintenant docile comme un agneau. Je me suis fait une alliée, apparemment.

— J'écris un poème, bien sûr.

— Pourquoi?

— Pour m'occuper les mains; ça m'évite des problèmes. Il leva les yeux et eut un sourire un peu sarcastique. Tu as l'air d'aimer être à moitié nue.

— A quatre-vingt-quinze pour cent plutôt... De quoi parle ton poème?

— Oh, mais elle cherche les compliments!

— Je veux voir. Elle se pencha en avant.

— Seulement quand j'aurai fini. Il mit deux doigts sur son ventre et la repoussa en arrière. *Brigid* a tendance à s'énerver quand elle ne sent pas une main ferme sur sa barre.

— Tu l'as ensorcelée elle aussi.

— Elle aussi? Il lui lança un regard intéressé.

— Elle aussi, répondit-elle passivement.

Il griffonna quelques lignes, les raya, recommença. Puis il leva les yeux et la contempla d'un regard bienheureux. La honte l'envahit soudain et elle se détourna.

— Bon sang, vas-tu me regarder quand je t'adore?

Elle se força à lui faire face, honteuse, flattée, effrayée.

— Je ne suis pas une habituée du nudisme, fiche-moi la paix.

— Tu créerais des embouteillages à Saint-Tropez.

— Où tu es allé pour te rincer l'œil.

— Un exercice qui présente certains avantages. Maintenant, je n'ai plus besoin d'y retourner, par contre. Il referma son bloc. J'espère que tu réalises à quel point tu es belle.

— Pas vraiment.

— Tu te fiches de moi.

— Ce n'est pas juste que certaines femmes soient belles et d'autres pas. Certaines femmes m'en veulent. A l'école, c'était fréquent, parce que j'étais première de classe et, probablement, parce que j'étais moins laide que d'autres; du moins pour ceux qui aimaient les grandes.

— Ce qui est mon cas... depuis peu. Ses doigts ne bougeaient pas. Donc tu trouves anormal d'être à la fois brillante et belle?

— Injuste pour les autres. Je t'en supplie, embrasse-moi tout de suite, pensa-t-elle.

— Mais ces autres femmes n'ont pas besoin de se juger et de se noter constamment, n'est-ce pas?

— Que veux-tu dire? La colère envahit immédiatement Diana.

— Tu es là, cahier de notes à la main, à t'observer froidement, sans aucune pitié : comment étais-je au restaurant? Quelle note ai-je méritée au concert? Et quand je suis entrée au Chicago Yacht Club? Combien de points ai-je obtenus dans mon rôle d'apprenti marin? Et même, quelle note aurai-je pour ma première expérience de sirène aux seins nus, seule avec un homme qui la regarde avec des yeux de loup affamé?

— Salaud. Profondément gênée maintenant, elle se couvrit de ses bras.

— Le problème, continua-t-il impitoyablement, c'est que tu n'as aucun besoin de faire tout ça. Tu es la grâce personnifiée. Mais cela ne t'empêche pas d'avoir ta part de souffrance.

— Je veux rentrer. Elle tendit la main vers son soutien-gorge.

Brigid choisit cet instant précis pour faire une nouvelle embardée, projetant Diana sur Conor et forçant celui-ci à lâcher son bloc-notes. Il se dégagea et saisit vivement la barre. Le voilier se stabilisa, comme à contrecœur.

— Viens t'asseoir près de moi, ordonna-t-il.

Elle hésita, puis lâcha le bout de tissu et alla s'asseoir à ses côtés.

— Quelle note te donnes-tu pour ta prestation en monokini? Il lui passa un bras autour des épaules.

— Je ne me donne pas de notes; je suis soit bonne, soit mauvaise. Elle hésita. Mais si j'essayais honnêtement de me donner une note sur ce sujet, je dirais trois, pas beaucoup plus. Elle fut prise de fou rire. Et toi, tu me donnes combien?

— Même pas tant que ça!

— Tu es vraiment un salopard! Elle se remit à tambouriner sur sa merveilleuse poitrine.

Il se défendit d'un bras, continuant de barrer de l'autre. Ils se livrèrent pendant quelques instants à une délicieuse lutte et elle se dit qu'elle serait probablement capable de le battre.

— Je me rends, pirate! s'écria-t-il finalement. J'ai menti. Je voulais dire au moins huit!

— C'est vrai? Elle cessa ses attaques. Tu es sérieux?

— Absolument, dit-il avec conviction.

Sans avoir l'intention de le provoquer, elle demanda :

— Est-ce que *Brigid* appartient à une entreprise, ou à toi... personnellement?

Il entra soudain dans une rage violente :

— Mais tu vas me rendre fou avec ces questions! Vas-tu me laisser tranquille, à la fin?

— Je suis désolée...

— Désolée, tu parles. Accepte mon amour ou rejette-le. Mais arrête ce petit jeu du juge qui regarde tout du haut de son estrade de vertu. J'en ai assez d'avoir l'impression que tu es un inspecteur des impôts qui cherche à tout prix une faille. Je dépense mon argent comme je l'entends et tu dépenseras ou ne dépenseras pas le tien comme tu l'entends. Mais pour l'amour de Dieu, fiche-moi la paix.

Pendant sa tirade, il l'avait saisie par les bras et elle sentait maintenant ses doigts qui s'enfonçaient plus profondément dans sa chair nue.

— Conor! Tu me fais mal! s'écria-t-elle, effrayée par sa violence.

Il eut une expression paniquée et la relâcha instantanément.

— Pardonne-moi, Diana. Je ne voulais pas te faire de mal. Jamais.

— Je n'ai pas vraiment eu mal, mais tu m'as fait peur, répondit-elle en se frottant le bras.

— Je ne voulais pas te faire peur non plus. Je te demande pardon.

Sa sincérité dissipa l'inquiétude et la colère de Diana.

— C'était une question stupide de ma part, Conor, et ça ne me regardait pas.

— Une question parfaitement inoffensive. Je ne devrais pas laisser mes colères s'exprimer d'un seul coup, comme ça. *Brigid* m'appartient personnellement. Je l'ai payée en espèces sonnantes et trébuchantes.

— Vraiment!

— La vente est enregistrée, ne t'inquiète pas. Il lui caressa la joue. Tu es superbement belle, Diana. Et je suis de cette humeur parce que je me sens tellement amoureux.

Cela faisait plusieurs fois qu'il lui offrait son amour. Elle aurait voulu pouvoir l'accepter, y répondre, mais les mots ne venaient pas.

Elle se trouva de nouveau enserrée dans ses bras, protégée, chérie et respectée.

C'est maintenant qu'il va me séduire, pensa-t-elle avec soulagement. D'un instant à l'autre, il va vouloir me déshabiller complètement. Comment vais-je réagir?

Je me souviendrai toujours d'avoir perdu ma virginité sur un petit voilier nommé *Brigid*, par une superbe journée d'automne, en plein milieu du lac Michigan. Ce sera un souvenir plus intéressant que celui de la plupart des femmes.

Mais il ne devait rien se passer de plus ce jour-là. Cet homme étrange, mystérieux, merveilleux, la regardait certes amoureusement, la touchait, l'embrassait, mais n'allait pas plus loin. Elle avait beau être une captive impuissante et consentante, il la traitait avec une sorte de déférence, un peu comme si elle avait été un objet d'art délicat.

Pour Diana, dont l'expérience des hommes était limitée, ce statut d'objet sacré était incompréhensible. Mais à mesure que la journée passait, elle s'aperçut que, d'une certaine façon, elle préférait être traitée ainsi plutôt que séduite. La prochaine fois peut-être. Sauf que je ne peux pas accepter qu'il y ait une prochaine fois. Elle accepta donc son adoration avec grâce et gratitude, et en riant beaucoup.

Finalement, le vent tomba et *Brigid* courut un moment sur son erre avant de s'arrêter avec une sorte de satisfaction. Ils amenèrent les voiles et elle s'aperçut que malgré sa quasi-nudité, elle pouvait se rendre utile tout en restant élégante. Ensuite, ils mirent le moteur en marche et le bateau glissa vers la ville.

— Nous allons nous ancrer en face de Navy Pier pour nager. A propos, dit-il un peu embarrassé, tu devrais peut-être remettre ceci. Il lui tendait le haut de son maillot de bain.

— Oh! Elle rougit, comme elle l'avait fait souvent ce jour-là. J'avais presque oublié.

Il l'aida à attacher son soutien-gorge. Ses doigts étaient toujours aussi maladroits, pauvre garçon.

Elle n'avait pas pensé à Papa de la journée. S'il savait, il serait très fâché. Et Mamma? Elle était devenue plus mystérieuse aujourd'hui. Avait-elle vraiment flirté avec Conor? Il semblait attirer toutes les femmes qu'il rencontrait, simplement par son sourire.

Mamma aurait-elle accepté de dénuder ses seins sur un voilier quand elle avait vingt-cinq ans? Le ferait-elle aujourd'hui?

Sous la douche, avant le dîner, elle se dit qu'elle était encore plus heureuse aujourd'hui que le jour où ils avaient fait du ski nautique à Grand Beach. Et moins grise.

— Je vais te raccompagner, annonça-t-il après le repas.

— Non! supplia-t-elle.

— Je te laisserai à la gare de Harvey. De là, tu pourras prendre le train jusqu'à Chicago Heights, où ton père viendra te chercher.

— Non, n'insiste pas. Il savait donc qu'elle devait mentir à son père et cela l'inquiéta.

Il la contempla d'un œil critique.

— Diana Marie Lyons, tu es une jeune femme bien bâtie; je serais le dernier à contester cette affirmation. Mais si nous devons en venir aux mains, je suis capable de te battre, malgré les pensées que tu as pu avoir tout à l'heure, quand je ne faisais que me défendre passivement. Et je le ferai si tu m'y obliges en insistant pour rentrer chez toi en train un samedi soir. Est-ce bien clair?

— Il faudra que je remette mes vêtements de travail, répondit-elle d'un ton obéissant.

— Alors nous sommes d'accord. Il remplit de nouveau son verre; c'était le meilleur vin rouge qu'elle eût jamais goûté. Mange ton steak.

Comment savait-il, à propos de Papa et du train? Avait-il fait une enquête sur elle? Etait-elle manipulée alors qu'elle pensait le manipuler?

Elle n'avait pas pensé à l'enquête depuis des heures.

— Alors, tu penses vraiment qu'il faut tolérer la corruption pour que notre société fonctionne?

Allait-il de nouveau s'emporter violemment contre elle?

— Hmm? Oh, nous y sommes de nouveau! Tu sais, il y a une différence entre la moralité et la loi et ce sera ma dernière conférence sur ce sujet. On ne peut pas légiférer en détail sur tous les aspects de la moralité – il la salua de son verre – et, si on essaye, on risque de rendre illégales certaines choses qui ne l'étaient pas. Prends par exemple le pauvre mari de Geraldine Ferraro; c'est probablement l'un des promoteurs immobiliers les plus propres du Queens. Mais nous avons tellement surchargé cette profession de règlements inutiles, que personne ne peut plus en vivre sans violer de lois. Il but une gorgée de vin et sourit; elle ne sut pas si le sourire s'adressait à elle ou au vin. Je dis donc que, dans certains domaines, il y a trop de réglementation, et que c'est aussi dangereux que pas assez.

— Est-ce que tu veux dire que tu accepterais des pots-de-vin, ou que tu en donnerais, pour être sûr d'atteindre ton objectif?

Il parut honnêtement surpris de sa question.

— Bien sûr que non. Qu'est-ce qui t'a donné cette idée? Il posa son verre et lui toucha de nouveau le menton. Diana Marie Lyons, personne ne me traînera jamais en justice pour défendre ma liberté. Malgré ce que disent les journalistes, je suis honnête; presque aussi honnête que toi.

Elle était censée le croire et le crut presque. Mais pas tout à fait. Tout au fond d'elle-même, une voix lui dit que tout cela n'était que de la poudre aux yeux. Elle décida donc de profiter de ce qui restait de la journée et de s'inquiéter de la réalité demain matin.

Sur le chemin de la gare, ils parlèrent à nouveau de Mamma.

— Elle est restée plus adolescente, malgré son âge, que sa fille, dit Conor. Si tu veux en faire autant, il faudrait que tu te débarrasses de cette calculatrice qui sert à faire le compte de toutes tes erreurs.

— Je n'ai pas besoin de ce genre de conseil.

— C'est gratuit. Il fit le geste de lui toucher l'avant-bras et elle le repoussa. Au fait, est-ce qu'elle donne son chèque de paye à ton père, elle aussi?

— Non. Je n'en sais rien. Je ne pense pas. Et puis ça ne te regarde pas! Il savait tout. Il devait être au courant, pour l'enquête.

— Je sais. J'étais seulement curieux.

— Je suppose que tu nous trouves bizarres? Elle fut sur le point de pleurer. Au diable ce type.

Il mit sa main sur sa nuque et la caressa très doucement.

— Du calme, petite fille. Un jour, quand nous nous connaîtrons très bien, je te raconterai quelques-uns des secrets les mieux gardés sur ma famille. Tu verras que ce n'est pas reluisant. Oui, j'admets que je voulais voir ta mère. Maryjane m'avait dit qu'elle était remarquable et... je voulais avoir une idée de ce que tu serais dans vingt ou trente ans.

— Et alors? demanda-t-elle avec raideur, mais sans se soustraire à sa caresse.

— Je te l'ai dit. Elle m'a fasciné. Désolé d'avoir été trop curieux.

Persuasif, comme tout ce qu'il disait. Mais pas convaincant.

— Elle n'est rien de plus qu'une épouse et une mère banlieusarde, qui a vécu une vie difficile.

— Je suis sûr que tu ne penses pas le moindre mot de ce que tu viens de dire, mais la journée a été trop parfaite pour que nous la terminions par une querelle.

Ils avaient dix minutes d'avance et le train avait dix minutes de retard. Ces vingt minutes se passèrent en démonstrations d'affection pleines de réserve et de retenue. C'était d'ailleurs lui qui se retenait, pas elle. Il aurait pu lui faire tout ce qu'il voulait, et ils le savaient tous les deux.

Finalement, elle lui posa la grande question :

— Pourquoi me traites-tu avec autant de respect?

Il l'embrassa et soupira :

— J'ai commis beaucoup d'erreurs avec les femmes, mais ça m'a permis d'apprendre qu'on n'est jamais trop doux, même avec celles qui vous font comprendre que ce n'est pas nécessaire.

— Comme moi? Elle esquiva un autre baiser.

— Certainement pas! Il parut choqué.

— Et puis tu as un petit peu peur de moi?

— N'importe quel homme normal aurait un petit peu peur de toi, Diana Marie Lyons. Maintenant, tais-toi et laisse-moi t'embrasser encore un peu avant que le train arrive.

Suis-je si dure? se demanda-t-elle tout en lui obéissant. Ou bien cela fait-il partie du scénario?

— Bonne nuit, Diana, murmura-t-il quand le train entra dans la gare. Ce fut une journée merveilleuse; je ne l'oublierai jamais.

— Ça m'a beaucoup plu, à moi aussi. Elle poussa un soupir, en priant pour que ses émotions ne s'expriment pas autrement.

— Comme convenu, rendez-vous dans ma loge à Wrigley Field samedi prochain.

— Quoi? s'écria-t-elle tout en sortant vivement de la voiture. Ce serait une catastrophe de rater le train.

— Je ne sais pas ce qui arrive à ta mémoire quand tu bois tu vin. Avais-tu déjà oublié que nous allions rencontrer mes amis le rabbin et la psychiatre au match de samedi prochain? Dépêche-toi pour ne pas rater ton train. Ton père s'inquièterait. Mon meilleur souvenir à Mamma.

— Certainement pas! lui cria-t-elle en courant vers le train, tandis qu'il la suivait des yeux en riant.

Son père fut silencieux et taciturne dans la voiture. Pour une fois, cela ne la dérangea pas. Malgré toutes ses incertitudes, elle avait été follement heureuse pendant la plus grande partie de cette journée. Le problèmes pouvaient attendre le lendemain. Avant de tomber dans ce qui devait être son sommeil le plus profond depuis des années, elle écrivit dans son journal : *Il me rend heureuse, plus heureuse que je ne l'ai jamais été. Que peut-il y avoir de mal à cela?*

27

Son bonheur dura jusqu'après la messe de onze heures. Alors, comme une avalanche engloutit un village de montagne, les remords l'assaillirent. Il l'avait utilisée, exploitée, rejetée. Il était mauvais et elle, petit idiote, s'était laissée avoir. Oh mon Dieu, je suis si honteuse! Je lui ai permis de jouer de moi pendant au moins quatre heures.

Il s'était immiscé dans sa vie privée, l'avait pelotée et molestée. Et elle l'avait laissé faire.

Après le brunch habituel chez Napoli, elle emprunta la Datsun de sa mère et alla à Cokewood Springs. Le chômage et la pauvreté avaient depuis longtemps exercé leurs ravages sur les petites maisons de bois, qui faisaient de leur mieux pour avoir l'air coquettes. La première pluie de l'automne s'abattait sur les fidèless qui sortaient de la messe, et les faisait paraître encore plus sombres et déprimés.

La fonderie était une ruine, entourée de vieilles remorques et de matériel abandonné, mais aussi d'équipement de construction. Etait-il vrai qu'il en sortirait un jour des machines capables de fabriquer d'autres machines? Et même si c'était le cas, comment cela pourrait-il changer la vie des pauvres gens qu'elle venait de voir sortir de leurs petites églises délabrées?

Conor Clarke était peut-être très séduisant avec les femmes, mais il n'en profitait pas moins de la misère de ces gens. Il les volait et il volait même sa propre entreprise.

Il fallait qu'il aille en prison.

Elle rentra chez elle sous la pluie battante et écrivit dans son journal :

Je ne lui pardonnerai jamais ce qu'il m'a fait hier. Il s'est servi de moi. Je n'ai pas plus d'importance pour lui que l'une de ses petites traînées, ou que ces malheureux que j'ai vus dans cette ville horrible.

Maintenant, j'ai plus de raisons que jamais de vouloir le voir pourrir en prison.

A dater de ce jour, il n'y aura plus aucune hésitation en ce qui concerne Conor Clarke. Je ne ménagerai rien pour le mettre en prison.

28

Conor considéra la vue à travers l'immense fenêtre du salon. Cette maison d'Astor Street pourrait faire l'affaire. Au bout de la rue, la verdure de Lincoln Park commençait à tourner au rouge et à l'or. On ne voyait pas le lac, mais on sentait sa présence, à deux pas de là. Chacune des maisons de la rue était une merveille d'architecture. La plus belle rue de Chicago, comme on le disait souvent.

Et la plus chère.

Ne pense pas au prix. Quand on a une princesse à loger, on lui offre un palais.

En plus, c'est une bonne affaire. Tu pourrais la revendre l'an prochain et faire deux cent mille dollars très facilement.

— Voulez-vous voir la piscine, Monsieur Clarke? La charmante dame de l'agence immobilière n'était pas aussi charmante que Mamma...

— Pourquoi pas?

Tandis qu'ils descendaient au sous-sol, il ne put s'empêcher d'avoir des visions de Mamma et de Diana, toutes deux en monokini sur son bateau.

Espèce d'obsédé.

— Elle n'est pas grande, dit la femme en allumant les lumières, mais elle est bien éclairée et la décoration donne l'impression qu'on est dans un pays tropical.

— Très joli, en effet. L'autre escalier mène à la maison des invités?

— Oui. Mais il peut être fermé à clé, naturellement.

— Naturellement.

— Comme vous pouvez le voir, tout le matériel d'exercice est neuf.

— Effectivement.

— Votre femme aime-t-elle le sport, Monsieur Clarke?

— C'est le moins qu'on puisse dire.

Donc nous mettrons Mamma dans la maison des invités.

— Comme vous le savez, Monsieur Clarke, les héritiers offrent la maison entièrement meublée, exactement comme vous la voyez. Et votre femme pourra vous confirmer que les antiquités valent une fortune. Elle le précéda vers l'étage supérieur.

— Je n'en doute pas un instant.

C'est moi qui suis l'expert en antiquités, et pas ma femme qui n'existe même pas. Mais laissons passer.

— L'expression pourra vous surprendre, vu le type de maison, mais vous réalisez probablement que c'est une véritable affaire.

L'éducation des enfants ne poserait aucun problème, car il y avait d'excellentes écoles à proximité.

L'éducation d'enfants que je n'ai pas encore, et que je veux faire avec une femme à laquelle je n'ai même pas encore proposé le mariage.

— Les sols sont tous en parquet.

— Naturellement. Sept chambres à coucher?

— Plus les deux dans la maison des invités. Et dix salles de bain.

— Ce qui devrait suffire.

Conor ne vivait pas d'une façon extravagante. En fait, son bateau et sa voiture étaient ses seuls objets de luxe. Et encore, il ne les avait achetés que parce que c'étaient de bonnes affaires. Son appartement de Lincoln Park était petit et meublé de façon discrète. Il réinvestissait son argent dans ses affaires, ou alors faisait des dons à des œuvres de bienfaisance.

En ce moment, il avait un bon surplus de trésorerie. Pourquoi le dépenser pour Diana? Peut-être pas la vraie Diana, mais l'impératrice de ses rêves? En partie parce qu'il était romantique, mais aussi parce que Diana méritait ce qu'il y avait de mieux, même si elle n'en voulait pas, et peut-être qu'il y avait en lui un démon qui lui disait de dépenser de l'argent pour une jeune femme qu'il n'épouserait probablement jamais.

Et ce démon disait :« Attends qu'elle voie cette maison! »

D'ailleurs, une maison comme celle-ci dans la rue Astor était un sacré bon investissement.

— Les tapis, inutile de le dire, sont tous d'authentiques persans.

— Naturellement. Et combien demandent les héritiers?

— Deux virgule cent.

— Deux millions cent mille dollars? Il se sentit stupide d'avoir posé une telle question : naturellement que c'était deux millions cent mille dollars. On était sur Astor Street!

— Mais entre nous, je pense qu'ils vendraient à un huit, un neuf. Comme vous le savez, le marché est un peu mou et ils ont hâte de régler cette succession.

Tu parles.

— Je pourrais assez facilement offrir un trois, un quatre. Avec un dépôt assez substantiel.

— Oh, je crains que ce ne soit tout à fait hors de question. Elle parut aussi scandalisée que s'il lui avait raconté une histoire salace. Naturellement, je transmettrai votre offre, si vous avez l'intention d'en faire une.

— Vous pourriez simplement leur en parler, pour le moment.

Il était sûr que la maison valait entre un million et demi et un million sept. S'il était patient, il l'obtiendrait probablement pour un million cinq. C'est ce que son père aurait fait.

— Nous vous tiendrons au courant, Monsieur Clarke. La femme lui sourit aimablement.

— Avec plaisir.

Le brouillard descendait sur Astor Street quand Conor partit à pied vers chez lui. Bien triste cet appartement, pensa-t-il.

Il faut être fou pour vouloir acheter un palais pour une fille qui en sera scandalisée, qui ne t'épousera jamais, et à qui tu as peur de proposer le mariage.

Fou, mais heureux.

29

La confusion de ce journal reflète bien ma propre confusion en ce qui concerne Conor Clarke. L'autre jour encore, je disais qu'il fallait le mettre en prison et que j'allais faire ce qu'il fallait pour cela. Maintenant, je sais que je dois me retirer de cette enquête, car je suis incapable de rester objective. Je suis persuadée qu'il a violé la loi, peut-être même plus souvent que ce que nous en dit Broddy Considine, ce dégoûtant personnage. Mais je sais aussi que je serais capable, en plein milieu du procès, d'intervenir en faveur de Conor Clarke.

Il va falloir que je parle à Leo ces jours-ci. Il ne va pas aimer ça, et Donny non plus. Mais je suis sûre qu'ils respecteront ma décision.

30

Conor disait parfois qu'il avait plus de petites amies que d'amis et plus d'amis que de confidents. Ce qui était d'ailleurs assez vrai, à condition de ne pas être trop strict sur la définition« petite amie ». Il n'avait que deux confidents : Naomi Stern Silverman et le père John Blackwood Ryan. La première était une ravissante jeune psychiatre qui avait littéralement failli devenir sa maîtresse. L'autre était le recteur de la cathédrale. Il les avait même invités à dîner ensemble une fois. Le père Blackie, comme l'appelaient la plupart de ses paroissiens, avait charmé« le docteur Silverman », ce qui arrivait d'ailleurs souvent à ses interlocutrices, mais il avait passé la majeure partie de la soirée à parler avec son mari, le rabbin, du génie hassidique Baal Sham Tov, sur lequel le prêtre semblait d'ailleurs étonnamment bien informé.

Naomi était un petit bout de femme aux yeux verts, qui semblait osciller continuellement entre une naïveté de jeune fille et la sagesse d'une aïeule. Cette combinaison avait toujours fait les délices de Conor, même après que ce qui aurait pu devenir une histoire d'amour entre eux se fût transformé en une solide amitié.

En effet, sa relation avec Naomi s'était presque terminée par un désastre. Malgré la maîtrise dont elle faisait généralement preuve, la jolie petite psychiatre s'était laissé complètement envoûter par le charme irlandais de Conor. Ce qui s'était déroulé dans sa chambre n'avait ressemblé en rien à la scène de Grand Beach avec Diana; les choses avaient été moins spontanées et explosives, plus délibérées et plus intenses.

Naomi voulait préserver sa virginité (Conor semblait avoir le don de tomber sur les rares vierges que comptait encore la population féminine de Chicago), mais, s'estimant coupable d'avoir aguiché Conor, elle avait décidé de se soumettre. Pourtant, au moment où leurs ébats menaçaient d'atteindre les proportions de ceux de Grand Beach, une voix enfouie au tréfonds de sa conscience avait murmuré à Conor :« Elle ne veut pas ».

Il lui avait donc passé une couverture autour des épaules et l'avait longuement tenue dans ses bras, tandis qu'elle sanglotait amèrement. Tous deux regrettèrent un peu cette occasion gâchée, mais leur aventure fut à l'origine d'une amitié que rien ne pourrait jamais détruire.

C'était Naomi qui, comme elle disait, lui avait« botté le derrière » quelques semaines plus tard, pour qu'il suive une thérapie afin de mieux comprendre son caractère et sa personnalité.

Dans leur amitié, elle adopta tout naturellement le rôle maternel de conseillère et de confidente. Mais ils savaient tous deux que les liens qui les unissaient étaient beaucoup plus complexes et qu'il y entrait des émotions encore mal contrôlées, malgré les quatre années qui s'étaient écoulées.

Il aimait sincèrement son mari, le rabbin, et avait pensé dès le début qu'ils étaient faits l'un pour l'autre. Cependant, quand il était rentré dans son appartement vide le soir de leur mariage, il n'avait pu s'empêcher de ressentir une jalousie intense.

"J'aurais été déçue, si tu n'avais pas été jaloux", lui avait-elle dit. "Quand tu te marieras, je suis sûre que j'adorerai l'heureuse élue. Mais ça ne veut pas dire que je ne m'étoufferai pas de jalousie de temps en temps. Nous y sommes condamnés l'un et l'autre."

Ce fut donc avec une certaine prudence qu'il parla à Naomi de son nouvel amour, tandis qu'ils prenaient leur petit déjeuner à l'Escargot, comme chaque lundi. Elle l'écouta avec une attention tranquille, puis, tout à coup, s'excusa et sortit précipitamment de la salle à manger.

Est-elle si bouleversée d'apprendre que j'ai trouvé une autre femme? se demanda-t-il. Mais en la voyant revenir, pâle mais souriante, il comprit.

— Alors, le rabbin va être papa? Il l'embrassa affectueusement. Mes félicitations.

— Nous sommes si heureux; nous commençions à nous demander si ça arriverait jamais.

Il est temps que je fasse des enfants moi aussi.

— Mais j'espère que ceci ne va pas empêcher ton rabbin de venir dans ma loge au stade cette saison?

— Avec ses nouvelles responsabilités – elle sourit avec douceur – mon érudit de mari aura besoin plus que jamais de se changer les idées.

Malgré son amour pour Diana et sa joie de savoir Naomi enceinte, Conor se prit à admirer cette dernière, si minuscule et parfaite dans son tailleur bleu clair.

— Te voilà donc amoureux une fois de plus? Par-dessus son verre de jus d'orange, elle le fixait d'un regard désapprobateur. Et amoureux d'une grande femme, en plus, toi qui les as toujours préféré petites et délicates.

— Peau de vache! fit-il joyeusement. J'ai dit qu'elle était grande, mais pas grosse. Selon mes observations, son tour de taille doit être...

— Des observations approfondies?

— Pas assez à mon goût.

— A mesure que les années passent, tu deviens de moins en moins persévérant.

— Tu ne crois pas si bien dire! Dans six mois, j'entre dans le club des célibataires à vie.

— J'ai l'impression, mon cher, dit-elle avec un sourire, que tu as encore quelques bonnes années devant toi avant d'en arriver là.

— Ta faute, répondit-il en pointant un doigt sur elle. Cela dit, je voudrais que vous rencontriez Diana samedi prochain, ton mari et toi. Rendez-vous à Wrigley?

— Pour donner notre approbation? Les choses en sont déjà là?

— Peut-être. Elle est sensationnelle, Naomi. Tout ce dont j'ai toujours rêvé...

— Je t'ai déjà entendu dire ça sur d'autres, mon vieux. Y compris, d'ailleurs, sur moi.

— Elle te ressemble beaucoup. Pas physiquement, mais...

— Mais il y a un problème?

— La famille. Le père est un petit avocat retraité de la fonction publique. Inflexible, aigri, rancunier. Il lui prend même son chèque de paye et lui donne une allocation. La mère est une beauté sicilienne qu'il a apparemment sauvée d'un viol collectif pendant la guerre. Depuis, elle paye sa dette. Les autres enfants sont partis aussi loin que possible de la famille et Diana est la plus jeune.

— C'est la petite fille à son papa? Elle fronça les sourcils avec inquiétude.

— C'est ce que je crains. Et avec une enfance comme la mienne, je n'ai pas besoin d'une fille qui a eu des problèmes avec son père.

— Inceste? Elle se versa froidement une autre tasse de thé.

— Oh, non! Ce n'est pas du tout à ça que je pensais. C'est plutôt une sorte de domination émotionnelle, ce qui n'est peut-être pas beaucoup mieux.

— Probablement pire, mon chéri. Tu excuseras ma franchise, mais ça ne me paraît pas très prometteur.

— Je sais. Mais c'est de la franchise que je voulais.

— Alors tu veux que je fasse une évaluation psychologique à l'occasion d'une partie de baseball, pendant que toi et mon mari serez en train de vous comporter comme des adolescents attardés? Tu dois réaliser que tu me demandes une chose pratiquement impossible.

— Je veux seulement savoir si elle te plaît, rétorqua-t-il un peu agressivement, pas assez pourtant pour l'empêcher d'engouffrer un énorme morceau de crêpe.

— Et si elle me plaît, qu'est-ce que ça voudra dire?

153

— Que je ne suis pas entièrement fou.

— Tu as l'intention de l'épouser?

— Probablement.

— Alors je ne vois pas comment nous pourrions faire, Ezekiel et moi, pour ne pas l'aimer. De toutes façons, tu prendras ta décision tout seul, comme d'habitude.

— Bien sûr. Il agita sa fourchette en l'air. Je suis assez grand pour savoir que personne ne peut prendre mes décisions à ma place.

D'une façon générale, Conor fut plutôt satisfait de cette conversation. Naomi agirait plus en amie qu'en professionnelle, mais elle poserait un regard critique sur Diana Marie Lyons et rendrait un diagnostic sans complaisance.

Ensuite, et pour être absolument certain de ne pas commettre d'erreur, il demanderait l'avis du père John B. Ryan. Ce serait une rencontre très intéressante.

31

Diana passa une éternité à contempler sa page vide avant de se mettre à écrire. *Je me sens comme étourdie; comme si je venais de dormir pendant cent ans. J'ai dit à Leo que je voulais abandonner l'affaire Clarke. Il m'a donné le choix : continuer ou donner ma démission. Même plus question d'aller contrôler de la pornographie à l'aéroport.*

Je me suis assise; je n'en croyais pas mes oreilles.

— Vous vous êtes mise dans cette situation, Diana, a-t-il d'un ton sec; à vous de vous en sortir maintenant.

— Mais le conflit d'intérêt...

— Le problème ne se posera probablement pas. Sinon, à vous de vous débrouiller. Si vous voulez, nous pouvons vous faire porter un micro. Ça nous permettra de dire que vous êtes un agent. Vous voulez?

— Bien sûr que non.

— Ce serait une façon de vous couvrir. Autrement, il faudra que vous acceptiez les risques.

— Mais ce serait une catastrophe si ses avocats...

— Tout d'abord, si nous trouvions quelque chose de sérieux contre lui, ce dont je doute, ses avocats se précipiteraient pour proposer un marché, et nous serions peut-être obligés de nous contenter de ça. Ce qui serait de votre faute.

— Qu'en dit Donny?

— Laissez Donny en dehors de ça. C'est moi qui prends les décisions concernant le personnel. Et je vous conseille de ne pas essayer de passer par-dessus moi.

— Je vois. En réalité, je ne comprenais plus rien.

— C'est vous qui avez commencé cette enquête; et c'est vous qui avez voulu la poursuivre quand je voulais laisser tomber. Maintenant, le bébé est à vous.

C'était donc ça : j'avais offensé l'amour-propre de Leo Martin. Je ne me serais jamais doutée qu'il soit rancunier.

— Vous pouvez laisser cette affaire mourir tranquillement. Personne ne regarde par-dessus votre épaule.

— Je ne pourrais pas faire ça, Leo. J'ai prêté un serment.

— Toujours votre mentalité de scout. En tout cas, vous avez deux possibilités : soit vous continuez, soit vous partez; et sans lettre de recommandation. Si vous voulez vous protéger un peu mieux, nous vous donnons un mini-micro et nous disons que vous êtes un agent.

— Ce n'est pas pour moi que j'ai peur, Leo; je ne voudrais pas faire rater l'enquête.

— C'est ça. En attendant, si je ne reçois pas de lettre de démission d'ici à la semaine prochaine, j'en conclurai que vous restez sur l'affaire.

Shelly m'avait bien dit de me méfier de Leo et de son comportement de vieil oncle bienveillant. "Tu fais exactement ce qu'il dit et tu restes parmi ses favoris. Tu dévies un tout petit peu et tu es foutue; crois-moi, c'est ce genre de type. Et si tu ne me crois pas, demande-toi ce qui fait qu'un gars reste aussi longtemps à ce poste. Le pouvoir qu'il a sur les jeunes avocats. Je suis sûr que c'est ça son truc. Et surtout le pouvoir de contrôler les jeunes femmes".

Je me souviens de lui avoir dit que la conscience professionnelle avait certainement quelque chose à voir là-dedans. Il m'a raconté une histoire que j'ai oubliée, où il était question de son oncle Zak.

Je ne veux pas de micro; c'est une chose que je regretterais pour le reste de mes jours. Et je ne veux pas laisser tomber l'enquête, parce que je suis sûre d'avoir raison.

Ça ne me déplairait pas de démissionner. Peut-être que l'une des firmes d'avocats qui m'avaient approchée l'an dernier serait encore intéressée. Mais comme expliquer ça à Papa? Mamma pense qu'il a fait encore une crise cardiaque. Et il ne veut pas voir de médecin. Il en veut encore aux médecins qui l'ont soigné à Anzio; il dit qu'ils ont détruit sa santé.

Je ne peux pas le laisser tomber; pas en ce moment. Je vais devoir rester sur l'affaire.

Je me sens comme si j'étais prise dans un bloc de glace.

32

Diana fut parfaite. Comme à Long Beach, elle commença par une attitude prudente de politicien qui évalue une situation avant de s'engager dans quoi que ce soit.

Malgré la chaleur étouffante, elle portait une robe de coton gris avec une ceinture assortie, à la limite de l'élégance qu'on pouvait tolérer dans un stade sportif, mais d'un goût parfait. Même si elle avait peu de respect pour ses formes, elle réussissait à les souligner d'une façon subtile. Tandis que Diana se tournait pour saluer Ezekiel, Naomi roula des yeux appréciateurs en direction de Conor.

Ensuite, Naomi demanda à Diana si elle s'intéressait au sport.

— Je ne regarde jamais de parties, car nous n'avons pas de télé; par contre, j'en pratique un certain nombre.

— Lesquels? demanda le médecin avec respect.

— Le volley, le squash, parfois le golf et le tennis, un peu de basket.

— Et vous devez y exceller, n'est-ce pas?

Au lieu de faire la liste de ses trophées, Diana fit un signe de tête en direction de Conor, en disant :

— Pour le moment, j'ai réussi à battre ce monsieur au golf. Je suis impatiente de l'attirer dans une salle de squash.

Excellente réponse. Et elle le sait.

Après avoir écouté attentivement les explications que lui donnait Conor, Diana se comporta comme une vraie spécialiste du baseball, applaudissant au bon moment, dévorant des hot-dogs arrosés de bière, ne se plaignant pas quand sa robe fut tachée de moutarde. Et pendant tout ce temps, elle réussit à entretenir une conversation sérieuse avec Naomi. Pauvre fille; elle ne sait même pas qu'elle est sous le microscope d'une psychiatre, laquelle psychiatre est en plus à moitié amoureuse de moi. Plus qu'à moitié, à une époque.

Après la partie, quand Conor déposa la femme de sa vie à la gare de Harvey, il pensa qu'elle avait dû faire une impression excellente à ses amis.

Il ne lui restait plus, maintenant, qu'à recevoir le rapport du docteur.

33

J'ai détesté cette journée. Et je les ai détestés eux aussi. A vrai dire, le petit rabbin est plutôt gentil. Mais cette femelle aux yeux verts! Comment ose-t-elle me traiter ainsi? Quels sports pratiquez-vous, ma chère? Vous devez être excellente? Est-ce que votre travail vous satisfait? Il faudra nous revoir bientôt, n'est-ce pas? Et cette petite bise hypocrite!

Comment Conor peut-il oser me mettre en présence d'une de ses anciennes maîtresses pour qu'elle puisse m'analyser? C'est lui qui a besoin d'un médecin, pas moi. Quel idiot!

Et en plus, je me suis laissé embarquer. J'ai vraiment pris plaisir à regarder la partie, et j'ai même eu l'impression que j'aimais ses deux amis. Ce n'est que dans le train du retour que j'ai compris ce qu'il m'avait fait. Il va m'entendre la prochaine fois qu'il aura le culot de m'appeler. Il m'a rendu service pourtant, et je n'aurai plus aucune hésitation : je vais le traîner en justice.

Je suis inquiète pour Papa. Il n'avait vraiment pas l'air bien ce soir. J'ai eu du mal à lui expliquer comment j'avais pu aller à une partie de baseball un jour de semaine, lui qui n'a jamais pris une demi-journée sans une raison valable.

Pour ce que ça lui a rapporté...

Plus tard : la femme qui a écrit les paragraphes qui précèdent est une petite idiote jalouse, qui a honte d'elle-même. De quel droit suis-je jalouse?

Je fais un vrai gâchis.

Quand tout cela va-t-il finir?

34

— Tu n'as pas exagéré, mon vieux. Naomi mâchonnait délicatement un morceau de pain grillé. Elle est effectivement superbe.

— Et?

Conor avait l'impression qu'il se trouvait devant un chirurgien qui allait lui annoncer une nouvelle catastrophique sur sa santé.

— Et de toute évidence très douée et très charmante. La comparaison avec une princesse n'est pas déplacée. Pas plus d'ailleurs que l'image de la piratesse irlandaise. En outre, il y a en elle une sorte d'innocence naïve, de totale sincérité si tu veux. Elle m'a plu. Elle m'a même beaucoup plu. Et maintenant, si tu veux bien m'excuser; je dois m'éclipser discrètement pour un instant.

Conor attendit impatiemment son retour.

— Le médecin dit qu'il n'y en aura plus pour très longtemps.

— Je sais : les hommes ne comprennent pas à quel point vous souffrez.

— Et vous ne savez pas non plus quel plaisir nous en tirons. Je disais donc qu'elle était une femme gentille et séduisante.

— Mais?

Elle prit un autre morceau de pain.

— Qui plus est, elle est actuellement aux prises avec une libido à fleur de peau. S'il est vrai que tu n'aies pas encore couché avec elle, ce n'est certainement pas de sa faute. Elle le regarda d'un air interrogateur.

— Je pourrais lui faire mal.

— Tu es un incorrigible romantique. Comme mon mari. Elle est effectivement très vulnérable. Mais tu la traites comme si c'était un vase sacré.

— Si mal que ça?

— Ne sois pas défensif, mon vieux. J'aime les vieux romantiques démodés.

— Je suis si démodé que je m'inquiète de ce qu'un autre homme pourrait lui faire.

— Non sans raison. Sa grande curiosité la rend très vulnérable. Je dois dire – elle sourit par-dessus sa tasse de thé – que j'ai moi-même bien connu ce genre de faiblesse.

— Je suis bien placé pour le savoir.

— Je dirais qu'elle a probablement très peu d'expérience des hommes. A l'école, elle impressionnait certainement les garçons. Les hommes mûrs doivent lui faire des propositions trop crues à son goût. Donc, elle se replie sur elle-même et attend sa première vraie histoire d'amour. A mon avis, c'est là que tu entres en scène.

— Mais... Tu n'as pas encore parlé du « mais » Naomi.

Elle posa son pain grillé.

— Mais son père doit être l'un des hommes les plus coercitifs qui aient jamais vécu.

— Je le déteste, ce salopard.

— Pas autant qu'elle le déteste elle-même. Mais naturellement, elle ne peut pas s'avouer cette haine. Elle est la plus jeune et certainement la plus douée des enfants, en plus d'être la plus jolie. Une mère dont les origines ne lui permettent pas de jouer le rôle d'arbitre entre le père et des enfants américains. Conflit sans fin. La petite fille devient la préférée de Papa et elle consacre sa vie à rendre son père heureux. Graduellement, elle adopte la vision amère et négative qu'il a de la vie. C'est triste de voir gaspiller tant de beauté et d'intelligence.

— Je craignais que tu ne dises quelque chose comme ça.

— Je dois te dire, poursuivit-elle en posant sa tasse avec précaution, comme elle faisait tout, que ce sont là des impressions basées sur une observation de quelques heures au cours d'une partie de baseball. Ladite observation semble d'ailleurs l'avoir flattée, bien qu'elle en ait probablement conçu de la colère par la suite, puis du remords pour s'être mise en colère. Je te demande donc de considérer ce que je te dis avec prudence, car je peux me tromper.

— Sur les détails.

Naomi sourit tristement :

— Précisément.

— Elle n'a pas voulu voir *Amadeus* quand je lui ai dit que ça parlait d'envie.

— Bien entendu. Il y a quelque chose de pas totalement honnête dans son attitude à ton égard. Personne ne peut être mieux que Papa. Mais voilà que tu fais ton apparition et que tu sembles être mieux que Papa. Alors il faut qu'elle trouve une raison de te détester, pour ne pas avoir à choisir entre toi et lui. Si elle persiste, je dois t'avertir qu'elle risque de devenir dangereuse pour toi. C'est triste, mais, en tant que professionnelle, je peux te garantir que c'est malheureusement très courant.

Conor eut un frisson. Naomi avait mis le doigt sur ce qui le préoccupait : cette attitude soupçonneuse, comme si elle cherchait constamment des fautes dont elle pourrait l'accuser.

— Quel est le pronostic? demanda-t-il sombrement.

— Pas très brillant. Elle peut s'en sortir, tu sais. Certains êtres humains atteignent la maturité malgré les efforts que nous faisons, nous autres psychiatres, pour les en empêcher. Peut-être qu'un jour, elle verra son père comme il est vraiment. Un homme viendra peut-être – pour utiliser une métaphore qui te plaira – délacer le corset. Elle est atteinte sur un plan moral, pas psychologique. Donc il y a de l'espoir.

— Combien?

— Si je devais absolument me déclarer, je dirais qu'elle finira par s'étioler. Je suis mal placée, compte tenu de mon historique personnel, pour porter un jugement sur une vierge de vingt-cinq ans, hormis le fait qu'elle a de toute évidence appris à tenir les hommes à distance. J'ai l'impression que son avenir sera une copie conforme de la vie solitaire et pleine d'amertume qu'a vécue son père.

— Pas réjouissant.

— Je t'ai déjà dit qu'il y avait encore de l'espoir.

— Mais pas tellement avec un type qui a eu un père comme le mien?

Naomi ouvrit tout grands ses yeux verts :

— Je n'ai pas dit ça! Ton père n'a rien à voir là-dedans. D'ailleurs, ses excès étaient plutôt dans le sens inverse, n'est-ce pas? Pour ce qui te concerne, et sous des dehors de playboy insouciant, tu es totalement conscient de ta propre dynamique émotionnelle. Je ne devrais peut-être pas le dire, mais j'ai l'impression qu'il lui faut, en fait, quelqu'un comme toi.

— Mais la réciproque n'est pas nécessairement vraie?

La petite psychiatre s'absorba dans la contemplation de son pain grillé.

— Que veux-tu que je te dise, mon chéri?

— Ce que tu penses.

— Dans le milieu ethnique auquel j'appartiens, c'est une question pour la forme.

— En fait, tu n'es pas sûre, c'est ça? Il commença à se détendre. Si tu étais sûre de toi, tu m'aurais déjà dit de larguer la belle Diana.

— En réalité, ton romanticisme a peut-être justement besoin d'un défi comme celui-là. Alors va donc au secours de la belle Diane et bonne chasse, si je peux me permettre cette platitude.

35

Conor décrocha le téléphone.

— Mais oui, bien sûr, je suis très intéressé par leur contre-offre. Un million six; le quart tout de suite? Ça me semble raisonnable.

Mon père les aurait fait baisser à un million et demi ou un milion quatre cent cinquante. Mais grâce à Dieu, je ne suis pas mon père.

— Non, je n'ai pas besoin d'y réfléchir. Je demanderai à mon avocat de vous appeler... Parfait, je suis enchanté moi aussi. Oh oui, je suis sûr que ma femme adorera la maison.

Je n'aurai même pas besoin de faire beaucoup d'efforts pour rassembler le dépôt.

Pour ce qui est de ma femme, je ne lui ai pas parlé depuis la partie de baseball. Il vaudrait mieux que je lui donne sa bague. Je ne peux pas encore lui parler de la maison. Mais bientôt. Très bientôt. D'abord, il faut que je parle au père Blackie.

Il composa le numéro de Diana.

— Salut, c'est Conor... Qu'y a-t-il?... Quel verdict? Quel médecin?... Naomi? Elle t'a beaucoup aimée. Elle dit que tu es charmante, intelligente et gentille... Non, je ne te faisais pas subir un test... Analyse psychiatrique? Mais tu es folle!... Non, ce n'est pas Naomi qui a dit ça, c'est moi qui viens de le dire. Ce sont mes amis. Je voulais qu'ils te rencontrent, c'est tout... Eh bien, si c'est ce que tu penses, je ne veux pas en parler.

Il raccrocha violemment, aussi furieux qu'elle.

Cette idiote! Comment peut-elle m'accuser d'une manœuvre aussi évidente?

Il alla dans son bureau et alluma son ordinateur.

Cette fille a vraiment du culot!

Elle avait parfaitement raison, espèce d'idiot. Elle n'a pas été dupe de ton petit jeu, et c'est pour ça que tu lui en veux. Que vas-tu faire maintenant?

M'excuser.

Bon d'accord. Pas de problème. Mais il faudra que j'explique. Comment trouver une bonne explication?

Il n'y en a pas.

Il refit le numéro.

— M'autorises-tu à m'excuser de m'être emporté? Et de ne pas m'être expliqué? Je préfèrerais ne pas le faire au téléphone, mais... Non, je n'ai jamais couché avec elle. J'ai failli, une fois, mais... il ne s'agit pas de ça. Ce n'est pas toi qui poses un problème; c'est moi. Voilà : tu en sais assez sur mes antécédents familiaux pour savoir que ce serait risqué de m'épouser... Non, je sais que nous ne sommes pas fiancés... que nous n'envisageons même pas... que nous n'en avons jamais parlé – il s'enfonçait de plus en plus – mais à mon âge... eh bien, je voulais savoir si... Enfin, Diana, tu n'as jamais commis d'erreur? Je pourrais te mentir. J'essaie de te dire la vérité. Oui, ils t'ont vraiment trouvée agréable. Et si tu veux appeler ça un test, tu l'as passé la main haute. Oui bien sûr, je sais que tu as beaucoup de travail. D'accord, je te rappellerai.

Tout n'était pas complètement perdu. Elle n'avait pas été très chaleureuse, mais au moins, sa colère était tombée. Tu viens d'apprendre une leçon importante au sujet de la femme de ta vie : ne sous-estime jamais son intelligence.

161

Me voilà donc avec une maison, mais pas de compagne. Et pour le moment, elle est furieuse contre moi. Je suis capable de la faire changer d'avis, mais ce sera dur. Pas de tout repos, cette fille.

Et il faut encore que je la présente au père Blackie.

36

— Pourrais-je m'entretenir un instant avec mon client? demanda poliment Canfield, l'avocat de McClendon.

— Certainement. Diana fit un signe de tête en direction du couloir, savourant déjà son triomphe.

Canfield et McClendon se ressemblaient : petits, maigrichons et chauves, avec de petits yeux froids et le comportement de deux écureuils s'affairant à remplir leur réserve pour l'hiver.

On avait secoué Johnny Corso, qui s'était précipité pour demander l'immunité. Ils n'avaient rien sur Miguel Rodriguez, l'entrepreneur en plomberie, mais il avait paniqué et s'était précipité lui aussi, mais plus vite, de sorte que Corso n'avait pas obtenu son immunité.

En fait, c'était grâce à une indiscrétion de Conor Clarke concernant ses dettes de jeu, que Corso s'était finalement mis à table. Maintenant, c'était au tour de McClendon.

Shelly était assis auprès de Diana, impassible. Tous ses collègues l'avaient félicitée le jour où Corso et Rodriguez avaient craqué. Leo Martin lui-même l'avait dûment complimentée : "Vous aviez raison, Diana; il y a bel et bien un complot là-derrière".

"Et Clarke en fait partie?" avait-elle insisté, voulant que sa victoire soit totale. Je t'aurai, Leo Martin; je te battrai même, s'il le faut.

"C'est à peu près certain".

Ah! il a voulu me faire évaluer par sa petite psychiatre préférée sous prétexte d'une partie de baseball? avait-elle écrit triomphalement dans son journal ce soir-là.

— Nous n'avons pas toute la journée, Maître Canfield, fit-elle d'un ton impatient. Votre client sait-il ou non si M. Conor Clarke est impliqué dans un complot ayant pour but de détourner les fonds de la société Cokewood Springs?

Canfield toussota discrètement.

— Mon client a un petit problème : il désire naturellement témoigner, mais il souhaite également éviter de s'incriminer lui-même, ne faisant en cela qu'exercer ses droits constitutionnels.

Diana soupira intérieurement : comme d'habitude, il allait falloir se livrer à ce petit jeu fatigant qui permettait aux avocats de sauver la face et à leurs clients de sauver leur liberté.

— Dans l'état actuel des choses, répondit-elle, nous n'avons aucune intention de forcer monsieur McClendon à s'incriminer.

— Nous vous remercions de cette franchise. Cependant, mon client réalise que le personnel de vos services est susceptible de changer et apprécierait... euh, disons des garanties plus tangibles.

— Nous pourrions nous renseigner pour savoir si le Procureur des Etats-Unis serait disposé à faire une demande d'immunité en faveur de M. McClendon. Shelly interprétait fidèlement le scénario. Naturellement, nous ne pouvons rien garantir, mais je crois pouvoir dire, n'est-ce pas Mademoiselle Lyons, que nous interviendrions en faveur d'une telle immunité s'il apparaissait que votre client est prêt à nous offrir son entière coopération.

— Oh, je pense pouvoir garantir cela, Maître. Quand il souriait, Canfield ressemblait à un Machiavel d'opérette. Mon client est prêt à se montrer très coopératif.

Elle détestait ces deux petits hommes. Il aurait fallu les envoyer tous deux en prison. Mais, comme disait Leo Martin, « quand on veut le gros poisson, il faut savoir rejeter la petite friture à l'eau ».

Le filet se resserrait autour de Conor Clarke. S'il savait ce qui se passait, il n'en laissait rien paraître.

La semaine précédente, ils étaient dans son appartement, en train de regarder les résultats des élections présidentielles à la télévision, déçus d'assister à la déconfiture de Walter Mondale et de Geraldine Ferraro.

— Tes petits amis sont en train de fouiller dans certaines de mes entreprises, dit-il.

— Ah? murmura-t-elle, sans savoir lequel des deux manipulait l'autre.

— En tout cas, s'il y a quelque chose d'illégal, j'espère qu'ils vont le trouver. C'est une des choses auxquelles servent les gouvernements. A condition que nous ayons encore un gouvernement après tous ces Républicains.

— Es-tu concerné personnellement? demanda-t-elle.

— Moi? Oh non. Je t'ai déjà dit que j'étais honnête. Mais si quelqu'un me vole, j'espère qu'ils vont le trouver.

— Ce n'est probablement qu'une enquête de routine, dit-elle. Au même instant, on annonça que Ronald Reagan venait de remporter sept autres Etats.

Elle se persuada que Conor était un homme fourbe, qui ne cherchait qu'à lui soutirer des renseignements. Mais elle ne lui retira pas sa main, qu'il tenait fermement depuis le début de la soirée.

Pourquoi continuait-il de la voir, si ce n'était pour espionner le bureau du Procureur des Etats-Unis? De toute évidence, il n'avait pas l'intention de la mettre dans son lit, puisqu'il en avait eu l'occasion plusieurs fois sans la saisir. Au lieu de cela, il la reconduisait sagement jusqu'à la gare de Harvey, d'où elle prenait le train pour retrouver son père qui, persuadé qu'elle lui cachait quelque chose, lui parlait de moins en moins. Et pourtant elle se satisfaisait de cette situation, se sentant émotionnellement et physiquement protégée, rassurée, satisfaite.

Peut-être était-elle comme ces femmes qui prétendent préférer l'affection au sexe? Une façon comme une autre de se rattraper pour le passé, se disait-elle.

Alors, ils allaient au concert, au stade, chez lui, ils firent une dernière sortie sur *Brigid* (il faisait trop froid, cette fois-là, pour se mettre en maillot de bain) et passèrent une agréable soirée avec les Silverman.

Finalement, cette femelle aux yeux verts était plutôt gentille.

Le jour où McClendon se mit à table, elle relut ceci dans son journal.

J'ai une double personnalité. Quand je ne suis pas avec lui, je suis Diana I, la jeune juriste aux dents longues, qui est prête à tout pour mettre en prison un criminel trop riche, même si ce n'est que pour quelques mois. Quand je suis avec lui, je deviens Diana II, la prostituée. J'oublie les règles de ma profession et je ne pense qu'à être dans ses bras, à me repaître de cette étrange protection qu'il m'offre. Je me précipiterais dans son lit s'il me le demandait, et j'y resterais pour le reste de mes jours s'il le voulait. Est-ce de l'amour? Je ne sais plus. Je ne peux pas lui avouer mon amour, mais je suis prête à n'importe quoi d'autre pour qu'il continue de me protéger.

Je ne sais pas de quel mal il cherche à me protéger; je sais seulement que c'est une sensation merveilleuse et je ne pose pas de questions.

Pour me justifier, je me dis que je suis en train de rassembler des indices pour pouvoir le condamner, ou qu'il cherche des renseignements sur ce qui se passe dans mes services. Si ses avocats découvraient notre aventure, tout tomberait à l'eau.

Je le déteste et je le méprise. Et pourtant, je suis si bien avec lui. Si ce n'est pas de l'amour, je ne vois pas ce qu'il manque.

* * *

Le lendemain, elle alla chez le juge Kane pour y obtenir l'immunité de McClendon. Le juge en chef était absent et Eileen Ryan Kane s'ocupait, ce jour-là, d'examiner les demandes de ce genre. Avec une hostilité à peine déguisée à l'égard des services du Procureur des Etats-Unis, elle répondit sèchement à Diana :

— Je ne serai pas disponible la semaine prochaine pour ce genre de service, Mademoiselle Lyons. De même que le juge en chef, je serai absente pour une réunion.

— Oui, Votre Honneur.

— Je serai à une convention de magistrates.

— De magistrates, Votre Honneur? Si Dieu veut, pensa Diana, je pourrai assister à ce genre de convention un jour. Peut-être même avec le juge Kane.

— C'est bien cela. Il y a cependant des juges de sexe masculin dans notre association. Est-ce que cela est contraire à vos principes, Mademoiselle Lyons?

— Non, Votre Honneur.

— Il y a bon nombre de femmes juges maintenant; mais, comme on n'arrête pas le progrès, certaines sont tout aussi médiocres que leurs homologues masculins. Elle se tourna vers l'huissier, signifiant du même coup son congé à Diana : Affaire suivante?

Au bord des larmes, Diana se précipita hors du palais de justice. Elle adulait le juge Kane et espérait qu'elle serait un jour aussi belle, aussi féminine, aussi compétente et aussi honnête qu'elle.

Pourquoi me déteste-t-elle tant?

Ce soir-là, après avoir écrit dans son journal que l'état de son père empirait et que Mamma était inquiète, elle trouva une réponse à sa question :

Elle me déteste parce que je suis méprisable. Je ne vaux pas grand-chose. En plus, je trahis mes principes en ayant une aventure avec un homme que je devrais mépriser. Je l'espionne tout en faisant semblant de répondre à son affection. Je travaille pour un autre homme dont je trouve les méthodes écœurantes. Je suis aussi corrompue que ceux que je poursuis. Et pourtant, je sais que cela ne changera pas. C'est trop tard. Je ne deviendrai jamais juge; c'est une porte que je me suis fermée dès le premier jour, à Grand Beach. Je me déteste. Je suppose que je me suis toujours détestée. Et quand tout ceci sera terminé, je me détesterai jusqu'à la fin de mes jours.

37

Monseigneur John Blackwood Ryan, recteur de la cathédrale du Saint Nom, était un drôle de petit homme, avec un visage rond qui n'arrêtait jamais de bouger et des lunettes à verres épais.

Le Cardinal Cronin, qui l'avait nommé à son poste, avait dit un jour à Conor Clarke: "Ecoutez toujours ce que dit Blackwood, Conor; il a rarement tort".

Tous ses paroissiens l'appelaient «père Blackie». "Ils ne m'appellent «Monseigneur» que lorsqu'ils sont en colère ou veulent se moquer de moi," se plaisait-il à dire.

— J'ai quelque chose à vous montrer, père Blackie, lui dit Conor un dimanche matin de la mi-novembre.

— Les plans d'un bateau qui amènera l'America's Cup à Chicago?

— Non.

— Un chèque pour réduire le déficit de notre école?

— Non.

— Hum... Un nouveau recueil de poèmes vaguement érotiques?

— Non.

— Alors ce doit être une bague de fiançailles. Ses yeux myopes roulèrent comiquement dans leurs orbites. Je suis certain qu'une proportion non négligeable de la population féminine va se mettre en deuil!

— Vous le saviez! Un peu déçu de voir son secret découvert aussi facilement, Conor ouvrit l'écrin qui contenait la bague.

— Comme dirait ma chère nièce O'Connor le Chat, «Super-extra-terrible! » J'espère qu'avant d'exhiber ceci dans cette église – il feignit de regarder nerveusement autour de lui – vous l'avez dûment assurée?

— Elle vous plaît?

— Elle est effectivement remarquable, encore qu'elle ne le soit pas autant, à mon avis, que la jeune personne qui la portera.

— Parce qu'en plus, vous la connaissez?

— Oh non! Mais je n'hésite pas à qualifier d'héroïque une jeune femme qui vous a choisi pour époux. Me la présenterez-vous?

— Bien sûr. Dès que j'aurai rassemblé assez de courage pour vous l'amener.

— Elle ne sait pas encore que vous voulez l'épouser?

— Pas exactement. Elle sait que je l'aime.

— Je vois.

— Vous la connaissez peut-être, d'ailleurs. C'est une amie de ma cousine Maryjane Delaney, celle qui vient d'avoir une petite fille. Ils veulent que je sois le parrain de la petite Géraldine, vous vous rendez compte! Bref, la jeune fille s'appelle Diana Lyons; Diana Marie Lyons.

— Une jeune personne toute en brun, qui joue au golf; une beauté; plutôt... vigoureuse, si j'ose dire. Le père Blackie hocha la tête d'un air appréciateur. Elle donne l'impression de savoir ce qu'elle veut.

— Ravissante.

— Exact. Et qu'avez-vous acheté d'autre pour elle? Une maison?

— Vous devez me faire suivre!

— Dans la paroisse, j'espère.

— Astor Street. Avec piscine au sous-sol.

— Naturellement. Le père Blackie eut un sourire de gnome. Quoi d'autre? Mais dites-moi : quand notre bonne Diana doit-elle recevoir ce précieux joyau? Il se pencha sur l'écrin et toucha la pierre, comme s'il voulait s'assurer que le symbole du mariage de Conor Clarke n'était pas une illusion. Et quand lui parlerez-vous de la maison?

— A la messe de minuit; ici. Nous nous marierons à Pâques, si elle est d'accord. Vous ne la trouvez pas trop chère?

Les yeux du prêtre s'arrondirent de surprise.

— Etes-vous vraiment le Conor Clarke que nous connaissons et que nous aimons tous?

— Je ne sais pas. Il remit l'écrin dans la poche de sa veste. Je crains que Diana la trouve trop chère.

— Je vois. Le père Blackie fronça les sourcils, apparemment troublé. Dites-moi, a-t-elle vu *Amadeus*?

— Quel rapport? Conor était décontenancé : ce n'était certes pas le genre de réponse qu'il attendait de la part de son confident.

— Une femme qui s'inquiète du prix d'une bague de fiançailles me fait penser au vice d'Antonio Salieri.

— L'envie? Conor fut soudain effrayé. En fait, elle ne veut pas voir le film, mais...

— Insistez. L'ecclésiastique se tourna pour saluer un groupe de vieilles dames qui l'attendaient patiemment à l'écart. Je ne plaisante pas, Conor, pas cette fois. Insistez.

Conor rentra à pied jusqu'à son appartement, avec l'impression qu'il venait de traverser une maison hantée.

38

— Je ne pense pas que nous puissions le faire, Donny. Leo Martin déplia ses longues jambes et marcha jusqu'à la fenêtre du bureau du Procureur des Etats-Unis, où il s'absorba dans la contem- plation du flamant rose de Calder sur la place au-dessous. C'est trop risqué.

— Oui, Leo? Donny Roscoe connaissait trop bien ses limitations pour ne pas s'opposer inconsidérément à son ange gardien.

— Je suis désolé, Diana. Je sais combien vous avez travaillé sur cette affaire, et vous m'avez convaincu que ce petit vaurien était un voleur. Mais nous risquons trop gros.

— Je respecte votre jugement, Leo, mais...

— Mais rien du tout, ma chérie. Il se retourna vivement – presque hargneusement pensa-t-elle – et se mit à compter ses arguments sur ses doigts. Nous devons supposer que Conor Clarke aura la meilleure équipe d'avocats de la ville; nous devons supposer que le juge Kane n'attend qu'une occasion pour nous descendre en flammes; nous devons supposer que Clarke adorerait se battre, surtout si ses avocats lui disent qu'il a de bonnes chances de gagner; nous devons supposer que les jurés se laissent moins facilement impressionner qu'autrefois par des témoins qui ont marchandé leur immunité, et surtout quand ils ressemblent à un Considine ou à un McClendon; nous devons supposer que les avocats de Clarke sauront le présenter comme un gentil jeune homme généreux qui est persécuté par le gouvernement; nous devons supposer que les femmes du jury seront scandalisées de voir une autre femme, et surtout une belle femme comme vous, s'acharner sur ce pauvre garçon si séduisant; je m'excuse, Diana, mais c'est comme ça dans la vie moderne. En conclusion, je pense que l'envie est un sentiment très fort, mais pas assez pour nous faire gagner un tel procès.

— Cette affaire n'a rien à voir avec l'envie! protesta-t-elle vivement.

— Ah non? Leo s'emporta comme il ne l'avait jamais fait. Et avec quoi alors? Nous n'en parlerions même pas si votre cible n'était pas une célébrité que les médias se feraient un plaisir de couper en petits morceaux et à qui le public ne peut qu'envier sa fortune! Allons donc, Diana, vous n'êtes quand même pas aussi naïve!

— Je n'éprouve aucune envie à son égard, moi!

— Alors, c'est que vous ne comprenez pas très bien les émotions humaines, ni celles des jurés, ni même les vôtres. Je voudrais bien coincer ce riche salopard moi aussi, Donny, mais sans une preuve irréfutable, ce serait suicidaire. Nous ne pouvons pas nous permettre de prendre le risque. Vraiment pas.

— Je ne peux pas permettre à mes services de dépenser l'argent du contribuable inconsidérément. Comme toutes les déclarations de Donny, celle-ci semblait conçue pour une conférence de presse.

— Mais je ne suis pas convaincue de notre faiblesse dans cette affaire.

— Ecoutez Diana; Leo se laissa retomber dans son fauteuil. Supposons que vous soyez l'un des jurés : au départ, vous trouvez Clarke trop beau garçon, trop riche, trop gâté par le destin; vous voulez le mettre en prison. Puis, influencée par d'habiles avocats, vous commencez à vous poser des questions : par exemple, que vaut le témoignage d'un vieil escroc comme Broddy Considine? Vous entendez le ton ironique du juge Kane – et nous risquons fort de tomber sur elle – et vous finissez par avoir des doutes. Alors, vous votez « non coupable ». Et Donny se retrouve dans une soupe très, très chaude.

— Au moins, nous aurions rendu sa vie un peu moins agréable.

— La différence entre nous, Diana, c'est que j'admets, moi, que je l'envie, riposta Leo Martin.

— Il ne s'agit pas de discuter d'envie. Roscoe tapa du poing sur sa table. Il s'agit d'efficacité. Je ne peux pas justifier une telle dépense si nous ne sommes pas sûrs de notre coup.

— Que nous faut-il, Leo? Diana pressa ses tempes du bout de ses doigts.

— Le corps du délit.

— C'est-à-dire?

— L'argent. Les deux cent mille dollars qu'il aurait reçus au restaurant. Si vous trouvez ça, ou au moins la preuve qu'il a existé, vous pouvez foncer.

— Je le trouverai, promit-elle d'un ton amer. Je ferai tout pour ça.

Un peu plus tard, de retour dans son bureau, elle essayait de se remettre de cette séance épuisante quand le téléphone sonna.

Le son de sa voix agit sur son cerveau comme un choc électrique.

— Je ne suis pas de bonne humeur aujourd'hui, Conor.

— C'est pour ça que je t'appelle. Tu es fatiguée, tu ne manges pas bien, tu perds du poids, tu travailles trop et, en plus, tu ne dois pas dormir suffisamment...

— D'accord, le coupa-t-elle d'un ton sec. Je sais que je me suis endormie hier soir pendant *Eugène Onegin*. Trop triste, de toute façon, cette musique russe.

Et après le concert, elle avait eu du mal à garder les yeux ouverts tandis que Maestro Bartoletti lui avait baisé la main avec une élégance toute florentine, en félicitant Conor de sa beauté, dans un italien fleuri.

Oh, je t'en supplie, mon chéri, prends-moi dans tes bras et protège-moi de tous ces gens.

— Ou tu ne fais pas assez d'exercice, ou alors c'est le fait de ne pas me voir. En tout cas, j'ai l'intention de régler les deux problèmes en te donnant une leçon au squash demain midi au East Bank Club.

— Je te battrais facilement, mais je ne peux aller dans ce club.

— Alors, nous n'en parlerons à personne. Midi moins le quart dans le hall d'entrée. Salut.

Elle se prit la tête entre les mains. Il fallait qu'elle prépare sa rencontre de l'après-midi avec Broddy Considine. Mais le souvenir de la voix chaleureuse de Conor, de ses bras protecteurs, l'empêchaient de penser à rien d'autre.

Graduellement, elle réussit à chasser ces pensées de son esprit et prit son fidèle journal.

Je ne jouerai pas au squash avec lui demain. Je ne le reverrai plus jamais. L'enquête est terminée. Je n'ai plus aucune raison de le voir.

39

Le purgatoire, pensa Diana, consistait probablement à passer une journée entière avec Broderick Considine, son parfum English Leather, ses phrases pompeuses et sa fausse bonhomie.

— Vous devez comprendre, Mademoiselle Lyons, qu'il y a certains, euh, avantages qui attirent un homme vers la carrière politique. Ces... émoluments étaient considérés chose normale en d'autres temps. J'ai toujours dit, d'ailleurs, que le comté était mieux gouverné en ces autres temps. Aujourd'hui, nous avons des réformistes, c'est cela que nous avons. Il ajusta l'une de ses bagues de diamant, une chose qu'aucun réformiste n'aurait osé porter. J'ai toujours prétendu qu'on ne pouvait pas avoir à la fois un bon gouvernement et un gouvernement efficace. Au moins, à l'époque dont je parle, on avait un gouvernement efficace.

La nausée qui tourmentait son estomac, le dégoût qui l'envahissait, ne lui permit pas de recourir au genre de circonlocutions qu'on utilisait normalement avec un personnage aussi tortueux que Broddy Considine.

— Qu'a fait Conor Clarke de cet argent, Monsieur Considine?

— Ce qu'il en a fait, Mademoiselle Lyons? Ses yeux reflétèrent son incrédulité de s'entendre poser une question aussi directe. Eh bien, il l'a compté et il l'a mis dans sa mallette. Qu'aurait-il pu en faire d'autre?

— Je serai très franche avec vous, Monsieur Considine. Nous sommes sur le point de laisser tomber l'affaire Clarke, faute de preuves. Ce qui signifie que votre coopération ne nous serait plus d'aucune utilité, avec les conséquences que vous pouvez aisément imaginer. Je ne souhaite pas que cela se produise. Mais il faut que je trouve cet argent, ou au moins ce qu'il en a fait. Suis-je suffisamment claire?

Les mains de l'homme tremblaient tandis qu'il s'allumait un petit cigare.

— Très claire, Mademoiselle Lyons, parfaitement claire... Voyons... Il exhala une fumée âcre. Pire que son parfum.

— Eh bien, il a compté l'argent – nous étions dans un salon privé du restaurant Phil Schmid – et il l'a mis dans sa mallette. Ensuite, il a dit... je vais essayer de me souvenir des mots exacts... il a dit : "Je vais planquer ça", c'est exactement ce qu'il a dit, "planquer ça dans une de mes cachettes de gamin". C'est ce qu'il a dit, Mademoiselle Lyons. Et Dieu m'est témoin que c'est tout ce que je sais.

— Ça pourrait aider, dit-elle lentement, ça pourrait aider.

— J'ai eu l'impression que ce n'était pas très loin. Peut-être quelque part du côté des dunes.

— Merci, Monsieur Considine. Vous m'avez été d'un grand secours.

40

Conor l'attendait dans la salle de squash qu'il avait réservée.

— Est-ce vrai, ce qu'on dit sur le vestiaire des femmes?

— Je ne sais pas. Que dit-on? Elle le laissa l'embrasser sur la joue. Les choses auraient été bien plus faciles s'il n'avait pas été aussi beau.

— Que les femmes s'y baladent toutes nues, sans le moindre vêtement.

Elle fit mine de le frapper avec sa raquette.

— De quoi exciter ton imagination d'adolescent attardé. Maintenant que tu as exprimé tes obsessions, pouvons-nous jouer au squash?

C'était toujours la même chose : d'abord elle se sentait coupable dans sa transition de Diana I à Diana II; puis, elle se détendait soudain et devenait aussi hédoniste que lui.

— Mon obsession il lui donna un petit coup de raquette sur le derrière est ici même avec moi. Et sans sa chemise en plus.

Sa brassière de sport était soulignée de bleu et de blanc, ce qui en faisait une arme parfaite pour distraire un adversaire du sexe masculin.

— Joue, ordonna-t-elle en lui rendant son coup de raquette.

— Aïe! La reine des pirates est d'humeur batailleuse aujourd'hui!

— Effectivement. Joue.

Le squash est plus un sport de vitesse et d'agilité que de force physique. Mais Conor, qui avait décidé de gagner, était en meilleure forme qu'elle et gagna vingt et un à seize.

— Tu en as assez?

— A moi de servir, répliqua-t-elle d'un ton brusque.

Cette fois, ils jouèrent en silence, sans se faire de concessions, se bousculant mutuellement, chacun évitant de justesse la raquette de l'autre.

Diana gagna vingt et un à dix-neuf.

Haletant, Conor s'adossa contre un mur.

— Match nul. Je suppose que tu voudras en rester là?

Elle avait l'impression que sa poitrine allait éclater.

— Il n'en est pas question. Sers!

La partie devint violente, dangereuse même. Chaque point était arraché de haute lutte. Elle le poussa furieusement et le fit tomber.

— Salaud! Tu as voulu m'empêcher de frapper la balle!

— Sers, grogna-t-il.

Ce fut à son tour de la faire tomber.

— Tu l'as fait exprès!

Il eut un sourire mauvais.

— Voilà bien une réaction d'Irlandaise, et pas d'Italienne. Toi, tu es innocente, bien sûr!

— Sers, ordonna-t-elle.

Petit à petit, Diana le distança. Elle jouait mieux que lui. Si elle se tenait en forme, elle serait toujours meilleure que lui.

Toujours. Une notion absurde puisqu'ils n'avaient pas d'avenir ensemble.

Elle gagna vingt-et-un à quinze.

Conor frappa le mur de sa raquette.

— Bon sang! Tu m'as fait tomber exprès!

— Pas vrai. Tu t'es bel et bien fait battre par une femme.

— Une femme qui veut tellement gagner qu'elle ne recule devant aucun moyen. Un rictus sur le visage, il avança sur elle, brandissant sa raquette comme une massue.

Elle ne bougea pas.

— Tu m'as fait tomber, toi aussi. Tu agis comme un petit garçon gâté.

Elle pensa qu'il allait la frapper. Ses yeux bleus étaient durs et étincelants de rage. Elle leva sa raquette pour se défendre.

Mais Conor lança sa raquette contre un mur et éclata de rire.

— Conor Clarke, le plus grand playboy de l'Occident, n'est qu'un mauvais perdant! Tu as raison, démoniaque Diana, je suis un petit garçon gâté.

Au lieu de la frapper, il la prit dans ses bras et l'embrassa sauvagement. Elle répondit avec autant de violence, pensant que leur étreinte sous l'aurore boréale était presque chaste par rapport à celle-ci. Elle détourna la tête un instant pour respirer.

— Aurais-tu l'intention de me violer ici, dans la salle de squash?

— Merveilleuse idée. Il reprit sa bouche avec passion. Puis ses lèvres descendirent vers ses seins, repoussant l'étoffe de la brassière.

Je me fiche pas mal qu'on nous surprenne, pensa-t-elle confusément.

Finalement, alors qu'elle pensait qu'ils ne pouvaient plus reculer, ils se séparèrent.

— C'est ainsi que tu réaffirmes ta supériorité quand une femme te bat au squash? demanda-t-elle, haletante.

Conor ramassa les deux raquettes.

— J'aurais fait la même chose si j'avais gagné. Tu me plais tant que je ne peux pas m'en empêcher.

— Va prendre une douche froide. Je crois que tu en as besoin.

Plus tard, ils se retrouvèrent dans le bain tourbillon. Elle s'adossa confortablement contre sa large poitrine et il la serra dans ses bras, la protégeant une fois de plus contre les attaques du monde extérieur.

— Restons comme ça jusqu'à la fin des temps, proposa-t-il.

— Tu sais, j'ai eu peur de toi tout à l'heure. J'ai vraiment cru que tu allais me frapper.

— Je m'excuse si je t'ai fait peur. Je ne pourrais jamais te faire de mal; tu devrais le savoir maintenant.

— Mais tu semblais si furieux... Pourrais-tu... pourrais-tu tuer un être humain?

— Je ne l'ai jamais fait. En serais-je capable? Je suppose que oui, pour défendre ma famille, si j'en avais une. Je t'ai dit que j'avais mauvais caractère. C'est le ressentiment contre mes parents. Contre ma mère surtout, selon Naomi. Mais je leur ai plus ou moins pardonné; j'essaye en tout cas. Je ne suis peut-être pas fait pour l'intimité. Je dois dire, à ma décharge, que mes colères ne durent pas. Et elles se terminent presque toujours de la même façon : je me moque de moi-même.

— Je vois. Elle se serra plus étroitement contre sa poitrine.

— Tu crois que je ne suis pas fait pour l'intimité?

— Qui peut répondre à une telle question? Tu embrasses passionnément, mais moi aussi après tout. Et tu as toujours été doux avec moi.

— Une réponse merveilleusement évasive. Tu me rappelles notre ami commun Broddy Considine, mais je te remercie quand même.

Un peu plus tard, tandis qu'ils mangeaient une salade au bar, elle lui posa sa question de Judas, trahissant l'homme qu'elle venait d'embrasser avec autant de passion.

— Quand tu était petit, cachais-tu des choses? Je veux dire pour que tes parents ne les trouvent pas?

— Encore un point commun entre nous, hein? Comme ton Papa et le train? Effectivement, j'avais des tas de cachettes, à Beverly, où était notre maison, à Long Beach aussi, et même dans notre maison de Floride. Je dois te dire que mon père était vraiment spécial : il me prenait des choses pour les cacher, probablement parce qu'il pensait que ma mère n'était pas assez stricte. Alors, quand je savais qu'il venait, je cachais mes trésors.

— Et tu faisais encore ça quand tu étais adolescent?

— Jusqu'à sa mort, quand j'étais étudiant. Tu te souviens de la maison dont je t'ai parlé près de Long Beach?

— Je ne l'ai pas vue; mais nous sommes passés à côté, je crois. C'était ça. Le corps du délit. Dieu me pardonne!

— C'est ça. Elle était fermée... voyons... il y a onze ans de ça maintenant. J'ai trouvé une clé et j'y cachais mes disques de rock, ma bière et ma batterie, parce que je jouais de la batterie à cette époque-là. Nous y avons même fait une fête un peu bruyante une fois; la police est venue... mais je t'ai déjà raconté ça. C'est bizarre, mais il n'aurait jamais pensé que j'étais assez futé pour avoir ce genre d'idée.

Alors, Diana l'entendit prononcer leur condamnation :

— Enfin, tout ça est fini maintenant et je ne m'en suis pas trop mal sorti. En plus – il lui donna un baiser, très chaste cette fois – je ne suis plus seul; je t'ai.

Sur le chemin de l'immeuble Dirksen, elle se promit de ne pas utiliser cette information. L'enquête était terminée; il valait mieux laisser tomber.

41

Ce fut un baptême joyeux et sans protocole.

Geraldine Diana Delaney était un bébé particulièrement laid. Chauve, grasse et rouge, elle faisait d'horribles grimaces au monde extérieur chaque fois qu'elle daignait en reconnaître l'existence. De plus, elle décida qu'elle n'avait aucune raison de se réveiller pour son baptême.

— Elle est adorable, s'exclama la grand-mère maternelle. Tout à fait Maryjane au même âge.

— Oui, et Maryjane était aussi tranquille qu'elle, ajouta le grand-père. Le bébé le plus tranquille du monde.

— Mais elle s'est rattrapée depuis, n'est-ce pas Gerry? demanda Conor à l'heureux papa.

— Conor, tu es totalement insupportable. Je crois que nous devrions trouver un autre parrain pour cette pauvre Géraldine.

— D'accord, mais rends-moi la robe alors!

— Nous célébrons aujourd'hui, commença le jeune prêtre, la pérennité de la vie. Cette petite fille représente le premier fruit de l'amour entre son père et sa mère et l'ingéniosité de Dieu à faire durer cet amour jusqu'à la fin des temps. Nous la lavons avec les eaux du baptême parce que l'eau est la source de la vie. Elle est à la nature ce que l'amour humain est à l'esprit : la garantie que rien ne peut se mettre en travers de l'amour que Dieu éprouve pour nous.

Ce petit être a de la chance, se dit Conor; ses parents s'aiment; elle est Américaine; et sa famille ne risque pas d'être jamais dans le besoin.

Et sa marraine, dans sa robe blanche, était l'une des femmes les plus belles de la terre. A en juger par l'admiration avec laquelle cette dernière regardait sa filleule, il était évident qu'elle rêvait de posséder elle-même un de ces petits jouets vivants.

Il va falloir que je prenne des mesures dans ce sens, pensa Conor. Pâques serait un bon moment pour mettre ce projet en marche.

42

Geraldine Diana Delaney se réveilla quand le prêtre versa quelques gouttes d'eau sur sa tête. Les enfants qui entouraient le baptistère gloussèrent de joie, car ils avaient parié que le bébé pleurerait lors de son entrée dans l'Eglise.

Mais Diana lui parla tout doucement et l'enfant, rassuré, se rendormit aussitôt.

Si seulement Conor pouvait cesser de me fixer comme si j'étais une madone.

Cela dit, je dois admettre que je me suis habillée ainsi pour lui plutôt que pour n'importe qui d'autre.

Il me le faut, et il me le faut bientôt.

Et après, il me faudra un petit être comme toi, mon petit bébé. Un enfant à moi.

43

— Tu vois cet immeuble, le quatrième là? Devine ce qui se trouve derrière.

Ils déjeunaient au Ciel Bleu, tout en haut du Mayfair Regent, et la libido de Diana faisait des siennes depuis quelques instants. Elle se força à sortir de sa dangereuse rêverie pour répondre à Conor :

— State Parkway, Ritchie Court, Astor Street.

— Mange ta salade de fruits, insista Conor. Qu'est-ce qu'il y a? Elle n'est pas bonne?

— Si, parfaite. J'étais perdue dans mes pensées.

Parfait. Tout était parfait au Ciel Bleu. Conor avait un goût parfait en matière de restaurants, de musique, d'art, de bateaux. Comment était-il comme amant?

Délicat, raffiné et passionné. Il devait aussi être capable d'exciter une femme au point où elle se laisserait complètement aller, avec décadence et abandon.

Oh, comme j'aimerais m'abandonner. Comment est-ce? Saurais-je seulement quoi faire?

— Alors? la pressa Conor. Tu n'as pas encore deviné ce qu'il y a sur Astor Street.

Non, et je ne veux pas deviner.

— Je suppose que tu as finalement quitté cet horrible appartement... et que tu t'es acheté une maison quelconque.

— Une maison quelconque...

— Bon, disons un palais, alors. Les hommes riches ont le droit d'avoir un palais, n'est-ce pas? Hugh Hefner a bien un Playboy Club.

— Je ne suis pas un playboy, Diana. Le pauvre garçon paraissait vexé. Tu devrais le savoir, depuis le temps.

— C'est vrai. Elle effleura sa main et se sentit comme électrisée. En fait, tu es un hypocrite d'un genre nouveau : bien meilleur que ce que tu prétends être.

— Attention! Il lui serra le bout des doigts mais les relâcha aussitôt. Je vais finir par être canonisé.

— Ça m'étonnerait.

— Tu veux voir ma nouvelle maison?

— Et le train électrique aussi?

Il trouva cela très drôle. Pauvre garçon, a-t-il envie de moi, lui aussi? Pas autant que moi de lui. Il a l'habitude. Moi pas.

— Je ne suis pas encore vraiment installé, mais la maison commence à être comme je la veux. Et puis c'est un très bon investissement. Dans un an ou deux, je pourrai faire facilement un quart de million de dollars. Avec ce genre de propriété, il faut savoir attendre.

Elle repoussa sa coupe de salade de fruits.

— Donc tu a fais un investissement, au lieu d'acheter un chez toi?

— Etes-vous en train de vous moquer de moi, Mademoiselle?

— Oui.

— C'est bon à savoir... Tu aimerais la voir?

— Quand?

— Cet après-midi, si tu es libre...

Dis oui, oui, oui, criait son corps.

— J'ai beaucoup de travail en retard, tenta-t-elle. Nous venons d'abandonner une affaire qui semblait prometteuse.

Oui, le procès des Etats-Unis d'Amérique contre Conor Clement Clarke est à l'eau avant d'avoir commencé. Sauf si j'obtiens un mandat pour perquisitionner dans ta vieille maison.

— Après tout le vin que tu as bu, tu auras du mal à travailler. Une bonne marche te fera du bien.

— J'en doute.

— Je te conseille d'appeler ton bureau et de leur dire que tu as rencontré un suspect qui t'a fait des propositions malhonnêtes et...

— Conor!

— Tu peux prétendre qu'elles sont malhonnêtes, non?

— J'aimerais voir ta maison. Je peux toujours appeler Shelly et voir s'il y a quelque chose d'urgent.

Il n'y avait rien d'urgent. Et Shelly la couvrirait pendant qu'elle s'occupait d'une « affaire personnelle ».

Pour un grand nombre de ses collègues, cette expression aurait signifié une sieste crapuleuse. Mais la vertu de Diana était si indiscutable que personne ne l'aurait soupçonnée d'une chose pareille.

Tandis qu'elle tentait de conserver un air digne en retournant jusqu'à la table de Conor, elle se dit que cette réputation commençait à lui peser.

44

S'attend-elle à ce que nous fassions l'amour? se demandait Conor alors qu'ils marchaient bras dessus, bras dessous dans l'air frais de novembre.

Il me semble qu'elle me serre de bien près pour cette température. Bien sûr, j'en aurais très envie, et ce serait une parfaite façon de pendre la crémaillère. Mais ça me fait peur aussi.

Conor n'était pas un amant aussi expérimenté que l'on aurait pu imaginer en lisant les journaux ou ses poèmes érotiques. De plus, il n'avait jamais connu de femme comme Diana, qui risquait, une fois initiée, de devenir aussi exigeante que satisfaisante au lit.

Bien sûr, il va falloir en arriver là un jour. Mais aujourd'hui?

— Tu rêves?

— Hein? Non, je pensais; ça m'arrive, tu sais.

— Avec une femme à ton bras?

— Avec une très belle femme à mon bras, oui. Ça facilite la réflexion.

— Tu parles.

— Et voici ma demeure. Ils s'arrêtèrent devant une grosse maison de style victorien qui aurait pu sortir d'un livre de contes.

— Les fantômes sont compris?

— Il faut les acheter à part et, en plus, ils n'ajoutent rien à la valeur de revente. Mais il y a des pièces secrètes et des escaliers cachés. Tu veux voir l'intérieur?

— La visite est gratuite?

— Plus ou moins. C'est gratuit pour entrer. Il faudra peut-être payer un petit quelque chose pour ressortir.

Il ouvrit la grille, qui grinça, comme on pouvait s'y attendre. En haut du grand escalier, il dut s'appuyer sur la lourde porte de chêne pour l'ouvrir. Elle grinça elle aussi.

— J'ai commandé les grincements pour l'ambiance. C'était plus cher, mais je pense que ce sera un bon investissement.

— Conor! s'exclama-t-elle en voyant les chandeliers de cristal, les boiseries, le mobilier antique et les tapis persans. C'est magnifique!

— Tu n'es pas offensée? demanda-t-il, mal à l'aise.

— Pourquoi le serais-je...? Oh! par le prix? Elle éclata de rire. Je suis sûre que tu pourrais m'expliquer comment chaque article affectera la valeur de revente. Nous ne parlons pas de consommation ici, c'est un investissement, n'est-ce pas?

Il l'aida à retirer son manteau.

— Tu ne vis pas encore ici?

— Pas encore. Je ne viens ici que pour harceler les ouvriers. Il n'y a personne aujourd'hui. Je viens pour nager aussi.

— Nager?

— C'est seulement une petite piscine, dit-il très vite. Dans le sous-sol. Mais elle est utile quand on veut nager au milieu du mois de novembre.

— Délicieusement décadent! Elle regarda autour d'elle. Et l'orchestre, tu le caches? Pourquoi ne joue-t-il pas en mon honneur?

— Un instant, Votre Altesse. Il passa dans une petite niche qui contenait le système haute fidélité et poussa un bouton qui permettait d'entendre la musique dans toutes les pièces de la maison.

— Mozart. Voilà qui est mieux. Que voyons-nous ensuite?

— L'endroit favori de la femme : la cuisine. Elle devrait te... Diana fit mine de lui envoyer un coup de poing qu'il esquiva.

Il aurait pu saisir son poing et l'attirer dans ses bras. Mais, déconcerté par l'attitude de Diana, Conor évitait tout contact physique.

La véritable épreuve aurait lieu dans la chambre à coucher.

45

Diana se sentait comme dans un rêve, amoureuse de lui, amoureuse de la maison, de l'odeur de cire, amoureuse de l'amour.

Elle aurait dû être scandalisée par cet étalage de richesse. Elle aurait dû penser à l'impossibilité de leur situation. Elle aurait dû lui dire qu'elle ne pourrait pas être la maîtresse de céans, ce qui était de toute évidence son idée.

Mais elle était incapable de raisonner, incapable de discuter, comme une collégienne amoureuse d'un garçon plus âgé, à qui elle n'a jamais osé parler.

Je vais devenir folle si nous ne faisons pas l'amour cet après-midi, se dit-elle. Grand Beach, le bateau, la salle de squash, il aurait pu m'avoir à chaque fois, et pourtant il n'a rien fait. Maintenant, je veux qu'il me fasse l'amour comme je n'ai jamais rien voulu de ma vie. Est-ce qu'il s'en rend compte? Devrais-je essayer de le séduire? Je ne saurais même pas comment m'y prendre.

Toutes ces questions la tourmentaient, mais en même temps, elle y prenait plaisir, tandis qu'elle visitait son palais, effleurant les meubles, admirant les peintures, rivalisant d'esprit avec lui, lui concédant comme à regret un certain bon goût.

Elle était sûre qu'il allait la déshabiller dans la chambre à coucher. Elle essaya de se préparer mentalement. Il ne faut pas que je me comporte comme une vierge effarouchée. « Si tu te donnes à quelqu'un, lui avait dit Mamma, il faut le faire généreusement ».

Ce qui est sûr, c'est que je vais faire de mon mieux.

— La chambre à coucher des maîtres, annonça-t-il. Deux boudoirs et deux salles de bains, pour ceux qui aiment la solitude. Confortable et pratique.

— Pour faire une partie de basketball. En fait, tu pourrais coucher toute une équipe de basketball dans ce lit.

— Il y a de la place.

— On pourrait facilement perdre une épouse dans un tel lit.

— Un mari aussi.

— Une fenêtre en vitrail, comme à l'église.

— Le summum de la décadence : faites l'amour à l'église. Il éteignit la lumière et se dirigea vers la porte. A propos de décadence, aimerais-tu voir la piscine?

— Bien sûr, dit-elle. J'espère que je n'ai pas l'air trop déçue. Je n'aurais jamais cru ressortir de cette pièce avec ma virginité.

Ils prirent l'ascenseur pour descendre à la piscine.

— J'avoue que c'est un luxe superflu, dit Conor en appuyant sur un bouton pour ouvrir la porte. Mais il était là et ça aurait coûté une petite fortune de l'enlever.

— Et ça aurait réduit la valeur de revente. Elle sortit de l'ascenseur. Oh, mon Dieu! C'est vraiment de la décadence! Et Mozart est ici aussi!

La piscine était nettement plus grande qu'elle n'avait imaginé : elle mesurait environ quinze mètres de long et cinq de large. Toute une batterie d'appareils de culture physique étaient alignés contre un mur. De l'autre côté, il y avait des chaises longues et plusieurs matelas pneumatiques. Les murs étaient couverts de photos éclairées par derrière, qui donnaient l'impression très réaliste qu'on se trouvait au bord d'un lac ou sur une plage.

— Aucune excuse pour ne pas être en bonne forme ici.

— Sauf si on est vraiment paresseux. Elle s'agenouilla sur le bord de la piscine et mit une main dans l'eau. Une température inexcusable, Conor.

— Seulement trente degrés. Quand on est décadent, il faut aller jusqu'au bout.

— Cette eau me paraît effectivement tentante.

— J'aurais dû te dire d'apporter ton maillot de bain.

C'est maintenant ou jamais, pensa-t-elle.

— Pas besoin de maillot ici. Elle défit le premier bouton de sa robe. A moins d'être prude; et nous savons tous les deux – elle rit – que je ne suis pas trop prude, n'est-ce pas?

— Exact. Ses yeux s'agrandirent quand elle arriva au troisième bouton.

Ça t'apprendra, se dit-elle. Elle essayait de défaire sa ceinture, mais ses doigts semblaient avoir perdu toute sensibilité. Que vais-je faire maintenant? Je ne peux pas revenir en arrière.

— La séductrice a perdu son aplomb, Conor. Peux-tu m'aider?

— Avec grand plaisir. Il défit la ceinture et les autres boutons, puis l'aida à enlever sa robe, avec autant de courtoisie qu'il l'avait aidée à enlever son manteau, en arrivant.

Alors seulement, il la prit dans ses bras et l'embrassa avec une délicatesse pleine de fougue.

Son cœur battait à tout rompre, elle avait la gorge sèche et le sang battait à ses tempes. Elle ressentait un mélange de crainte, de honte et de désir. Ne panique pas maintenant. Surtout, n'oublie pas : il faut que tu sois généreuse.

— Ne crains rien, Diana, lui dit-il doucement. Je ne te ferai pas de mal.

— Je sais, murmura-t-elle. J'ai confiance en toi, Conor. Complètement. Fais ce que tu veux.

Tandis que se déroulait le rituel, aussi vieux que l'humanité et pourtant toujours aussi nouveau, elle réalisa que Conor n'était pas l'amant expérimenté que présentaient les journalistes. Ses doigts tremblaient en défaisant l'agrafe de son soutien-gorge et il eut du mal à se sortir de la complexité de ses autres dessous. Mais cela n'avait aucune importance; il était doux et attentionné.

Première leçon, Diana Lyons : l'amour et la douceur sont plus importants que l'expérience.

Quand elle fut entièrement nue, elle eut d'abord envie de se couvrir de ses bras. Quelle ingratitude! Elle se força donc à rester bien droite, les bras le long du corps.

— J'espère que tu n'es pas déçu. Elle essayait de garder un ton léger, comme si elle avait l'habitude d'être nue devant des hommes.

— Tu feras l'affaire. Il lui sourit; pas un sourire lubrique, ce qui aurait été son droit, mais au contraire, un sourire d'admiration et d'approbation. Au moins tant que la Vénus de Milo ne viendra pas faire un tour ici. Et je te trouverais quand même mieux qu'elle, parce que tu as des bras.

— Merci. Elle ravala sa salive. Attention Diana, ne perds pas la tête maintenant. En fait, tu aimes ce premier contact avec le monde de la luxure.

— Nous avons quelques petites dispositions à prendre avant d'aller nager, n'est-ce pas? Il semblait lui demander sa permission. Quel homme adorable; je suis folle d'amour pour lui. Que dois-je faire maintenant?

— D'abord, il nous faut un homme nu, et tu sembles être le seul homme disponible ici. Elle défit sa ceinture puis lui enleva son chandail à col roulé. "Il n'y a pas de raison pour que les femmes soient toujours passives," avait dit Mamma un jour. Je suis d'accord, Mamma; voyons si ça marche.

— Te voilà bien provocante, femme, fit-il quand elle lui retira sa chemise.

— Silence; je n'ai pas fini. Eh bien, si je suis Vénus, je dirais que tu ressembles à David, en un peu plus vieux, encore que tu aies probablement d'autres choses en tête que lui.

C'est moi qui dis des choses pareilles? Non, ce n'est pas possible. Tout à coup, ses doigts cessèrent de lui répondre. Que faire? Je lui dis.

— Conor, je crois que je perds courage. Aide-moi. Je t'en prie.

182

Il la prit dans ses bras et entreprit de l'aider. Ses mains se mirent à explorer son corps, ses seins, son ventre, ses reins, touchant, caressant, exigeant. Il semblait connaître ses moindres désirs, ses moindres fantasmes, ses moindres besoins. Quand ses lèvres succédèrent à ses mains, Diana n'eut plus besoin de penser à être généreuse; elle devint la générosité même, lui offrant son innocence et sa passion, avec tout l'amour et toute la sensualité dont elle était capable.

Il la coucha sur l'un des matelas pneumatiques et poursuivit l'assaut de son intimité avec encore plus de ferveur et d'habileté.

Je n'ai plus aucun secret pour lui, pensa-t-elle tout en lui criant son amour entre deux profonds soupirs de désir.

Après une éternité de préparatifs, il la pénétra enfin, doucement et facilement, et ils partirent ensemble à l'assaut du dernier sommet de l'amour. Le spasme de joie et le cri de triomphe qui leur échappèrent en même temps exprimaient plus une victoire que le paroxysme du plaisir. Nous avons réussi!

Ce sera toujours ainsi, pensa confusément Diana. Je n'aurai plus jamais besoin de m'inquiéter de quoi que ce soit.

46

Tandis que l'ascenseur redescendait lentement de la cuisine à la piscine, Conor tentait de maintenir en équilibre une bouteille de champagne dans son seau à glace, tout en retenant la serviette qu'il avait nouée autour de ses reins et qui tentait obstinément de glisser à terre.

Quelle pruderie absurde, se dit-il. Rattrapant de justesse le seau à glace, il sortit maladroitement de la cabine.

Diana était étendue, complètement nue, sur le matelas qui avait été leur lit d'amour. Elle était profondément endormie et semblait à la fois lascive et innocente. Conor fut tellement captivé à sa vue qu'il faillit de nouveau laisser tomber le seau à glace. Des courbes fermes, féminines, régulières; une femme athlétique et solide, mais en même temps fragile et vulnérable.

Comme je l'aime; je n'aurais jamais pensé que je pourrais aimer quelqu'un autant.

Il était satisfait de lui-même. Ce n'était pas un acte particulièrement remarquable, se disait-il, que de déflorer une vierge; mais pour le faire de telle façon qu'elle en conservait un souvenir agréable, il fallait une maîtrise et une sensibilité qu'il n'aurait jamais pensé avoir. Le sourire heureux sur les lèvres endormies de Diana semblait vouloir lui confirmer qu'il avait bien fait cela.

Mais en parlant de compliments, se dit-il, elle en méritait certainement beaucoup plus que lui. En effet, il n'aurait jamais réussi à produire ce sourire de contentement si elle ne s'était pas donnée à lui avec autant d'abandon : je suis à toi, j'ai confiance en toi, fais de moi ce que tu veux, absolument n'importe quoi.

Un don aussi total était déjà rare de la part de n'importe quelle femme. Mais venant de la sévère Diana, il avait été totalement inattendu. L'influence de Mamma, probablement. Ce qui augure bien de notre relation pour les années à venir.

Le bruit du bouchon de champagne ne la réveilla pas.

Nous pouvons parfaitement passer l'après-midi à dormir dans notre nouvelle maison.

Il toucha ses cheveux, puis son visage du bout des doigts. Elle ouvrit les yeux et lui sourit.

— Je t'aime, Conor, murmura-t-elle. Merci de m'aimer aussi.

— Buvons à cela. Il lui tendit une coupe de champagne.

— Tu veux m'enivrer pour me séduire de nouveau? Elle tendit la main vers le verre, chacun de ses mouvements le remplissant d'admiration.

— Voilà qui est une excellente idée. Il leva son verre. A notre avenir.

Elle se trémoussa pour s'asseoir, tout à fait à l'aise malgré sa nudité. Conor pensa que sa serviette devait paraître ridicule. Mais il ne pouvait pas non plus l'enlever : il aurait eu l'air encore plus ridicule.

— Nous célébrons aujourd'hui notre mariage officieux, dit-il en lui touchant un sein. Nous en aurons un officiel bientôt.

Sa main resta sur son sein, chaude, ferme, rassurante.

— J'espère que je ne t'ai pas déçu?

— Tu devrais connaître la réponse.

— Je crois que oui. C'est difficile à comprendre. Tu essaies de me séduire de nouveau, n'est-ce pas?

— Tu n'as rien contre, j'espère? Il sentit le bout de son sein se durcir.

— Seulement quand nous aurons fini notre champagne et que nous aurons utilisé cette piscine pour ce qu'on doit normalement y faire. Elle prit une gorgée de champagne. Oh, Conor...

Ses lèvres avaient pris possession de la pointe de son sein et son autre main, après avoir déposé la coupe de champagne en lieu sûr, avait disparu entre ses cuisses.

184

— Je pense que nous devrions nager d'abord. Elle n'essaya pas de se retirer. Bois ton champagne; il ne durera pas; moi si.

— D'accord. Il reprit son verre, mais laissa son autre main sur son sein.

— Tu as finalement obtenu ce que tu voulais sur le terrain de golf – elle lui sourit par-dessus son verre – moi sans vêtements et sous toi.

— Ce n'est pas la seule position dont je me souvienne; et j'ai l'impression que tu as eu ce que tu voulais toi aussi. Elle veut plaisanter et voilà que je suis sérieux. Devine qui va gagner.

— Je ne dis pas le contraire. Elle lui tendit sa coupe vide. Par contre, je ne suis pas d'accord avec cette serviette. Elle la lui retira. Pas de pruderie dans ce nid d'amour à piscine.

— Je ne t'ai jamais vue aussi heureuse, dit-il en jouant avec son sein.

— C'est parce que je n'ai jamais été aussi heureuse, idiot. Elle lui prit son verre. Viens, allons jouer.

Conor se sentit projeté dans sa propre piscine sans aucune douceur et avec un total manque de respect pour son statut d'initiateur de vierges. Il remonta à la surface juste à temps pour voir une grande femme nue exécuter un plongeon parfait, remonter juste à côté de lui, puis replonger vers ses chevilles.

Avant qu'il puisse lui échapper, elle l'avait projeté hors de l'eau, où il retomba sans élégance. Voilà comment elles vous remercient d'avoir assouvi leurs passions.

Diana voulait jouer; elle semblait surtout vouloir qu'il se défende. Il fit donc ce qu'on attendait de lui.

Le jeu consistait à attraper la fille. Ce n'était pas un jeu facile, car la fille en question, éminemment digne d'être capturée, était forte, grande, glissante et décidée. Elle était aussi capable de traiter son seigneur et maître avec une désinvolture totale. En fait, le jeu était conçu pour qu'il finisse par gagner quand elle aurait décidé que le moment était venu et qu'il puisse enfin faire de sa captive tout ce qu'il pouvait avoir en tête.

Malgré tout le plaisir qu'elle avait eu à faire don d'elle-même, Diana Marie Lyons ne s'épuisait pas facilement.

— Tu n'as pas honte de traiter ainsi ton amant dévoué? lui dit-il, haletant, quand il réussit enfin à la coincer à une extrémité de la piscine.

— Si, répondit-elle vivement, avant de feinter et de se glisser sous son bras droit en lui poussant la tête sous l'eau au passage.

Il finit par la capturer, ou plutôt elle se laissa capturer contre le mur du gymnase.

Elle s'abandonna dans ses bras.

— Je me rends, Tarzan.

D'espiègle, elle devint fragile, vulnérable, une transformation qui suffit à faire craquer Conor. Il la tint dans ses bras, écoutant avec bonheur les battements de son cœur.

— Je crois bien que je ne serai jamais gagnant à ce jeu, Diana, mais ça ne fait rien. Je t'aime.

— Je t'aime aussi. Son corps humide se serra contre lui, capitulation et invitation.

— Oh, Conor, mon chéri, je n'aurais jamais pensé que ce serait aussi bon... et toi?

— C'est mille fois mieux que je pensais, répondit-il très honnêtement, tandis que ses mains recommençaient leur exploration. Je n'aurais jamais pensé qu'une femme pouvait être aussi généreuse d'elle-même.

Elle intercepta une main qui se dirigeait vers son ventre.

— C'est vrai? s'écria-t-elle avec bonheur. Tu m'as vraiment trouvée généreuse? C'était ce que je voulais, mais je n'étais pas sûre de savoir m'y prendre.

— Tu savais parfaitement comment t'y prendre. Je n'ai jamais été séduit avec autant d'efficacité.

— Séduit, mon œil. Elle fit mine de le repousser. Tu me fais boire, tu me traînes dans cette maison pour m'étourdir de luxe, tu m'attires dans cette piscine sybaritique, où tu m'arraches mes vêtements et où tu me forces à me soumettre à tes bas instincts. Hé! à propos d'alcool, nous n'allons pas gaspiller le reste de ton Dom Pérignon!

Elle le repoussa, pour de bon cette fois, et courut jusqu'au seau à glace. Elle remplit leur deux coupes et lui tendit la sienne.

— Dix mille ans, Diana Marie Lyons.

— Au moins ça, Conor Clement Clarke. Alors je t'ai séduit, mon pauvre chéri? Elle se rapprocha de lui et remit sa main sur son ventre. Je suis désolée.

— Pas moi.

— Mais surpris?

— Abasourdi.

— Moi aussi. Je suppose que je ne comprenais pas très bien mes émotions... Oh, que j'aime ça. Tu vas encore me faire l'amour?

— Tu crois que je te courais après pour brûler des calories? Ne devrions-nous pas aller essayer notre lit matrimonial?

— D'accord, si tu penses que tu m'y retrouveras.

— Je m'arrangerai.

Elle ramassa ses vêtements et enroula une serviette, comme un sarong, sous ses aisselles.

— Pour le cas où nous passerions devant une fenêtre.

— Pas besoin. Une fois dans l'ascenseur, il tira la serviette et l'arrangea autour de sa taille.

— Pour pouvoir te repaître de la vue de mes gros seins?

— Je ne suis pas d'accord avec cette description. Ils sont de la bonne taille pour toi. Et en plus de les regarder, j'ai l'intention de jouer avec.

— Tu peux. Elle eut un soupir de plaisir. Dieu sait qu'il y en a assez pour jouer avec.

— Et chaque centimètre ajoute à ma joie. Apprends que j'ai l'intention de les embrasser, de les tenir fermement contre tes côtes, de les chatouiller, de les manger, de les mordre et de me livrer à un certain nombre d'autres jeux pour assouvir ce que tu appelles mes bas instincts.

— Les mordre? s'exclama-t-elle.

— Comme ceci. Il la plaqua contre la paroi de l'ascenseur, ignora la porte qui s'ouvrait et lui fit une démonstration.

— Oh, Conor! s'exclama-t-elle, impuissante, tandis que l'ascenseur repartait vers le sous-sol. Comme je voudrais avoir du lait pour pouvoir être ta nourrice!

Une image qui détruisit presque les derniers restes de raison que possédait encore Conor.

Voilà un jeu qui a des résultats intéressants. Il faudra que je m'en souvienne.

— Le jour où j'aurai le bonheur de pouvoir te rappeler cette promesse, je le ferai. En attendant, j'ai un certain nombre... Tiens, nous sommes revenus à la piscine; tu me distrais, femme. Il appuya sur un bouton. Je disais donc que j'avais un certain nombre d'autres idées délicieusement obscènes. Et je te défie de résister.

— Je suis à toi, Conor. Fais ce que tu veux; je suis sûre d'aimer ça.

Cette fois, il bloqua la porte en position ouverte et se tourna vers Diana, qui était toujours appuyée contre la paroi, sa serviette à ses pieds, des larmes inondant son visage.

— Quelque chose ne va pas, Diana? demanda-t-il d'un ton inquiet.

— Oh non, mon chéri, je suis désolée. Les larmes coulaient toujours. Je pleure parce que je suis si heureuse.

— Tu vas me faire pleurer aussi. Il la serra dans ses bras et décida que le paradis devait ressembler à cet instant.

Une fois dans leur « lit matrimonial », Conor passa un temps infini à jouer avec les différentes dimensions de l'anatomie de sa « femme », tandis qu'elle ronronnait, et roucoulait, et soupirait, et lui disait qu'il était le meilleur amant que la terre avait jamais porté.

Une exagération, pensa-t-il au moment où, presque fou de désir, il pénétrait son corps humide et suppliant. Mais peut-être pas tout à fait une exagération.

47

C'est bien meilleur cette fois-ci, pensa Diana. Est-ce que ça peut devenir encore meilleur? Un homme ne peut pas connaître cette joie; il ne sent pas mon corps s'enfler en lui. Je me demande ce qu'il ressent. J'ai tant à apprendre.

Je savais que ce serait cet après-midi. J'étais prête à le séduire si c'était nécessaire. Et c'est devenu nécessaire; et je l'ai fait.

Avec fierté et sans honte.

Un peu plus lentement, Conor. Oui, comme ça.

Je peux devenir aussi bonne à ce jeu-là qu'au golf. Oui, c'est bien ça : c'est un jeu merveilleux.

Et je peux y jouer sans aucun sentiment de culpabilité et avec un abandon total. Qui l'eût cru? Mon coup d'essai et c'est un coup de maître! J'en ai été la première étonnée. Et lui! Quelle tête il a fait quand j'ai commencé à déboutonner ma robe! Oh, Conor mon chéri; je te tiens et je ne te laisserai jamais partir.

Des problèmes? Il y aura des solutions. Rien ne peut être plus fort que ceci.

Je vais devenir folle si ça ne finit pas bientôt. Je vais me déchirer. Vite, Conor, vite. Ne ralentis pas. Tu me tourmentes. Non, s'il te plaît, non. C'est si merveilleux.

Je suis le rêve d'un playboy; je n'aurais jamais pensé ça. Et comme tous les rêves qui se réalisent, je le terrifie.

Encore qu'il n'ait pas l'air trop terrifié en ce moment.

Elle supplia Conor d'avoir pitié d'elle et d'en finir. Il ne lui répondit que par un rire de triomphe.

Pourvu que ça dure toujours, supplia-t-elle.

Ça ne pouvait pas durer toujours, mais les secondes qui suivirent avaient un relent d'éternité. Le paroxysme de son plaisir commença, non pas dans ses reins, mais à la base même de son cerveau, et se propagea comme un courant à haute tension à travers toutes les cellules de son corps, avant de revenir au cerveau. Puis le cycle se répéta une seconde fois, encore plus fort. Si ça recommence encore, je vais mourir, se dit-elle. Elle s'entendit hurler de très loin, et l'électricité enveloppa tout son corps dans une explosion de plaisir incontrôlable. Elle se sentit transportée dans l'éternité, complètement vidée, heureuse pour toujours.

48

Eh bien, l'un des plus grands amants du monde occidental a rencontré son maître cet après-midi.

Cette fille t'a battu à plate couture, mon vieux.

Et ça ne te dérange même pas.

Conor s'étira de satisfaction sur son immense lit dévasté. Il s'était habillé pour accompagner Diana jusqu'au taxi qui devait la conduire à la gare. Il l'avait aussi aidée à s'habiller.

— Il faut vraiment que je porte des vêtements? avait-elle murmuré. J'ai décidé que j'aimais être nue.

Il espéra que ce n'était qu'une plaisanterie.

— Je vais venir avec toi. Je ne veux pas te laisser courir les rues toute seule.

Elle objecta que son père devait être en ville aujourd'hui et risquait de l'attendre à la gare.

— Ne t'en fais pas, je m'occuperai de Papa, lui dit-elle en l'embrassant avant de monter dans le taxi. Mais pas aujourd'hui.

Il était remonté en titubant jusqu'à sa chambre, s'était jeté sur son lit et avait dormi pendant une heure, d'un sommeil profond.

A son réveil, il s'était mis à se remémorer les agréables événements de l'après-midi.

Alors, ta timide vierge catholique était finalement une lionne, Conor Clarke? Et elle risque de devenir de plus en plus féroce, avec l'expérience.

Tu es sûr que c'est ce que tu veux?

Bien sûr.

Qui aurait pensé que Diana serait si merveilleuse au lit? La première fois surtout.

Elle a une volonté de fer. Elle décide que quelque chose doit se produire et ça se produit. Aujourd'hui, elle a décidé, pendant le déjeuner, que tu allais lui faire l'amour et tu t'es exécuté. Et en plus, quand elle a un peu perdu courage, elle t'a ordonné de l'aider.

Une sacrée bonne femme, cette Diana.

C'est bien toi qui t'étais promis de ne jamais épouser une femme sans volonté?

Elle avait peur. Mais elle a sauté quand même. Ce n'est pas qu'elle ne soit pas vulnérable; mais elle fonce.

Fragile et déterminée. Quelle femme, mon Dieu!

A propos, merci de me l'avoir donnée. Un très beau cadeau, juste avant le jour d'action de grâce.

Mais peut-être que je me fais des idées? Elle en avait assez de vivre sans connaître le sexe et elle a décidé de se payer une partie de jambes en l'air. Et comme j'étais là...

Mais je crois que ça va plus loin...

Mais je n'en suis pas sûr...

Il se traîna hors de son lit et dans la douche.

Je devrais parler de tout ça au père Blackie.

Mais comment vais-je faire pour lui expliquer mon histoire?

49

— Pour quelqu'un qui a passé sa journée à travailler dur, dit Papa pendant le dîner ce soir-là, je trouve que notre fille a l'air un peu trop en forme. Mais bien sûr, les jeunes ne travaillent plus très dur à notre époque, n'est-ce pas Maria?

Mamma l'étudia attentivement. Trop attentivement, pensa Diana.

— Je la trouve comme d'habitude, moi. Mamma emporta le plat de légumes. Peut-être un peu plus jolie, mais c'est à cause de la robe que je lui ai donnée.

Mamma est en train de mentir pour me protéger. Elle sait, ou au moins elle se doute. A vrai dire, elle est presque aussi responsable que moi de ce qui est arrivé.

— C'est une affaire passionnante, dit-elle calmement en prenant le plat de pommes de terre. Papa est si taciturne ces temps-ci. Comment pourrais-je supporter de le perdre?

— Assez passionnante pour que tu aies un air aussi radieux?

— Allons, Papa, dit-elle en lui tapotant la main, c'est pourtant toi qui dis toujours qu'il n'y a rien de plus satisfaisant que de découvrir un point de loi critique?

Derrière son père, elle vit Mamma qui paraissait sur le point d'éclater de rire. Surtout ne ris pas! Je rirais aussi et il y aurait un drame.

— D'accord. Alors, dis-moi quelle est cette grande découverte que tu as faite.

190

— Je ne peux rien dire de spécifique, tu le sais, Papa. Elle chercha désespérément ce qu'elle allait pouvoir dire. Disons que c'était une très vieille vérité que la plupart d'entre nous doivent découvrir eux-mêmes... Une vérité concernant les relations contractuelles et leur effet sur certaines procédures communes, mais cependant importantes.

Ouf! Pas mal pour de l'improvisation.

— Je vois. Papa était rayonnant. Et toi, ma chérie, tu as un don merveilleux pour tout me dire sans rien me dire, n'est-ce pas?

— N'est-ce pas le devoir de tout avocat honnête?

Mamma préparait son café et lui tournait le dos, mais Diana fut certaine qu'elle était en train de rire. Que lui arrivait-il depuis quelque temps? Savait-elle que c'était Conor? Aurait-elle été fâchée?

Diana se réfugia dans sa chambre juste après le dîner, en prétextant un travail à terminer. Elle feuilleta le recueil de poèmes de Conor et se demanda ce qu'il écrirait sur leur après-midi d'amour.

Je lui ai probablement donné assez de matière, pensa-t-elle en riant intérieurement, pour des années de poésie licencieuse.

Elle enleva sa robe et la jeta par terre, comme elle l'avait fait chez Conor. Puis, honteuse, elle la ramassa et la mit sur un cintre.

Je ne suis pas aussi décadente que ça.

Puis elle se recoucha et se mit à repenser à son après-midi. Pour devenir meilleure à ce jeu, se dit-elle, c'est comme pour le reste : il faut de la pratique et de la concentration.

Elle eut un frisson heureux.

Je ne me suis pas mal débrouillée pour une débutante.

Et quelle chance d'avoir un homme comme Conor. Je n'aurais jamais fait confiance à quelqu'un d'autre autant que je lui ai fait confiance. Il est si bon, si tendre, si merveilleux.

Et il est à moi. Elle frissonna de nouveau. Entièrement à moi.

Une chose est certaine : il est nettement plus pudique que moi. Par exemple, cette serviette qu'il s'était mise autour des reins...

Mais je ne suis pas encore une maîtresse très agressive. Je veux le devenir pourtant. Au moins de temps en temps.

Est-ce qu'il en sera choqué? Probablement, mais il adorera ça.

Il va donc falloir que je m'éduque dans ce sens. De toute façon, j'ai le temps : j'ai toute la vie devant moi.

Je me demande combien de femmes peuvent dire ça : j'ai toute une vie devant moi avec un homme que je peux enflammer chaque fois que je veux. Merveilleux, non?

Il ne doit pas y en avoir beaucoup.

Je n'ai jamais été aussi heureuse de ma vie.

Ni aussi satisfaite de moi-même.

On m'avait dit tant de mensonges, au sujet de la première fois : que c'était terrible, ou au mieux, que ça ne présentait aucun intérêt. Il n'y a que Maryjane qui m'avait laissé entendre que ce n'était pas nécessairement vrai. Peut-être que les femmes qui ont aimé ça ne veulent pas en parler, de peur qu'on se moque d'elles? En tout cas, je n'en parlerai pas : ce sont des souvenirs que je garderai pour moi jusqu'à ce que j'aie des filles à moi.

Mamma me l'avait bien dit : « Si tu te donnes, fais-le avec générosité ».

Et Dieu sait que j'ai été généreuse!

Et si j'étais enceinte? Peu probable, mais pas impossible.

Si je l'étais, ça ne ferait aucune différence. Il veut m'épouser. C'est lui qui a voulu sanctifier ce que nous avons fait en parlant de mariage. Il est vraiment adorable.

Merci mon Dieu, de m'avoir donné Conor. J'espère que Vous ne m'en voulez pas trop. En tout cas, je Vous promets d'être une bonne épouse. Et ne l'accusez de rien : je ne lui ai laissé aucune chance.

Elle eut un petit gloussement, certaine que Dieu appréciait sa plaisanterie.

Il veut m'épouser. Il ne trouvera jamais une femme comme moi parmi ses mannequins et ses hôtesses de l'air. Il a intérêt à m'attacher avant que je trouve quelqu'un de mieux.

Elle éclata d'un rire joyeux et saisit un oreiller qu'elle tint dans ses bras, en imaginant un instant que c'était Conor.

Je l'épouserai. Bientôt.

Papa...

Mon Dieu! Que vais-je faire pour Papa?

Elle posa l'oreiller et s'assit sur le bord de son lit. Je savais qu'il faudrait que je me pose cette question. Autant le faire maintenant, tant que le souvenir est encore frais dans ma mémoire.

Ça le tuera. Il ne veut pas que je me marie, avec qui que ce soit. Mais le fils de Clement Clarke? Il refusera de venir au mariage. En fait, il mourra avant le mariage.

J'aimerais tant parler à Conor. Il n'ose pas téléphoner ici; je l'ai supplié de ne jamais le faire. Et moi, je n'ose pas descendre pour l'appeler.

Il faut que je choisisse. Je ne pourrai pas les gagner tous les deux. Pour Conor, il n'y a pas de problème; il ne se souvient même pas que son père ait détruit la vie du mien. Mais Papa... c'est lui qui m'oblige à choisir.

Je ne peux pas lui faire ça.

Sauf que...

Sauf que quoi?

Sauf que je ne peux pas trahir l'amour de Conor. Plus maintenant.

Il y a peut-être un moyen. Nous pourrions disparaître; partir pour Paris. Ce serait merveilleusement décadent!

Si je dois choisir, il faudra que je choisisse Conor.

Plus tard, quand son rêve d'amour se serait transformé en cauchemar de haine, devant le jury de sa propre conscience, Diana citerait cette résolution comme étant le seul élément de preuve en sa faveur.

50

Le bureau du petit ecclésiastique était dans la pénombre. Assis dans son immense fauteuil, un livre ouvert en équilibre sur son ventre, le père Blackie écoutait Conor.

— Si c'était un péché, mon père, je le regrette sincèrement.

Le prêtre soupira profondément.

— En fait, à moins que je ne me trompe lourdement – ce qui est peu probable, comme nous le savons tous les deux – vous êtes plutôt fier de ce que vous avez fait, mais vous voulez que je vous confirme la légitimité de vos actes. Vous devriez savoir que vous ne trouverez pas ce genre de réponse auprès de moi, Conor Clement Clarke.

— Je suis coupable de ne pas me sentir coupable, admit Conor timidement. Et je ne pense pas qu'elle se sente coupable, elle non plus.

— Ce qui ne me surprend pas. Les amants se sentent rarement coupables, du moins jusqu'à ce que certaines conséquences ne les y forcent.

— Vous voulez dire qu'elle pourrait être enceinte? Conor n'avait pas envisagé cette possibilité. Oh mon Dieu!

— C'est encore trop tôt, si je comprends bien le processus. Mais demain à cette heure-ci... qui sait?

— Cette fois, je me sens coupable. Mais je l'aime, mon père.

— Sans aucun doute. Dois-je ajouter que tout le monde dit la même chose?

— Ah bon? Conor se trémoussa, mal à l'aise.

— Je n'approuve pas le sexe hors des liens du mariage, Conor, même si c'est chose courante. Trop d'êtres en souffrent, et c'est

193

la raison pour laquelle il a été interdit par l'Eglise. Cela dit, ce n'est pas le pire péché dont l'être humain puisse se rendre coupable. J'oserais dire, par exemple, que notre Seigneur vous reprochera plus facilement votre réticence à remettre à la belle Diana la bague de fiançailles que vous m'avez montrée si fièrement.

— Mais je vais la lui donner! Je veux vraiment l'épouser!

— A cause de ce qui s'est passé cet après-midi? Il regarda sévèrement Conor par-dessus ses lunettes. Un incident isolé ne devrait pas vous engager pour la vie.

— Parce que je l'aime, bon sang!

— Ah! fit le père Blackie d'un ton satisfait.

— Et parce que je ne peux pas vivre sans elle.

— Manifestement pas.

— Ni elle sans moi.

— Evidemment.

Ce fut au tour de Conor de soupirer.

— Je suis prêt à faire le grand saut, mon père. J'imagine que je n'ai pas le choix.

— En effet, pas le moindre choix.

51

Le lendemain, dans le train qui la menait vers la ville et son travail, la conscience de Diana se remit à la tourmenter.

Elle ne s'inquiétait pas d'avoir commis un péché : comme sa mère le lui avait dit un jour, « Si tu veux un homme, fais tout ce qu'il faut pour l'avoir. N'écoute pas les curés; ils sont bons, mais ils ne peuvent pas comprendre ça ».

Quant à son père, elle le combattrait s'il le fallait. Elle en serait horriblement triste, mais ce serait de la faute de Papa, et non de la sienne.

C'était plutôt de sa conscience professionnelle qu'il s'agissait. Elle avait des éléments qui tendaient à prouver que Conor avait volé de l'argent à de pauvres gens. C'était impensable de la part de l'amant merveilleusement doux et attentionné qui lui avait fait découvrir les secrets de l'amour. Il fallait donc qu'elle vérifie les affirmations de Broddy Considine, qu'elle prouve qu'elles étaient fausses.

Ce serait fini. L'enquête serait terminée à tout jamais.

Mais si elle ne le faisait pas maintenant, le doute ferait toujours partie de leur vie, et détruirait inexorablement son amour pour Conor.

Tu peux gagner un peu de temps; dire à Conor que tu l'aimes, ce qui est vrai, et que tu as une enquête importante à terminer, ce qui est vrai aussi. Assure-toi qu'il n'y a pas d'argent dans cette maison, puis démissionne. Tu n'as plus envie de travailler là, de toutes façons; les gens y sont aussi corrompus que ceux qu'ils cherchent à mettre en prison.

Il faudra que tu confesses toute l'histoire à Conor, en espérant qu'il te pardonnera.

Peut-être devrais-tu l'appeler tout de suite et tout lui expliquer. Tu lui dois bien une explication, après tout. Tu pourrais lui parler des accusations de Broddy Considine.

Tu sais bien que c'est impossible.

Quand elle sortit du train dans l'air glacé de ce matin de novembre, elle eut de nouveau envie de faire ce qu'elle avait envisagé la veille : tout laisser tomber. Conor était un homme bon. Elle l'aimait. Il était incapable de commettre un crime pareil.

Mais dans l'ascenseur, elle réalisa qu'elle ne pouvait pas garder pour elle ce qu'elle savait. Elle ne voulait pas demander de mandat pour aller perquisitionner dans la vieille maison abandonnée. Mais ce qu'elle voulait ne comptait plus. Elle ferait ce qu'elle avait à faire, même si cela devait détruire leur amour.

Le serment que j'ai prêté m'oblige à faire en sorte que la loi soit appliquée, confia-t-elle à son journal avant d'aller chercher Shelly et Leo pour la réunion dans le bureau de Donny Roscoe.

— L'identité de mon informateur devra rester confidentielle, Monsieur, répondit-elle à Donny, un peu plus tard. Je ne peux pas garantir que l'argent se trouve dans cette maison. Et si vous préférez ne pas demander de mandat pour un endroit qui se trouve hors des limites de l'Etat, je comprendrai parfaitement.

— Je dois vous féliciter, Diana. Leo souriait largement et elle se dit qu'elle ne saurait jamais si elle devait ou non lui faire confiance. Vous êtes un bon flic, en plus d'être un excellent avocat. Donny, nous devons essayer. Les gens de l'Etat voisin nous doivent quelques faveurs.

52

Par un froid samedi matin, après avoir obtenu de Conor un délai de quelques jours pour terminer son enquête si importante, Diana arriva avec trois agents du FBI devant la vieille maison abandonnée.

La porte n'offrit que peu de résistance à la pression de deux des agents et ils pénétrèrent à l'intérieur.

Après plusieurs heures d'une fouille minutieuse, déçus et gelés jusqu'aux os, les agents donnèrent le signal du départ.

C'est fini, pensa-t-elle. Je vais pouvoir oublier tout ce cauchemar.

Et après? S'il est innocent, je vais pouvoir l'épouser. Je n'ai pas l'intention de rester vieille fille.

Puis elle pensa à son père.

Mais Papa ne vivra pas éternellement.

Comment puis-je penser une chose pareille? Tout ceci m'a épuisée. Je vais avoir besoin de vraies vacances.

— Pardonnez-moi, mais je voudrais jeter un dernier coup d'œil dans le sous-sol, dit-elle aux agents. Je veux être certaine d'avoir fait de mon mieux.

Le sous-sol semblait trop petit par rapport au reste de la maison. Il aurait dû y avoir plus de place derrière la vieille chaudière. Elle se glissa derrière l'engin, sans se soucier de la poussière qui maculait ses vêtements, et découvrit une porte de bois travaillé. Elle menait à une pièce que l'installation de la chaudière avait condamnée.

Remarquant qu'il y avait des traces de doigts récentes dans la poussière, elle appela les hommes du FBI.

Cinq minutes plus tard, ils avaient ouvert la mallette et contemplaient avec ébahissement les liasses de billets de dix et de vingt dollars.

— Félicitations, Maître Lyons, dit le chef des agents avec respect. Voulez-vous que nous les comptions tout de suite et que nous prenions note des numéros?

— Jusqu'au dernier, répondit-elle sombrement. Et prenez des photos aussi. Intérieur et extérieur. Le jury devrait être intéressé.

53

Blackie Ryan fit une nouvelle fois le tour de la voiture, comme un maquignon aurait fait le tour d'une bête qu'il avait l'intention d'acheter. Il essuya un peu de neige du capot, donna un coup de pied dans un pneu, ouvrit et referma une portière.

— 380 SL décapotable, rouge. Très cher, ça. Pour la dynamique Diana, je suppose?

— Qui d'autre? Et en plus, je l'ai eue à un très bon prix. Elle a coûté moins cher que le bolide que votre père vient de s'acheter. L'an prochain, elle vaudra cinq mille dollars de plus que ce que j'ai payé.

— Elle n'est pas encore au courant, je suppose?

— Pas exactement, non.

— Et nous n'avons pas été officiellement présentés non plus.

— Dimanche prochain. Promis.

— Le toubib a donné son approbation?

— Naomi? Absolument. Elle est enceinte, vous savez?

— C'est ce que j'ai entendu dire.

— Entendu dire?

— Eh oui.

Le prêtre recula de quelques pas pour admirer l'auto.

— Moins de douze mille kilomètres. Vous avez vraiment fait une affaire.

— Je vous l'avais dit.

— Mais dites-moi une chose : acceptera-t-elle de la conduire?

— Je pense que oui. Avec un sentiment de culpabilité au début, mais elle la conduira.

— Alors – le prêtre poussa un soupir de soulagement – il y a encore de l'espoir.

54

Deux semaines plus tard, un mercredi soir du début de décembre, Diana était assise à une table chez Ricardo, le repaire à la mode des journalistes, avec son contact de l'un des journaux de Chicago.

— Je vous avais promis l'histoire. Je suis prête à tenir ma promesse.

Après les premières heures de triomphe, de félicitations de la part de ses collègues – y compris une bise gluante de Donny Roscoe – elle était tombée dans une sorte de torpeur psychologique. Tout dépendait maintenant du destin. Son père serait fier d'elle : elle avait causé la chute d'un riche. Il méritait de tomber, puisqu'il était criminel. Le crime ne paie pas, n'est-ce pas? Même quand on est riche et séduisant et qu'on a un joli petit voilier nommé *Brigid*.

— Je suppose que Donny ne sait pas que vous êtes ici, demanda le journaliste.

— Bien sûr que non.

— Mais vous savez aussi qu'il serait horrifié s'il pensait que vous gardez l'histoire pour vous jusqu'au procès. De nos jours, on s'attend à ce que les Procureurs adjoints fassent la preuve de leur diligence en donnant aux médias des renseignements de première main.

— C'est vous qui le dites.

— Ma foi, dit-il avec un rictus de dégoût, c'est une façon de faire les choses : faire juger une personne par le grand public avant le procès. C'est un bon moyen pour économiser de l'argent. Qui est la victime cette fois?

— Conor Clarke; vous n'aviez pas deviné?

— J'avais deviné, mais je n'osais pas y croire. Vous avez intérêt à être bien préparée : il a beaucoup d'amis.

— Il a aussi beaucoup d'ennemis. Quand on est riche et célèbre, on est une cible idéale pour la masse. Détruisez un riche et vous serez applaudi par la populace.

— Voilà qui est plutôt cynique.

— Soyons sérieux, Henry. Elle vida son martini et fit signe au serveur de lui en apporter un autre. Nous travaillons dans des métiers similaires, vous et moi. Nous nous en prenons aux politiciens, aux gangsters, aux célébrités, à ceux qui ont de l'influence, mais pas trop. Maintenant, nous courons après les riches, pour la plus grande joie de la masse. Dans son état légèrement éthylique, elle s'aperçut qu'elle répétait les idées de Leo Martin. Les gens comme nous, continua-t-elle, ne vivent que grâce à l'envie; ils s'en repaissent, il la boivent comme si c'était la source même de la vie.

— Vous avez raison. Henry l'observait avec curiosité, comme s'il n'avait jamais vu quelqu'un comme elle. Les avocats du gouvernement sont rarement aussi francs.

— J'ai envie d'être franche ce soir. Alors, vous voulez des informations sur Conor Clarke, ou pas?

— Oui, je les veux. Comme vous dites, c'est la personne idéale à traîner dans la boue en ce moment. Les gens en ont assez des scandales politiques. Je lève mon verre aux travaux forcés pour Conor Clarke.

Elle trinqua avec lui et vida la moitié de son nouveau martini.

— Alors, quel titre avez-vous sur Conor Clarke le playboy?

— Que penseriez-vous de « Le playboy vole les pauvres »?

— Superbe! Il tira un bloc d'une poche de sa veste. Et comment notre playboy vole-t-il les pauvres?

— En prenant de l'argent à sa propre entreprise, dont le but officiel est pourtant de combattre le chômage.

Elle lui raconta toute l'histoire, sans toutefois parler de la cachette dans la maison abandonnée ni de la découverte de l'argent. Son récit fut précis et objectif, sans aucune émotion.

— Eh ben! Henry relisait ses notes. Je n'arrive pas à comprendre comment un type qui a autant d'argent a pu se commettre avec de tels voyous.

— L'attrait du gain.

— Encore plus de fric... Nos rédacteurs vont s'en donner à cœur joie. Qui sera le juge?

— Nous ne savons pas encore. Nous le saurons après la mise en accusation. Entre nous, Donny fait brûler des cierges pour que ce ne soit pas Eileen Kane.

— Je n'en suis pas surpris. On m'a dit qu'il avait fait dans ses culottes le jour où elle a été nommée.

— Le juge Kane est une juriste distinguée. Nous n'avons rien à craindre d'elle.

— Oui, bien sûr. Mais si vous n'avez pas des preuves en béton armé, elle va écraser votre Donny comme une mouche... Vous ne me dites pas tout, hein? Il y eut un éclair dans les yeux rusés du journaliste. Vous n'oseriez jamais vous mesurer à Eileen Kane et aux avocats de luxe de Conor Clarke si vous n'aviez pas autre chose que vos témoins marrons.

Elle n'était pas d'humeur à jouer, surtout après son troisième martini. Je vous donnerai le reste de l'histoire le jour de la mise en accusation officielle.

— Ce sera quand?

— Juste avant Noël, je pense.

— Joyeux Noël, playboy Conor Clarke, de la part des Etats-Unis d'Amérique et de Donald Bane Roscoe.

— Et, ajouta-t-elle, de Diana Marie Lyons.

Deux jours plus tard, Conor Clarke émergea des bureaux de son agent de voyage, les poches bourrées de brochures décrivant des croisières de Pâques dans les îles grecques. Il avait l'intention de les mettre dans sa nouvelle maison (où il s'installerait juste après Noël), à côté des papiers de la Mercedes et de la police d'assurance couvrant la bague de fiançailles.

Le messe de minuit. Il le faut, même si je meurs de peur.

Qu'est-ce qui me fait le plus peur? Un « oui » ou un « non »?

Il réfléchit. Il fallait qu'elle dise « oui ». Absolument.

Les journaux du matin étaient déjà dans les kiosques. Il vit son nom en première page.

«LE PLAYBOY CONOR CLARKE AUX PRISES AVEC LA JUSTICE», criait la une.

«IL EST ACCUSÉ D'AVOIR VOLÉ LES PAUVRES», expliquait le sous-titre.

HIVER

Troisième chant

Amante:

Sur mon lit, dans l'obscurité de la nuit
Je me suis dévêtue pour celui que j'aime.
J'ai prié tous les saints et Dieu lui-même,
Mais il n'est pas venu, ma lumière, ma vie.
Alors je l'ai cherché à travers la ville,
Dans les rues, les impasses et les bars mal famés.
«Dites-moi, où puis-je trouver mon bien-aimé?»
Ai-je demandé aux gardes impassibles.
J'ai tout perdu: liberté, espoir et renommée,
Cruellement, tous mes amis m'ont rejetée.
Je l'attend toujours, glacée, à jamais enchaînée.
Humiliée, honteuse, dépossédée,
Je rêve à lui.

Amant:

Dans la chaleur lourde et silencieuse du jour,
Toi et moi. Dans nos verres le vin pétille.
Tous deux seuls sous la charmille,
Tais-toi, je dois te faire un aveu, mon amour.
Alors que nous reposons dans notre bain parfumé,
Et que mes dents mordillent tes mamelons tendus,
Laisse-moi te dire mon amour éperdu,
Tandis que mes doigts explorent tes fertiles sentiers:
Tes lèvres semblent du chocolat, digne d'un festin,
Ta bouche est douce comme le miel et le lait,
Ta peau sans tache, comme le lin le plus fin
Tes yeux brillent d'amour comme le soleil au matin.
Tes cheveux sont doux comme de la dentelle,
Ton teint semblable à la lune nouvelle,
Ta chair comme du lin et des roses en fleur.
Ton beau visage le miracle d'un sculpteur.
Ton cou d'ivoire, souple et modelé,
Tes épaules ravissantes et dévoilées,
M'invitent dans un lit par l'amour réchauffé,
Une maison superbe où je pourrai rêver

Et tes seins merveilleux, un dans chaque main,
Généreux et riches dans ma bouche comme la crème
A mon être assoiffé sont un régal suprême.
Tes hanches arrondies comme des collines de satin,
Ton ventre doux à ma langue comme une pêche.
Tes flancs sous ma dent comme la cannelle,
Puis une forêt montagneuse, parfumée, se révèle,
Dont je veux explorer les profondeurs fraîches.

Amante:

J'ai perdu la raison, mon poète adoré,
Emportée par les vents, la mélodie dans ta voix.
Je suis ta moisson, chéri... récolte et repais-toi!
De mes pauvres faveurs, que tu sois rassasié.

Chant d'amour, 3:6 — 5:1

56

Je suis comme indifférente, comme si j'étais étrangère à l'affaire Clarke. Il faudrait que je me prépare pour l'audience, mais je manque d'énergie. Je suis surprise que les avocats de Clarke l'autorisent à paraître au tribunal. Apparemment, c'est lui qui a insisté.

Papa est comme fou de joie. Il a rajeuni de quinze ans et dit qu'il n'est plus malade. Il sait que je ne peux pas discuter de l'affaire avant la mise en accusation officielle, mais il dit que ça ne fait rien, que, quoi qu'il arrive, sa vie continuera à travers moi. Mamma est plus réservée. Elle m'observe avec curiosité, comme si elle était en train d'évaluer une cliente. A-t-elle reconnu Conor dans les journaux ?

Elle ne l'a vu qu'une fois il y a plusieurs mois, mais ce n'est pas le genre d'homme qu'une femme oublie facilement.

Papa lui a dit qu'il était d'accord pour acheter un poste de TV pour regarder les nouvelles du procès – à condition que ce soit un poste noir et blanc.

"Mais il faudra des mois avant que le procès commence, Papa."

"Ne t'en fais pas, ma chérie ; j'ai l'intention de durer jusque-là."

Je me demande combien de temps je vais durer moi-même. J'ai froid. La radio dit que ce sera probablement le mois de décembre le plus froid qu'on ait jamais vu. Moi, c'est à l'intérieur que je me sens glacée. Je viens de remporter ma première victoire juridique, pourtant. Ma réputation va en bénéficier. J'ai ramené la joie dans la vie de mon père. Je suis convaincue d'avoir fait ce qui était juste. Je n'ai aucun regret.

Et pourtant, j'ai tellement froid.

Je me sentirai mieux dans quelques jours, probablement. Après la mise en accusation, je pourrai recommencer à dormir la nuit.

Aucun regret.

— Qu'avez-vous fait de l'argent, Monsieur Clarke? Un journa-liste barbu dont l'haleine empestait l'alcool brandissait un micro sous le nez de Conor. La fête? Les femmes? Quelles femmes?

— Pas de commentaire. Conor s'efforçait de conserver un masque sans expression.

— Vous pensiez qu'on ne le saurait jamais? Une toute jeune femme se planta sur son chemin. Vous pensiez être au-dessus des lois?

Conor la contourna.

— Pas de commentaire.

— Etes-vous prêt à admettre votre culpabilité?

Conor se fraya un chemin jusqu'à l'entrée de l'immeuble, puis se retourna pour faire face à la horde de journalistes.

— Je suis innocent et j'ai l'intention de le prouver. D'autre part, quand tout ceci sera terminé, Donald Bane Roscoe regrettera d'avoir jamais entendu parler de moi.

Il eut un sourire éclatant et se dirigea vers l'ascenseur.

Malgré le calme et le sang-froid qu'il arborait, Conor était empli d'une rage violente. Il était décidé à se battre, à se venger, à détruire ses ennemis. C'était comme s'il avait enfin réussi à maîtriser ses vieilles colères impuissantes contre son père, pour les mettre à son service.

Lee West, son avocat, ou plutôt le chef de file de l'équipe d'avocats qui allait travailler à sa défense, lisait des coupures de presse.

— Qui penserait que notre système juridique nous présume innocents jusqu'à ce qu'on prouve notre culpabilité?

West était considéré comme l'un des cinq meilleurs spécialistes en droit pénal de Chicago. Derrière lui, faisant de son mieux – sans trop y réussir – pour passer inaperçue, se trouvait Patricia Anne Slattery, une splendide jeune avocate rousse. Voilà quelqu'un qui ferait une parfaite révolutionnaire irlandaise, pensa Conor quand il vit l'éclat de ses yeux verts. Il va falloir que je m'intéresse à elle. Je me demande si elle accepterait de conduire une Mercedes 380 SL décapotable?

— Regardez ce sondage d'opinion dans le *Tribune*. Comment ces femmes peuvent-elles dire que je ne suis qu'un enfant gâté et qu'on devrait me donner la fessée? Ou que j'ai volé de l'argent toute ma vie pour le gaspiller avec mes maîtresses? Il jeta une liasse de coupures de presse sur la table. Et l'éditorial du *Sun-Times* qui dit que j'ai exploité des mesures fiscales pour mon bénéfice personnel, comme si ma culpabilité ne faisait aucun doute. Ou cette commentatrice de la télé qui se demande si le gouvernement me permettra d'emmener mon harem en prison. Il n'y a pas de diffamation dans tout ça?

— Seulement des commentaires. West secoua la tête avec élégance – tout ce qu'il faisait était élégant. Au moins, Walter Jacobson a-t-il eu le bon sens de se demander quel jury pourrait croire les accusations d'un escroc comme Broddy Considine.

— Cet homme est un porc. Naomi n'avait pas dit un mot jusque-là. On devrait lui interdire de témoigner.

Ses deux amis avaient insisté pour être présents à la première réunion avec les avocats.

— L'idée de cette offensive des média, Docteur Silverman – West inclina la tête dans un salut de courtisan – est justement de rendre tout témoignage superflu. Conor a été harcelé par les journalistes et les équipes de télévision, au cours des dernières quarante-huit heures. Ses amis ont reçu d'innombrables coups de téléphone. Son nom a été traîné dans la boue, de même que ceux de toutes les femmes avec qui il a jamais été vu, y compris vous-même.

— J'en suis honorée, répondit-elle sèchement.

— Dans votre cas autre révérence Conor a fait preuve d'un goût exceptionnel. Pour en revenir à l'affaire qui nous occupe, Conor a été jugé et condamné avant même d'être inculpé. Le but, comme je l'ai déjà dit, est d'éliminer la nécessité d'un procès. Le gouvernement des Etats-Unis a fait savoir qu'il était prêt à lui rendre la vie désagréable pendant les deux ou trois années à venir et à lui faire dépenser des sommes exorbitantes en honoraires d'avocats. Ensuite, quand il jugera le moment venu, ce même gouvernement suggèrera qu'il vaudrait peut-être mieux plaider coupable.

— Je ne suis pas coupable, dit Conor froidement, en regardant la neige s'accumuler au dehors.

— C'est ce que je suppose, parce que c'est ce que vous m'avez dit, mais ce point est presque académique. Le Procureur des Etats-Unis va commencer par proposer que vous plaidiez coupable de quelque chose de mineur, peut-être simplement que vous admettiez ne pas avoir surveillé Harry McClendon et Broderick Considine d'assez près. En échange, on vous enverrait passer quelques mois à jouer au tennis dans un camp de vacances fédéral.

207

— Jamais de la vie.

— J'espère bien. M. Roscoe et ses assistants – il regarda sa liste – M. Martin, M. Gollin et Mlle Lyons...

Conor secoua discrètement la tête en voyant les yeux furieux de Naomi.

— ...espéreront que vous accepterez ce marché, de façon à éviter le travail, la dépense et l'incertitude d'un long procès. Ils ont un groupe de témoins plutôt douteux, peut-être un juge hostile, surtout si c'est mon ancienne associée Eileen Kane et, si je peux me permettre, des avocats autrement plus compétents qu'eux à combattre.

— Je veux les combattre pied à pied. Et les battre. Conor fixait sombrement la neige. Je veux les détruire. Tous.

Lee West passa rapidement sa langue sur sa lèvre inférieure.

— Je dois dire que, si j'en juge sur le peu de temps que nous avons passé ensemble, vous ne correspondez pas exactement à l'image qu'on pourrait se faire d'un playboy.

— Laissez-leur cette illusion. Roscoe n'obtiendra jamais aucun poste politique. Même si je dois y passer toute ma fortune.

— Un sentiment auquel je souscris entièrement. Je vous conseillerais cependant de ne plus l'exprimer devant des témoins, à moins qu'ils ne soient totalement fiables.

Conor se détourna de la fenêtre. La neige tombait si drue, maintenant, qu'on ne voyait plus l'immeuble d'en face.

— Pensez-vous qu'ils aient autre chose? Une autre « preuve » quelconque?

— Ils ont effectivement fait courir le bruit qu'ils avaient une preuve irréfutable.

— Encore une histoire de fraude?

— Probablement. Je ne vois pas quelle autre preuve ils pourraient utiliser, pas avec leur respect scrupuleux des procédures. Je ne peux rien garantir, Conor, mais je pense que, si vous persistez dans cet état d'esprit, vous finirez par être gagnant. Je dois toutefois ajouter que cela vous coûtera un temps et une quantité d'argent considérables.

— Je n'ai rien de mieux à faire. Conor haussa les épaules avec indifférence. Ça pourrait même être amusant.

— Naturellement, nous refuserons d'être examinés par le jury, dit Pat Slattery, parlant pour la première fois.

— Pas du tout, jolie Patricia. Conor la gratifia de son plus beau sourire d'Irlandais. Nous hissons toutes nos couleurs, nous faisons tonner tous nos canons, et nous y allons.

— Vous êtes avocat, rétorqua-t-elle, vous savez que ce n'est pas une bonne idée.

Mais pourquoi dois-je toujours tomber sur des filles aussi combattives?

— Mais, comme l'a dit Maître West, il s'agit d'une bataille médiatique plutôt que juridique. Si je refuse de comparaître devant les jurés, on s'empressera d'expliquer à tout Chicago que j'ai quelque chose à cacher. N'est-ce pas, Lee?

— Bien sûr; mais vous ne gagnerez pas de points en comparaissant. Je pense que Mlle Slattery a raison.

— J'en suis persuadé. Cependant, je veux donner à la partie adverse un avant-goût de ce qui l'attend.

West et Slattery se regardèrent, pas très sûrs de savoir eux-mêmes ce qui les attendait.

Ils finiront bien par le savoir. Je ne devrais pas prendre autant de plaisir à tout ça.

Ils prirent un taxi jusqu'à l'appartement des Silverman, où Naomi fit une quiche à Conor, lui servit un verre de vin blanc, et parla joyeusement de sa grossesse.

— Alors, c'est enfin la guerre contre ton père et ta mère, n'est-ce pas, Conor? dit-elle enfin.

— Ils ont passé l'arme à gauche avant que je puisse leur dire à quel point ils avaient bousillé ma vie. Cette fois, je vais les avoir.

— Monsieur Roscoe et la belle Diana?

— C'est ça.

— Je te comprends. Elle l'aida à mettre son manteau. Mais l'histoire ne se répète jamais exactement. N'investis pas trop de toi-même dans une vengeance.

— Vengeance? Moi? Il l'embrassa légèrement sur la joue. Un gentil playboy un peu bête comme moi? Pas du tout. Je veux seulement les voir tous griller en enfer!

58

Conor était un bon témoin, calme, précis dans ses réponses. Ses cheveux étaient coupés courts et il portait un costume bleu nuit très strict. Etait-ce son idée ou celle des avocats? Il n'avait pas du tout l'air d'un playboy, mais d'un homme d'affaires posé, responsable et surtout très prospère.

Seuls ses yeux donnaient une idée de la rage qui l'habitait, une rage qui effrayait Diana. Cependant, ils restèrent parfaitement courtois mais réservés l'un envers l'autre.

— Dites-moi, Monsieur Clarke, votre métier de... euh... d'investisseur ne vous prend pas beaucoup de temps, n'est-ce pas? N'est-il pas exact que vous ne travaillez que trois heures par jour?

— Heures de bureau, oui.

— Quelles autres heures y a-t-il?

— Les heures qu'on passe au téléphone. Dans mon métier, surtout quand il s'agit d'informatique, on passe couramment neuf à dix heures par jour au téléphone, à la recherche de renseignements surtout.

— Ce qui ne vous laisse pas beaucoup de temps pour aller voir des projets de moindre importance, comme la fonderie de Cokewood Springs?

— J'ai visité la fonderie.

— Combien de fois?

— Une ou deux.

— Pas très souvent. Trouvez-vous qu'il soit normal pour un propriétaire de ne visiter son entreprise qu'une ou deux fois?

— Je suis allé à Cokewood Springs beaucoup plus souvent; au moins neuf ou dix fois. Mais je ne suis pas entré dans la fonderie à chaque fois.

— Qu'y avez-vous fait alors?

— J'ai parlé aux ouvriers; dans des bars surtout. C'est le meilleur moyen de savoir si les choses vont bien. Même s'ils savent que vous êtes le patron, ils vous parlent plus facilement dans un bar.

— C'est très intéressant, mais n'est-ce pas une méthode de contrôle financier un peu imprécise?

— Au contraire, Maître. Si le travail se fait dans les délais prévus, il y a peu de risques pour qu'il y ait des dépassements budgétaires.

— J'oubliais qu'un million de dollars de pots-de-vin n'est que peu de choses dans votre échelle de valeurs, n'est-ce pas? Une autre question, Monsieur Clarke : admettez-vous avoir déjeuné avec Broderick Considine chez Phil Schmid, le 24 avril 1984?

— J'ai déjeuné avec lui ce jour-là, oui.

— Vous admettez donc avoir déjeuné avec Broderick Considine chez Phil Schmid, le 24 avril 1984?

— Je ne pense pas que le verbe « admettre » soit approprié, Maître. Il eut un léger sourire, juste assez pour se gagner la sympathie des femmes du jury. A ma connaissance, le fait de déjeuner avec un ami de ma famille n'est pas une chose répréhensible.

— Vous niez, cependant, qu'il vous ait remis de l'argent à cette occasion. Elle n'avait presque pas commis d'erreurs jusque-là. Et pourtant, il était en train de gagner. Bien sûr, il serait inculpé, mais il avait brillamment dissipé l'image de « playboy » que les jurés avaient encore quelques heures auparavant. Ce n'était qu'une épreuve de réchauffement, mais il la gagnait.

— Je le nie, en effet.

— Vous êtes bien propriétaire d'une ferme dans le sud du Michigan, n'est-ce pas, Monsieur Clarke?

Un bref éclair de surprise passa dans ses yeux. Puis ils s'agrandirent. Il venait de comprendre.

— C'est exact.

— Et il y a, sur cette propriété, une vieille maison qui a été utiliséee autrefois comme refuge par des membres de la pègre?

— Il y a une vieille maison, Maître. Je ne sais pas à quoi elle a pu servir avant que j'en devienne propriétaire.

— Reconnaissez-vous la maison sur cette photo, Monsieur Clarke?

Elle ouvrit le présentoir qui se trouvait à l'extrémité de la pièce.

— Oui, je pense que c'est bien la maison en question.

— Quand vous êtes-vous rendu dans cette maison pour la dernière fois, Monsieur Clarke?

— Quand j'étais étudiant au collège Notre-Dame, je pense.

— Dans quel but?

— Pour y boire de la bière avec mes amis. Mais nous étions tous en âge de boire de l'alcool, Maître.

Quelques ricanements étouffés du côté du jury. Le salaud.

— Vous n'y êtes pas retourné depuis?

Il réfléchit brièvement.

— Pas que je me souvienne.

— Vous n'y êtes pas allé juste après votre déjeuner avec M. Considine?

— Non.

— Ni le jour même de ce déjeuner?

— Non.

— Monsieur Clarke, reconnaissez-vous cette mallette?

— Non.

— En êtes-vous sûr?

Elle savait qu'il ne perdrait pas son sang-froid, mais ses yeux et ses lèvres serrées lui prouvaient qu'il était furieux. Tant pis pour lui. Il l'avait bien cherché.

— Oui, j'en suis sûr.

— Seriez-vous surpris d'apprendre que cette mallette a été trouvée dans votre maison du sud du Michigan par des agents spéciaux du FBI?

— Je n'étais pas au courant de cela, Maître.

D'un geste large, elle ouvrit la mallette, de sorte que le jury et Conor en virent le contenu en même temps.

Les jurés poussèrent des exclamations de surprise et Conor tressaillit imperceptiblement. Je te tiens, salopard.

— Pouvez-vous identifier le contenu, Monsieur Clarke?

— Je dirais, sans grand risque de me tromper, qu'il s'agit de billets de banque, et plus précisément de dollars des Etats-Unis.

— Deux cent mille dollars, Monsieur Clarke.

— Je suppose que vous avez compté.

Nouveaux rires du jury. Tout son sang-froid était revenu.

Salaud de beau parleur irlandais.

— Pouvez-vous nous dire comment il se fait que cet argent se soit trouvé dans votre maison?

— Non.

— Ce n'est pas vous qui l'y avez mis, Monsieur Clarke?

— Certainement pas.

— Vous réalisez que c'est exactement la somme que monsieur Considine affirme vous avoir remise lors de votre déjeuner chez Phil Schmid?

— Vraiment? Non, je ne le savais pas. Comment aurais-je pu le savoir?

Un autre point pour lui. Il est froid comme un glaçon, et moi je suis tendue. Les rôles sont inversés.

— Vous niez avoir caché cet argent dans la maison en question?

— Absolument.

— Comment y est-il venu alors, Monsieur Clarke?

Les jurés retinrent leur respiration. Conor hésita, choisissant ses mots prudemment.

— Je ne sais pas, Maître Lyons. C'est une maison déserte, à la campagne. N'importe qui aurait pu y cacher cet argent.

— Monsieur Clarke, est-il exact que, deux jours après votre repas avec M. Considine, vous ayez acheté un voilier nommé – elle fit semblant de consulter ses notes – *La Brigid*?

— *Brigid* dit-il; pas d'article. C'est un voilier bleu, avec des lignes blanches.

— Je vous remercie de cette précision. Combien ce bateau a-t-il coûté, Monsieur Clarke?

— Entièrement équipé? Probablement un peu plus de deux cent mille dollars, je pense. Mais je n'aurais pas pu le payer avec l'argent de la mallette, puisqu'il est ici.

— Merci Monsieur Clarke. Ce sera tout.

Il resta assis un instant sur le fauteuil des témoins. Elle ne s'en serait pas tirée ainsi au tribunal; la défense aurait contre-attaqué immédiatement. Mais ce n'était pas encore un procès.

— Je vous en prie, Maître Lyons.

Il tourna la tête de façon à ce que les jurés ne le voient pas et fixa sur Diana des yeux emplis de haine. Pour la première fois, elle eut peur. Qui aurait cru que l'exubérant Conor Clarke pouvait haïr avec autant de violence?

Ce soir-là, dans un titre qui avait été composé bien avant la fin de l'audience, le *Tribune* annonçait: LE FBI TROUVE LE MAGOT DU PLAYBOY.

Le lendemain, Conor Clarke était officiellement mis en accusation. A la conférence de presse, Donny Roscoe se surpassa: "Le bureau du Procureur des Etats-Unis n'admettra jamais la corruption, sous quelque forme que ce soit, surtout quand cette corruption se fait aux dépens des chômeurs. Nous ne permettrons à personne, quel que soit son degré de fortune, d'exploiter ceux qui sont dans le besoin."

Pour un peu, on aurait entendu les applaudissements des électeurs.

Il y eut une courte phrase pour remercier Diana, Leo et Shelly pour leur excellent travail.

Les journaux titrèrent: CLARKE LE PLAYBOY ENFIN INCULPE. Une pique discrète pour Donny Roscoe, pensa Diana.

La façon dont il monopolisa l'attention ne toucha pas Diana. Pas plus que les félicitations de ses collègues ou la joie de son père.

— C'est le plus beau jour de ma vie, depuis que j'ai épousé ta mère! Enfin, je peux être vraiment fier de l'un de mes enfants.

Les compliments de Mamma furent moins enthousiastes. Diana pensait qu'elle serait contente parce que son mari était content. Au lieu de cela, elle regardait sa fille comme elle aurait regardé une étrangère pas très sympathique.

Diana mangea peu ce soir-là.

— Ton appétit reviendra, rugit son père, maintenant que la tension de l'enquête est passée.

— Il y a encore le procès.

— Il va proposer un marché. Je connais ce genre d'oiseau: ils ont tous peur de faire face à un jury.

— Je ne sais pas, dit-elle sombrement, je ne sais pas.

Cette nuit-là, Diana dormit d'un sommeil profond, sans rêves, sans cauchemars.

Ou alors, elle ne s'en souvint pas.

59

— Je me demande bien comment elle a su, pour la maison? grogna Lee West.

Déjà, Pat Slattery avait le béguin pour lui; un béguin fait d'instinct maternel, protecteur, férocement protecteur.

— Oh, ça je le sais, répondit Conor; c'est moi qui le lui ai dit.

— Quoi? s'exclama Lee. Où? Quand?

— En novembre. Je peux retrouver la date exacte, si c'est important. Pour ce qui est de l'endroit... eh bien, figurez-vous que c'était dans le bain tourbillon du East Bank Club. Il réfléchit un instant, puis ajouta : elle venait de me battre au squash.

— Alors vous... vous la connaissiez bien? Lee paraissait incrédule.

— C'est une façon de voir les choses. Au risque de m'exprimer comme un adolescent, nous sortions ensemble.

— Depuis combien de temps? explosa Pat Slattery. Elle avait toute la fougue séculaire des femmes irlandaises quand quelqu'un persécute leurs hommes. Assez de belles avocates irlandaises pour moi, pensa Conor.

— Depuis le mois d'août.

— Est-ce que vous étiez... je veux dire... Lee West se débattait entre la discrétion et la curiosité.

— Non, je ne passais pas mes nuits avec elle. A vrai dire, je pense que j'aurais pu le faire en de nombreuses occasions.

— Pourquoi ne me l'avez-vous pas dit? C'était amusant de voir le grand avocat perdre sa civilité légendaire. Est-ce que Roscoe est au courant?

— Pour répondre à la première question, je me suis dit que ça se saurait bien assez tôt. Quand à la seconde, je suppose que oui. Il pensa que la scène était plutôt comique, mais qu'il ne s'amusait pas.

— Impossible, s'écria Pat Slattery. Il la tuerait!

— Ce que ma jeune collègue veut dire, à sa manière... mmm, passionnée – Lee faisait un immense effort pour recouvrer son sang-froid – c'est que la carrière de Donny serait détruite si on apprenait que l'une de ses adjointes faisait usage de ses faveurs pour amener un suspect en justice. Eileen Kane qui, Dieu merci, jugera cette affaire, l'enverrait sur les roses et déposerait probablement une plainte contre eux auprès du Barreau.

— Nous n'avons pas couché ensemble dans mon appartement. Je pensais avoir été clair sur ce point.

— Lee passa sa main dans ses cheveux impeccablement coiffés.

— Puisque c'est vous, mon cher Conor, je vous crois. Mais je serai probablement le seul. Pouvez-vous le prouver? Il rougit. Je veux dire, que vous sortiez ensemble?

— Il y a des personnes qui nous ont vus ensemble.

— Nous leur ferons signer des affidavits, puis nous irons voir Roscoe avec ces documents. Vous n'entendrez plus jamais parler de leurs accusations. Ils abandonneront l'affaire pour manque de preuves.

— Ce qui ne serait pas une exonération.

— Ce qui serait mieux qu'une bataille de deux ans.

— Peut-être.

— Mais pourquoi aurait-elle fait ça? demanda la jolie Patricia.

— Peut-être qu'ils lui avaient mis un micro et qu'ils ont l'intention de dire qu'elle travaillait comme agent; il ne faut pas négliger cette possibilité, Lee. Conor s'amusait de nouveau. Et même s'ils ne l'ont pas fait, ils peuvent toujours le prétendre, non?

Lee fourra ses mains dans ses poches et se mit à faire les cent pas dans la pièce.

— Donny et ce psychopathe de Leo Martin sont capables de n'importe quoi, Conor. Mais cette fois, ils sont allés trop loin.

— Exact. Si cette histoire venait à être connue, ils n'auraient pas très bonne mine dans la presse. Mais moi non plus.

— Une jeune juriste ambitieuse, inexpérimentée, à peine sortie de la faculté de droit, dit Pat – qui, pensa Conor correspondait elle aussi à cette description – se figure qu'il suffit d'ouvrir les jambes pour réussir. Elle a probablement pensé que nous allions proposer un marché, mais quel risque énorme elle a pris!

— Mais elle a aussi découvert un indice de taille, l'interrompit Lee West. Cela dit, vous allez devoir décider, mon cher Conor, si vous voulez utiliser cela ou non. Pas besoin de le faire tout de suite, mais je peux vous assurer que nous tenons là une carte dont ils doivent avoir une peur bleue.

— Voulez-vous passer quinze ans en prison parce que vous êtes un gentleman? gronda Pat.

— Vu sous cet angle, ma chère Pat, non. Encore que je pourrais changer d'avis si vous me promettez de venir me voir tous les mois. Mais en arriverons-nous là?

Lee leva les bras au ciel :

— Je n'en sais rien. Les procès sont imprévisibles. A vrai dire, j'en douterais. Comme vous l'avez si bien dit devant le jury, n'importe qui aurait pu mettre cet argent dans votre maison; y compris la très complexe Mlle Lyons.

— Donc, nous n'utilisons notre arme que si nous y sommes forcés?

— Elle ne vaut pas la peine d'être protégée! protesta Pat.

— Probablement pas, Patty. J'ai l'intention de régler mes comptes avec elle moi-même et à ma façon. Il se permit un mince sourire. En tout cas, je vois de nombreuses façons de gagner ce procès. œil pour œil, dent pour dent, s'il le faut.

Il y eut un silence de mort. Peut-être en ai-je trop fait, pensa Conor. Ils ne savent plus que penser de moi. D'abord, j'insiste pour comparaître devant un jury; ensuite, je protège une garce; et enfin, je fais des menaces. Ils doivent se dire que je ne vais pas être un client facile.

— Je propose un compromis pour l'instant, dit Lee prudemment. Rassemblons les affidavits pendant que les souvenirs sont encore frais dans l'esprit des intéressés. Et gardons-les en réserve.

— D'accord. Puis il répéta sa menace : il y a de nombreuses manières de gagner et de les coincer, sans révéler ma, euh, mon aventure avec Diana Marie Lyons.

Les deux avocats le regardèrent étrangement, visiblement effrayés par les projets qu'il semblait avoir en tête.

En réalité, il n'avait pas la moindre idée de ce qu'il allait pouvoir faire. Pas encore. Mais il les aurait tous. Coûte que coûte.

60

Ce soir-là, dans son appartement, un feu crépitait joyeusement dans la cheminée et un disque compact diffusait doucement une symphonie de Bruckner. Une bouteille d'Irish Cream auprès de lui, Conor cherchait depuis un bon moment le courage de se lever. Finalement, il s'extirpa de son fauteuil et se dirigea en vacillant un peu vers le secrétaire où il conservait les rares souvenirs auxquels il tenait. Dans un minuscule tiroir, il prit une clé qui servait à ouvrir un autre tiroir encore plus petit à l'autre bout du meuble. Il en tira une boîte de velours qui occupait presque tout le compartiment et l'ouvrit.

Un rubis entouré de diamants. Inutile maintenant. Il jeta la bague dans son panier à papier. Vingt-cinq mille dollars, vingt-deux mille cinq cents... quelle différence? Les honoraires de ses avocats lui coûteraient largement plus. Vendre la Mercedes et la maison d'Astor Street avec sa piscine intérieure...

Il retourna à son recueil de poèmes, se versa un autre verre.

Puis il se leva de nouveau, alla fouiller dans le panier à papier. Il en sortit l'écrin et le remit dans sa cachette.

On ne sait jamais quand on pourra avoir besoin d'une bague de fiançailles...

61

— Vous comprenez naturellement, Messieurs, dit Donny de sa voix des conférences de presse, que cette réunion n'a pas lieu à mon instigation et que mes services ne s'engagent pas à retenir les solutions qui pourraient y être discutées. Est-ce bien clair?

— Je suis sûr qu'ils ont compris, Donny. Leo Martin n'était pas plus tendre avec son patron devant des étrangers qu'il ne l'était devant ses propres collaborateurs.

— Parfaitement, dit Lee West d'une voix douce.

C'était peut-être clair, mais ce n'était pas vrai, pensa Diana. Cette réunion « informelle et officieuse » n'était que la première scène d'un scénario qui devait forcer Conor Clarke à négocier. En fait, Donny voulait cette rencontre et il aurait été furieux si son personnel n'avait pas pu l'organiser. Mais il fallait, pour son propre prestige, qu'il puisse prétendre avoir cédé aux insistances de l'inculpé.

— Notre position contre votre client est très forte, Maître West. Personnellement, je trouve d'ailleurs les délits de ce genre particulièrement graves, et je considère qu'ils doivent être punis avec la plus grande sévérité.

Il avait presque fallu que Conor traîne Lee West à cette réunion. Maintenant, il conservait un silence menaçant, comme s'il allait, d'un instant à l'autre, tirer un sabre et tailler ses adversaires en pièces. Diana pensa qu'il était terrifiant. Leo lui-même semblait mal à l'aise en présence de Conor.

Et pourtant, Diana le connaissait assez bien pour deviner qu'il attendait la bataille avec délices; un guerrier blond qui adorait le bruit et la fumée, le sang et la violence de l'action.

— Dans un cas comme celui-ci, continua Roscoe, on peut facilement envisager la prison à perpétuité, et en tout cas un minimum de quinze ans. Il y a en effet dix-neuf chefs d'accusation dans le document que j'ai devant moi.

— Ce qui veut dire au moins dix ans de prison, probablement dans un établissement pénitentiaire, lâcha étourdiment Shelly.

Conor se tourna vers lui comme s'il venait de s'apercevoir de sa présence.

— J'ai passé l'examen du Barreau moi aussi, Maître Gollin, dit-il d'un ton glacial. Et je l'ai réussi du premier coup.

Le grand secret de Shelly était que, petit génie ou pas, il avait dû passer l'examen deux fois.

Donny poursuivit son exposé :

— Toutefois, si vous pouviez nous donner l'assurance d'un, euh, repentir sincère et de la volonté de votre client de se, euh, réhabiliter rapidement, nous pourrions peut-être nous mettre d'accord sur quelque chose d'un peu moins rigide. Naturellement, il faudrait que le juge Kane accepte, ce que nous ne pouvons pas garantir. Je dois cependant insister pour qu'il y ait une peine d'emprisonnement, ne serait-ce que pour démontrer aux jeunes gens de notre juridiction que même les riches doivent payer quand ils enfreignent la loi. Nous pourrions dire, par exemple, deux ans, avec une remise de peine pour bonne conduite.

Il y eut un long silence. Puis Conor parla :

— Hé, Lee! Il parle de ma bonne conduite! Pourtant, il me semblait que ça n'avait jamais été mon fort.

Lee eut un sourire forcé.

— A vous de décider, Conor.

Conor se leva et s'inclina poliment devant les membres du bureau du Procureur des Etats-Unis.

— Maître West, Maître Slattery et moi-même savons que vous avez une charge de travail énorme, avec tous ces malfaiteurs qui s'en prennent à nos institutions et à notre beau pays. Diana jeta un coup d'œil autour d'elle : Donny, Leo et Shelly paraissaient aussi effrayés qu'elle l'était elle-même par le calme de leur interlocuteur. Nous ne vous retiendrons donc pas plus longtemps. Merci infiniment pour votre temps et Joyeux Noël à tous.

West et Slattery se levèrent docilement.

— Et notre proposition? bredouilla Roscoe de derrière son immense bureau.

Conor ouvrit la porte et s'effaça pour laisser passer ses avocats. Puis il se retourna vers Donny et parla si doucement qu'ils eurent du mal à l'entendre :

— J'ai bien peur que vous n'ayez une guerre sur les bras, Monsieur Roscoe; une lutte à mort. Je vous souhaite aussi une Bonne Année.

— C'est bien avec ce même type que vous avez joué au golf, Diana? demanda Leo d'un ton sarcastique.

— Non. Je n'avais pas peur de lui; celui-ci me pétrifie.

— Nous venons de tirer un tigre par la queue, Donny, soupira Leo. Il va se battre jusqu'au bout.

— Remarquable, murmura Shelly, vraiment remarquable, ce type.

— Mais je ne comprends pas. Quand les choses ne se déroulaient pas selon son scénario, Donny ne comprenait jamais. Qu'a-t-il à gagner en se battant?

— Nos têtes, répondit Leo sombrement. Pour commencer.

62

— Alors, vous allez fêter Noël par un dîner hassidique?

Le père Blackie Ryan se versa une bonne mesure de vieux whisky irlandais, considéra attentivement son verre, et en rajouta encore un peu. C'était après la messe de minuit; il avait invité Conor à venir dans ses appartements « se réchauffer un peu le corps », et se préparait maintenant, à sa manière détournée, à lui dire qu'il s'inquiétait pour lui.

Conor s'arrêta devant la statue de la Vierge qui semblait présider la pièce. Médiévale, probablement un original, et d'une beauté remarquable.

— C'est mon père qui me l'a offerte quand j'ai été ordonné. Il trouvait qu'elle ressemblait à ma défunte mère.

Conor se demanda ce que pouvait être un Noël avec le clan Ryan.

— Mon ami Silverman dit que Baal Shem Tov croyait à toutes les célébrations.

— Sans aucun doute. C'est en tout cas très généreux de leur part de célébrer le solstice d'hiver, quel que soit le nom qu'on lui donne dans les diverses religions d'Adonai Yahweh. La lumière finit toujours par revenir.

— Ce sont des amis remarquables.

— Effectivement. Vous allez à San Francisco pour le championnat?

— C'était effectivement mon intention, mais je dois comparaître au tribunal la veille. Ce serait mal vu, je suppose.

— Non coupable?

— Naturellement. Mais il y aura des gens coupables dans la salle d'audience, et je vais faire en sorte qu'ils se retrouvent eux-mêmes devant un juge.

— Vous semblez sûr de battre notre Procureur des Etats-Unis, l'inestimable Donald Bane Roscoe.

— A plate couture, mon père; et ensuite, je les détruirai tous, jusqu'au dernier.

— Tout le contenu de l'immeuble Dirksen? Ce serait une bonne façon d'économiser des sommes considérables à notre pauvre république.

— Non, seulement l'équipe qui m'a mis dans ce pétrin; Roscoe et Lyons surtout. Quand j'en aurai fini avec eux, ils ne pourront plus jamais pratiquer le droit. Roscoe n'osera plus jamais faire de politique et Lyons ne pourra même plus se trouver un emploi dans cette ville.

Le prêtre le considéra à travers son verre.

— Hum... je suis certain que vous avez l'intention de faire tout cela. Mais peut-être n'avez-vous pas encore décidé comment...?

— Rien ne m'arrêtera.

Le petit ecclésiastique réfléchit en silence.

— Je n'en doute point. Et vous y prendrez plaisir en plus...

— Je dois rétablir ma réputation avant tout.

— Et ensuite, vous détruirez l'excellent Donny et la belle Diana...

— C'est ça.

— Très charitable de votre part, Dieu sera certainement content.

— Hein?

— Bien sûr : vous Lui éviterez d'avoir à faire tout le travail Lui-même.

— Mais quelqu'un doit mettre fin à toutes ces manigances d'immunité et de marchandages.

— En effet. Vous supposez que c'est la belle Diana qui a caché l'argent?

— Qui d'autre? J'allais lui donner la bague ce soir, mon père.

— La trahison, issue de l'envie, est une bien triste réponse à l'amour.

— Je ne sais pas... Il ne voulait pas parler de Diana. J'ai deux options pour la semaine prochaine... Peut-être que je devrais tout laisser tomber; laisser quelqu'un d'autre se battre contre Roscoe...

— Ah?

— Je pourrais dire que je veux négocier. Ainsi, je n'irais pas en prison et les journaux oublieraient vite l'affaire.

— Ou alors?

— Je pourrais révéler que Diana m'espionnait.

— Et cela ferait plus pour votre réputation qu'une négociation?

— Peut-être. Ça pourrait aussi me faire passer pour un idiot auprès des femmes, encore que ce ne soit pas un grand secret. Il se sentit sourire, ce qui ne lui arrivait plus très souvent. En tout cas, ce serait une façon satisfaisante de gagner.

— Et de plus, cela humilierait Diana, la détruirait peut-être?

— Cela ne me dérangerait pas. Sauf que je préfèrerais la détruire moi-même.

— Mais sans porter atteinte à votre réputation?

— Vous avez trouvé, mon père. Je veux gagner, et je veux gagner en beauté.

— Mais envisagez-vous cependant les deux options que vous avez citées?

— Parfois. Il y a d'autres stratégies possibles, mais aucune qui me garantirait de ne pas aller en prison pour un crime que je n'ai pas commis.

— Et de plus, vous n'êtes pas encore complètement guéri de vos sentiments envers la belle Diana.

— Je la hais.

— Sans doute, mais cela ne suit pas...

— Bon, d'accord. C'est vrai que, par moments, je l'aime encore. C'est absurde, mais je suppose que l'amour est toujours absurde.

— Je ne suis pas absolument certain que vous puissiez vous débarasser de votre obsession.

— Croyez-moi, mon père, je la détruirai.

— Ce qui, croyez-moi à votre tour, ne résoudra rien. Vous ne vous êtes pas installé dans la nouvelle maison?

— Non. Je vais probablement la remettre sur le marché.

— Et naturellement, vous avez revendu – en faisant un bénéfice bien sûr – la Mercedes rouge?

— Non, pas encore.

— Je ne parlerai même pas de la bague qui, sans aucun doute, passe Noël dans le coffre d'un bijoutier?

— Je l'ai toujours.

Le père Blackie se carra dans son fauteuil et poussa un profond soupir.

— Vous devez penser que je suis un imbécile, mon père.

— Peut-être. Le petit prêtre leva son verre. J'aurais quelques chances d'avoir raison. Mais d'autres pourraient objecter qu'étant un homme d'affaires et un spéculateur avisé, vous ne vous défaites pas inconsidérément d'investissements qui ont une chance de s'avérer lucratifs.

63

Noël.

Nous n'en avons jamais fait très grand cas. Papa pense que c'est une fête commerciale et dégoûtante. Pourquoi se faire des cadeaux quand on a le plus beau cadeau de tous : une famille? Et il déteste la Messe de minuit : il dit que ce n'est qu'une célébration païenne, un mélange de religion et d'ivrognerie.

Je pense que tout cela dérange beaucoup Mamma. Elle m'a dit un jour que les Italiens, les Siciliens surtout, adoraient Noël.

Cette année, elle a enfreint les règles et m'a fait un cadeau : une adorable robe verte qui me va parfaitement et qui me donne un air de fête, même si je n'ai pas l'esprit à ça.

Papa lui en a voulu : "Beaucoup trop cher pour des gens simples comme nous."

Mamma a ri : "Elle n'a presque rien coûté; j'ai eu une remise énorme."

"Elle a quand même l'air chère. Enfin, je suppose que pour sa grande victoire, notre fille méritait une robe neuve.")

J'ai été étonnée par ce cadeau. Depuis le premier article dans les journaux, Mamma m'a à peine adressé la parole, mais elle me regarde constamment d'un air bizarre. Je me demande ce qu'elle pense. Je me demande s'il y a un message dans cette couleur verte.

D'habitude, je vais chez Maryjane l'après-midi du jour de Noël. Cette année, mon invitation a été annulée de façon plutôt dramatique : "J'ai dit au détective que bien sûr, vous sortiez ensemble, et que même vous étiez le parrain et la marraine de ma petite Geraldine, pauvre enfant! Il a dit que c'était un renseignement très utile et il est parti. En tout cas, je suis très déçue, Diana, et je ne veux plus jamais te revoir".

Elle était en sanglots quand elle avait raccroché.

Ainsi Conor a lancé des détectives après moi. J'ai vraiment peur de lui.

Toute cette histoire s'est passée si vite. Si seulement je n'avais pas laissé Maryjane organiser cette partie de golf. C'est là que ma personnalité a commencé à changer. Maintenant, je me sens répugnante, même si je suis sûre de mon bon droit.

J'étais si fière de mon honnêteté intellectuelle. Je ne m'amusais pas beaucoup et je n'avais pas beaucoup de prétendants, mais au moins j'étais une personne honorable.

En tout cas, c'est ce que je pensais.

Mais tout cela ne tenait qu'avec des trombones tordus et rouillés, comme ceux qui sont dans le bureau de Papa.

64

— Je dois dire que j'ai apprécié ce Noël juif, dit Conor en regardant ses amis l'un après l'autre. Il m'a réchauffé le corps et le cœur.

La minuscule salle à manger des Silverman, avec ses vieux meubles de famille et ses lourds rideaux de velours, baignait dans la douce lumière d'une énorme chandelle rouge.

— Et qu'y a-t-il de surprenant à cela? Ne célébrons-nous pas aujourd'hui la naissance d'un homme qui a été l'un de mes collègues rabbiniques les plus distingués?

— En effet. Parfois, Zeke, je te soupçonne de croire que les deux religions n'en font qu'une.

— Chut! Il feignit de regarder autour de lui d'un air de conspirateur. Ne le dis jamais à personne, Conor, mais je pense que ce sont les deux branches d'une seule et même religion, qui ont été provisoirement séparées et qui, si Dieu le veut, finiront par se réunir.

— Et tu deviendras le Recteur de la cathédrale?

— Et le père Blackie sera le Grand Rabbin.

— Et nous pourrons être membres de n'importe quel club! fit Naomi en riant, ses yeux brillants de gaieté et de porto.

Le rabbin leva son verre :

— Tu ne trouves pas, Naomi, que l'adversité réussit plutôt bien à notre ami?

Elle se leva, une main sur son ventre rond et se dirigea prudemment jusqu'au sofa.

— Je crois que notre ami a enfin trouvé une cause sur laquelle il peut passer la rage qui l'habite depuis si longtemps. Un ajustement extrêmement bénéfique, à court terme.

— A court terme, Docteur? Conor inclina la tête comme s'il s'adressait à une distinguée collègue.

— Certainement. Tu as maintenant beaucoup plus de maturité et de discipline, mon cher. Ce qui te rend très séduisant, mais aussi un peu inquiétant. Elle eut un frisson presque imperceptible. Je pense que tu vas gagner, mais je ne sais pas si cet ajustement sera valable à long terme. Et le procès, s'il a lieu, sera du long terme.

— Tu veux dire que je vais m'essouffler? Il vida son verre de porto et décida qu'il n'en reprendrait pas.

— Oh, c'est certain. Et que tu vas t'apercevoir que la vengeance n'est douce que provisoirement. Et pire encore, je crains que ta présente humeur de justicier ne te conduise à faire quelque chose d'imprudent, dangereux, et potentiellement destructif pour toi-même.

— Rien ne m'arrêtera. Les doigts de Conor se serrèrent autour de son verre. Je veux rétablir ma réputation et défaire ces gens.

— Et ensuite, quand le vieux Conor reviendra, plus posé et plus adulte sans aucun doute, pourra-t-il vivre avec le souvenir de ce qu'il aura fait?

— Je tiendrai compte de cela, Naomi, promit-il. Mais pour le moment, il faut que je fasse ce qui doit être fait.

— N'est-il pas normal pour notre ami d'en vouloir à cette pauvre femme? murmura Ezekiel.

— C'est normal, oui. Elle l'a trahi d'une façon inexcusable. Mais qu'y a-t-il après la colère?

— Elle n'a pas encore jeté les trente deniers sur le carreau du temple. Conor se leva pour partir, tous ses muscles tendus d'une colère maîtrisée. Il vaut mieux la combattre, plutôt que de t'épuiser à la haïr.

— La pauvre fille – Naomi poussa un soupir presque aussi profond que le père Blackie – n'a même pas reçu ses trente deniers.

65

— Très bien, M. Roscoe. Le juge Kane soupira profondément. Je vous accorde le temps d'une consultation privée, mais ici-même, dans la salle d'audience.

Diana observait la scène d'un air détaché, comme si elle n'avait été que l'un des journalistes qui se pressaient dans la salle pour entendre l'inculpation officielle de Conor Clarke.

Johnny Corso et Pete Kline avaient plaidé coupables. Le cas de Broddy Considine serait étudié une autre fois, quand on aurait trouvé un moyen de justifier sa mise en liberté surveillée. Le juge Kane avait assisté à toute cette activité avec une expression qui aurait pu indiquer qu'elle était de nouveau enceinte et souffrait de nausées matinales.

Donny Roscoe traversa la salle, suivi de Leo Martin, pour aller conférer avec Conor et ses avocats.

— Il ne peut pas croire qu'ils refusent de négocier, chuchota Shelly à Diana.

Elle hocha la tte.

— Nous l'avons sous-estimé.

— Une chose est sûre, Diana : ce type a de la classe. Tu vas voir; dans six ou neuf mois, nous allons nous retrouver dans cette même salle pour demander discrètement le retrait de notre plainte. Ces deux-là ne voudront jamais risquer un procès contre lui.

— Il ne va pas nous laisser nous en sortir discrètement, Shelly.

D'un calme surprenant, vêtu d'un costume brun très strict, les cheveux encore plus courts que la fois précédente, Conor ne ressemblait en rien au plaisant jeune homme avec qui elle avait joué au golf quatre mois auparavant, au Long Beach Country Club.

Il a mûri pendant que me détériorais, avait-elle écrit dans son journal la veille. *Je l'aimerai toujours*.

Son père continuait d'être heureux, d'une façon presque intolérable. Il était si content qu'il n'avait soulevé aucune objection quand elle avait rapporté un petit poste de télévision couleur à la maison.

— La couleur est importante, Papa, pour évaluer l'environnement psychologique de ce qui se passe.

— La dépense me semble superflue, mais notre brillante jeune avocate doit savoir ce qu'elle fait, n'est-ce pas, Maria?

Pourquoi est-elle Maria à la maison et Anna Maria au travail? Plus chic, je suppose, pensa Diana en portant le téléviseur noir et blanc dans la pièce où sa mère cousait. Cette dernière accepta le présent avec un mince sourire et un hochement de tête, mais elle restait silencieuse et distante. Cette femme est une étrangère. Pourquoi l'ai-je toujours vue seulement comme ma mère? Qui est-elle vraiment?

Comme la joie de Papa était précaire. Si Conor refusait de négocier, le secret de Diana serait presque sûrement révélé.

Maryjane Delaney l'avait rappelée la veille, pour l'accuser une fois de plus d'avoir trahi Conor.

"C'est toi qu'ils devraient mettre en prison, pas Conor."

Donc, avait-elle pensé avec un certain détachement, il n'est pas suffisamment romantique pour aller en prison pour protéger mon honneur.

Pourquoi ai-je fait ça? se demandait-elle de plus en plus souvent. Pourquoi ai-je pris tant de risques en sachant que cela rendrait sa condamnation impossible?

Elle se justifiait en se disant qu'elle le haïssait. C'est un fils de riche qui a exploité les pauvres. Et moi, je ne suis que la dernière en date de ses victimes. Pourtant, Dieu sait qu'elle avait été une victime consentante.

J'ai encore envie de coucher avec lui. Pourrai-je jamais me libérer de cette obsession? Ou resterai-je prisonnière de cet homme toute ma vie?

Roscoe était apparemment le seul à parler. Lee West hochait la tête de temps en temps. Cette garce de Slattery semblait avoir de la peine à contenir sa rage. A-t-il déjà couché avec elle?

Conor paraissait étranger à toute la scène. La presse bourdonnait d'impatience : on était en train de marchander quelque chose. Ils se prétendraient scandalisés à la conférence de presse et Donny répondrait, comme d'habitude, que ses services avaient pour mission d'arrêter et de punir les criminels, et pas de monter des spectacles pour amuser les foules.

Mon Dieu, comme elle détestait Donny Roscoe! Presque autant qu'elle détestait Conor. Et elle-même.

— Etes-vous prêt, monsieur le Procureur des Etats-Unis? Les yeux verts du juge Kane étincelaient dangereusement. Ces personnes de la presse ont des délais à respecter, ajouta-t-elle.

Donny rougit. Il avait déjà été rabroué plusieurs fois par le juge. Un avant-goût de ce qui se produirait au cours du procès, s'il y en avait un.

— Encore un petit instant, Votre Honneur?

Elle consulta sa montre.

— D'accord. Un petit seulement.

Les avocats se tournèrent tous vers Conor Clarke, attendant de toute évidence sa décision. Il eut l'air de quelqu'un qui n'a pas très bien compris une question. Lee West chuchota quelque chose à son oreille.

Alors, Conor leva le poing droit, de façon ce que tous les journalistes puissent bien le voir, et le retourna théâtralement, le pouce en bas. La salle fut parcourue d'un éclat de rire. Même le juge Kane se permit un sourire. Roscoe repartit vers sa place, rouge de honte et de colère.

— Nous ne lui donnerons pas une autre chance, Leo, dit-il comme si la discussion avait été l'idée de Leo et non la sienne. Nous demanderons la peine maximum.

On lut les dix-neuf chefs d'accusation, fraude et tentatives de fraude, un document ridicule que Diana avait rédigé elle-même.

— Comment plaidez-vous, Monsieur Clarke?

Conor mit tout son charme dans le sourire qu'il adressa au juge Kane :

— Non coupable sur toute la ligne, Votre Honneur.

C'était fait. Il y eut les motions préliminaires, une joute technique complexe, dans laquelle les avocats de Conor démontrèrent qu'ils savaient manœuvrer au moins aussi bien que Leo Martin. Ensuite, il y eut la conférence de presse, au cours de laquelle Donny bredouilla qu'il n'avait jamais été question de négocier et que la conversation privée avait eu lieu à la demande des avocats de M. Clarke. Personne ne le crut.

Conor sortit de la salle d'audience avec une expression fermée.

— Pas de commentaire.

Cependant, à la dernière seconde, son visage s'éclaira d'un sourire de guerrier satisfait. Les photographes s'en donnèrent à cœur joie.

Un peu plus tard, Diana prit l'ascenseur pour descendre respirer un peu. Il n'y avait qu'une autre personne dans la cabine : Conor Clarke. Pendant quelques instants, elle crut avoir une hallucination : comment pouvait-il être là alors qu'il était parti depuis si longtemps?

Puis, avec un haussement d'épaules, elle entra dans l'ascenseur. Après tout, elle avait autant le droit que lui d'y être, non?

— Pas de témoins ici, hein, Maître? Seulement nous deux, devant Dieu, à attendre Son jugement.

— Je vois que tu utilises toujours autant de clichés.

— Je vois que tu as toujours autant de répartie. Eh bien, voyons comment tu vas réagir à ceci : j'ai l'intention de te détruire.

Terrifiée, elle recula involontairement contre la paroi de la cabine.

— Me détruire? balbutia-t-elle.

— Quand tout ceci sera fini, tu ne pourras plus pratiquer le droit ni aucune autre profession dans cette ville. Je te forcerai à quitter Chicago pour toujours; je te le promets, même si je dois y passer le reste de ma vie et toute ma fortune. Tu regretteras d'être jamais venue au monde. La porte est ouverte, Maître. Après vous.

Il traversa d'un pas décidé l'immense hall de l'immeuble Dirksen, sans se soucier des regards qui se tournaient vers lui.

Nous aurions pu tout aussi bien tomber dans les bras l'un de l'autre.

66

Le petit gangster avait murmuré quelques mots dans l'oreille de Conor, tandis qu'il admirait les lumières de Noël qui éclairaient la mosaïque de Chagall de First National Plaza.

— Tout ira bien, M'sieu Clarke, avait-il chuchoté. On va s'occuper de tout. Pas de problème.

Conor et Pat Slattery avaient dîné dans un restaurant italien, sur Monroe Street. Il l'avait rencontrée en sortant de chez ses avocats et elle avait timidement accepté sa proposition d'un « bon dîner italien sans aucune arrière-pensée ».

— Dès qu'il y a un homme et une femme, avait-elle murmuré, il y a toujours une arrière-pensée.

— Pas quand il fait un froid pareil, avait-il répondu en lui prenant le bras.

Patty était d'une compagnie très agréable, et parfaitement capable, comme il s'en aperçut très vite, de faire seule tous les frais de la conversation. En fait, Conor aurait eu du mal à placer le moindre mot dans le monologue de la jeune avocate sur ses aventures professionnelles.

— Vous devriez écrire vos Mémoires, Patty Anne, réussit-il à dire. Il y aurait de quoi détruire la moitié des firmes d'avocats de Chicago.

— Seulement après que je serai devenue associée... Je vous ai parlé de la fois où ce juge ivre...? mais non, bien sûr que je ne vous en ai jamais parlé... en tout cas, ce juge était entré dans les toilettes des dames, et...

Que se passait-il sous cette chevelure éclatante? Que voulait la jolie Patty dans la vie? A part devenir associée dans une firme d'avocats, bien sûr.

Mais ce n'était pas le moment de le lui demander. Il se contenta d'imaginer vaguement comment Patty pouvait être sous son gros chandail de laine. Mais sa rêverie manquait de fascination érotique. Conor manquait de créativité sexuelle en ce moment, son système hormonal était inactif.

Ah oui, ils ont bel et bien tué le dernier playboy du monde occidental!

— Regardez, avait-elle dit quand ils étaient ressortis du restaurant, n'est-ce pas le genre de chose qu'on s'attendrait à voir au paradis?

— Quoi?... Oh, le Chagall... oui, c'est superbe... les couleurs, les lumières et la neige, comme une de ces délicates miniatures du seizième siècle.

— La plus belle chose qu'on puisse voir à Chicago, à Noël.

— Vous pensez aller au paradis, Patty Anne?

— *Quoi?*

Mais, avant que la conversation puisse devenir sérieuse, l'étrange petit homme s'était approché de lui et lui avait chuchoté son message d'une voix rauque.

— Oui? Conor savait que, quand on avait affaire à ces gens-là, il valait mieux les laisser parler à leur façon et ne pas trop en dire.

— Ouais. Dans deux ou trois jours, ça sera tout bon. OK?

— OK.

— J'oublierai jamais ce que vous avez fait pour ma famille, M'sieu Clarke.

Le petit homme disparut dans l'air froid de la nuit.

— Qu'est-ce que c'était que cette histoire? Patty Anne paraissait à la fois effrayée et soupçonneuse.

— J'aimerais bien le savoir.

— Qui était-ce?

Conor lui prit le bras et ils se mirent en marche.

— Un petit malfrat qui connaissait mon père. Pas méchant, mais pas très chanceux.

— Crime organisé?

— Limite. Mais inoffensif, comme je disais. Il a dû inventer une histoire pour se donner de l'importance.

Mais s'il y avait eu un magnétisme quelconque entre Patty Anne et lui, ce soir-là, il avait disparu. Il était sûr qu'elle ne lui faisait pas confiance.

Une fille avisée.

67

Blackie Ryan sursauta. Mais oui! C'était ça qui devait se passer!

Que j'ai été idiot de ne pas y penser plus tôt!

Penser à quoi? demanda-t-il à la Vierge médiévale.

Une heure plus tôt, il s'était installé dans son gros fauteuil pour se livrer à la très pieuse activité qui consiste à lire les pères fondateurs de l'Eglise.

Ce qu'un observateur non averti aurait décrit comme une sieste.

Mais je la méritais, répondit-il au reproche muet de la Vierge. N'ai-je pas passé une grande partie de la nuit à travailler pour m'assurer que l'antique système de chauffage de la cathédrale fonctionne, pour que les écoliers n'aient pas à geler lundi matin?

Bien sûr, les autres lui avaient dit qu'il n'entendait rien à la réparation des chaudières et qu'il ne faisait que les déranger. Bien sûr, c'était le cardinal, un vétéran qui avait connu de nombreux hivers comme curé dans un quartier pauvre de Chicago, qui avait finalement réussi à faire repartir le système. Bien sûr, le père Ryan n'avait pas fini d'entendre parler de cet exploit cardinalice.

A quoi pensais-je, juste avant de me réveiller? demanda-t-il à la Vierge. C'était au sujet de Conor Clarke et je me disais qu'il suffisait de voir toute l'affaire sous un autre angle pour tout comprendre...

Pourquoi me suis-je réveillé avec une telle sensation d'urgence? Que va-t-il se passer?

Puis la mémoire lui revint.

Non, cela ne doit pas arriver.

Il chercha son annuaire de Chicago, feuilleta les pages bleues pendant un bon moment, et finit par trouver le numéro qu'il cherchait.

— Procureur des Etats-Unis.

— Mademoiselle Diana Marie Lyons, s'il vous plaît.

Après plusieurs transferts, on lui apprit que Mademoiselle Lyons était en réunion.

— Pourriez-vous lui demander de rappeler le père Ryan à la cathédrale 787-8040. C'est urgent. Oui, Ryan, R-Y-A-N, 787-8040. Extrêmement urgent. Merci.

Quelle autre orthographe pouvait-il bien y avoir?

Il se mit à tapoter nerveusement le bras de son fauteuil.

Pourvu qu'elle rappelle. Les Furies pouvaient se déchaîner à tout moment.

68

Diana ne prit le message qu'à la fin de la journée. Rappeler le père Rhind. Urgent. Qui était le père Rhind? Et pourquoi voulait-il lui parler d'urgence?

Rhind?

Elle composa le numéro.

— Cathédrale du Saint-Nom.

Ryan!

Diana raccrocha. Elle ne voulait pas parler au confesseur de Conor. Et en plus, c'était contraire aux règles de sa part que de vouloir intervenir.

Il était bien le frère du juge Kane, non?

Ce qui rendait son appel encore plus contraire aux règles.

Elle froissa le message et le jeta. Elle ne voulait pas être en retard pour le dîner d'anniversaire de mariage de ses parents. Peut-être rappellerait-elle demain.

On était en janvier et le froid était intense. Diana se débattait avec sa conscience, noircissait des pages entières de son journal, et ne comprenait toujours pas.

Etais-je si faible, en réalité, qu'il ait suffi de si peu de temps pour détruire ma personnalité? La réponse doit être oui. Si seulement je pouvais me payer les services d'un psychiatre. Mais ça ne servirait probablement à rien. Personne ne peut plus m'aider.

Elle travaillait maintenant sur une affaire de cocaïne : un pauvre type, marié, avec cinq enfants, s'était mis à vendre de la drogue pour payer les dettes de jeu qu'il avait contractées à son club de golf. Il ferait quelques mois de prison. Personne ne semblait se soucier de l'impact que cela produirait sur sa famille. L'affaire Clarke traînait. Le procès n'aurait pas lieu avant au moins neuf mois. Shelly continuait de prédire que Leo et Donny laisseraient tomber malgré les preuves irréfutables que Diana leur avait apportées.

— Je ne sais plus que penser, Shelly. Ce qui est sûr, c'est qu'ils ne semblent plus vouloir en discuter.

— En tout cas, ils ne pourront pas t'envoyer surveiller la pornographie à l'aéroport. Tu es une vedette maintenant, Diana.

— Pas du tout.

Elle avait refusé plusieurs demandes d'entrevues de la part de journalistes agressifs.

— Tout ça, c'est ce type. Il ont une peur bleue de lui. Il dira que c'est toi qui as caché le fric pour le coincer. Et les gens détestent tellement le gouvernement qu'ils risquent de le croire.

— Je n'ai rien caché.

— Je le sais bien, mais Donny ne le sait pas et Leo n'est pas sûr. Et tu dois bien admettre que ce Conor Clarke a de la classe.

— Il me semble que tu as déjà exprimé cette opinion, Maître.

Elle n'avait pas dit à Shelly, et encore moins à Leo ou à Donny, que des détectives privés engagés par Conor tentaient de prouver que le gouvernement avait obtenu de faux témoignages et caché l'argent dans la maison abandonnée. Leo devait être au courant, de toutes façons; il savait toujours tout. D'après Shelly, ils fouillaient aussi les moindres recoins de la vie de Broddy Considine.

— S'il réussissent à l'amener à la barre, ils vont le couper en petits morceaux, avait-il dit à Diana d'un ton inquiet. Considine a déjà la trouille.

— Dis-lui qu'il aura encore plus la trouille s'il essaye de se sortir de notre marché, avait répondu Diana.

C'était donc l'anniversaire de mariage de ses parents; lequel, elle ne le savait pas exactement, car ils n'avaient jamais été très précis sur ce sujet. Mamma avait-elle vécu avec lui dans le péché? L'avait-elle séduit?

Diana commençait à croire que Mamma était capable de n'importe quoi.

Comme chaque année, ils se retrouvèrent chez Napoli, le seul restaurant dont Mamma tolérait la cuisine sicilienne. Souvent, quand les autres enfants vivaient encore à la maison, ces dîners étaient l'occasion de vives querelles familiales, mais ce soir, Papa était d'excellente humeur, et toujours aussi fier de sa fille.

— J'espère vivre assez longtemps pour voir un jury condamner cet homme, fit-il en indiquant vaguement la région de son cœur.

— Bien sûr que tu vivras, répondit Mamma d'un ton impatient; ce sera cet automne, non?

Papa avait toujours parlé de sa mort le jour de leur anniversaire de mariage. Pourtant, cette année, Diana eut l'impression que la répartie de Mamma était moins ferme que d'habitude. Aimait-elle encore son mari?

Avant qu'elle puisse s'en vouloir de ces pensées négatives, Diana eut soudain un choc: Broddy Considine, le visage rougi par le froid, venait d'entrer dans le restaurant, accompagné de deux autres hommes. Tiré à quatre épingles comme d'habitude, il échangea quelques mots plaisants avec le propriétaire, la demoiselle du vestiaire et les serveurs, tout en se débarrassant de son manteau de fourrure et de son écharpe de cachemire. Diana espéra qu'il ne la verrait pas, mais en vain. Il traversa la salle vers elle, la main tendue, comme si elle était l'électrice dont le vote allait faire toute la différence :

— Mademoiselle Lyons! Quel plaisir de vous voir ici! Votre présence rehausse encore le décor de ce merveileux restaurant! Apparemment, il combattait le froid en se parfumant encore plus que d'habitude. Je n'ai pas eu l'occasion de vous féliciter pour la découverte de l'argent que le fils de Clem Clarke avait volé. Pauvre garçon! C'est dur d'avoir des parents riches, si vous voyez ce que je veux dire. En tout cas, vous irez loin dans votre carrière de Procureur, vous pouvez me croire. Vos parents? Madame, Monsieur, mes félicitations pour votre fille. Vous pouvez être fiers d'elle, vous pouvez me croire.

Mamma fut polie. Papa répondit à peine.

— Je préfèrerais que tu n'aies pas de contacts avec des gens comme lui, dit-il. Il est dégoûtant.

— Je ne l'aime pas beaucoup moi non plus, Papa; encore qu'il m'inspire plus de pitié qu'autre chose. Mais si nous devons condamner Conor Clarke, nous avons besoin de lui.

— Je comprends. Mais j'aurais préféré ne pas avoir à lui adresser la parole le soir de mon anniversaire de mariage, n'est-ce pas Maria mon amour?

— N'est-ce pas lui qui a donné l'argent à ce pauvre garçon?

— Oui. Et ce n'est pas un pauvre garçon, Mamma, c'est un garçon très riche.

— Il y a de la peur dans les yeux de cet homme, poursuivit Mamma comme si elle n'avait rien entendu. Est-il toujours comme ça?

— Je n'ai pas remarqué, Mamma. J'ai tellement l'habitude de son air sournois que je ne vois rien d'autre.

Elle observa pourtant Considine pendant un moment. Mamma a raison, conclut-elle; il est plus nerveux que d'habitude. Il boit trop.

Elle se força à se concentrer sur son dîner, faisant passer les tortellini avec le chianti bon marché que son père commandait toujours. Elle vomirait probablement le tout ce soir, comme la plupart de ses repas depuis quelque temps, mais elle pouvait bien faire un effort pour ses parents.

Ce qui arriva ensuite se déroula comme dans un film un policier comme celui qu'elle avait regardé l'autre soir pour tenter de se changer les idées. La porte du restaurant s'ouvrit et trois hommes entrèrent, vêtus de manteaux sombres, des chapeaux baissés sur les yeux. Elle n'y aurait pas prêté garde, mais elle vit que Monsieur Napoli, le propriétaire, qui s'était avancé pour accueillir les arrivants, reculait contre le mur avec une expression de terreur.

Sans se presser, mais implacablement, les trois hommes traversèrent la salle, pour se diriger vers la table de Considine, tandis que les serveurs et les clients s'écartaient vivement. Les deux compagnons de Broddy plongèrent frénétiquement de chaque côté de la table. Ce dernier se leva, comme pour accueillir des invités, ou des électeurs. Ce ne fut qu'à la dernière seconde que ses traits se contractèrent dans un rictus de terreur.

Trois revolvers étaient apparus dans les mains des hommes. Il y eut des détonations, comme une série de pétards un jour de fête. Le visage de Broddy se couvrit de sang. Des femmes crièrent, des hommes vomirent. Du sang se mit à couler de la poitrine de Considine. Il sembla hésiter, puis finit par s'écrouler d'un seul bloc.

Les trois hommes tournèrent les talons et, aussi implacablement qu'ils étaient venus, sortirent du restaurant.

Diana se précipita pour s'agenouiller auprès du cadavre de celui qui avait été Broderick Considine, politicien du comté de Cook. Sans se soucier du sang qui maculait son tailleur bleu marine, elle dit un acte de contrition pour son principal témoin contre Conor Clarke.

— Mon Dieu, je suis si désolée de Vous avoir offensé. Je déteste tous mes péchés, parce que je crains la perte du paradis et les souffrances de l'enfer, mais avant tout parce que je Vous ai offensé, Vous qui êtes si bon et qui méritez tout mon amour.

69

Donny Roscoe fulminait devant les caméras et les micros :

— Mes services ne permettront pas à des criminels et à leurs alliés, aussi puissants soient-ils, de menacer la vie de témoins du gouvernement. Nous avons l'intention de faire toute la lumière sur ce crime, et sur tous les crimes qui peuvent y être liés, et nous comptons, pour cela, sur l'entière collaboration des autorités locales.

C'est ça; laisse entendre que c'est de la faute de quelqu'un d'autre, même si ça n'a pas de sens. N'endosse jamais de responsabilité; ça ne permet pas de se faire élire gouverneur.

— Monsieur Roscoe, diriez-vous que ce meurtre était une exécution par des professionnels de la pègre?

— Je ne saurais le dire. C'est aux autorités locales qu'il revient de déterminer cela. Je vous suggère de vous adresser au Procureur de l'Etat.

Bravo! Quand ça va bien, c'est grâce à toi. Quand ça va mal, c'est de sa faute.

— Pourquoi Broddy Considine n'était-il pas protégé par la police?

— Mes services sont prêts à offrir toute la protection nécessaire aux témoins du gouvernement.

— N'est-il pas un peu tard, dans le cas de Considine?

Obligé, finalement, de répondre directement à une question, Donald Bane Roscoe admit la vérité, à sa façon :

— Nous n'avions pas été informés par les autorités locales que la vie du témoin pouvait être en danger.

— Comment cela affecte-t-il vos chances de succès contre Conor Clarke?

— Nous avons l'intention de poursuivre notre action contre monsieur Clarke. Nous sommes fermement décidés à faire en sorte que personne ne puisse profiter des conséquences d'un meurtre dans cette juridiction.

— Voulez-vous dire que Conor Clarke pourrait être impliqué dans le meurtre de Broddy Considine?

— Tant que je serai Procureur des Etats-Unis, personne ne profitera d'un meurtre.

Gros plan sur une Diana Lyons pâle dans son tailleur bleu marine maculé de sang.

— Je fêtais l'anniversaire de mariage de mes parents chez Napoli. Le meurtre de monsieur Considine s'est déroulé sous mes yeux. Il m'a semblé que quelqu'un devait assister ses derniers instants d'une prière.

— Eprouviez-vous de l'admiration pour lui?

— Broderick Considine, dit-elle prudemment, d'une voix parfaitement maîtrisée, était un homme qui, comme chacun de nous, avait ses défauts. Mais cela ne peut pas justifier qu'on lui ait ôté la vie. Il avait le droit de vivre cette vie, jusqu'à ce que Dieu décide de le rappeler à Lui. Celui qui est responsable de sa mort doit payer pour cet horrible crime.

— Vous voulez dire Conor Clarke, Diana?

— Qui d'autre bénéficierait de sa mort?

Elle parut surprise qu'il puisse y avoir le moindre doute.

— Vous dites donc que Conor Clement Clarke a engag un tueur à gages pour se débarrasser de Broderick Considine?

— Je dis que personne, quel que soit son degré de richesse, d'influence, de célébrité, ou de charme, n'a le droit de commettre un meurtre.

Sans un mot, Pat Slattery arrêta la bande et se mit à la rembobiner. Le meurtre de Broddy Considine lui avait fait perdre sa fougue.

— Ai-je été accusé de meurtre? demanda Conor d'un ton léger.

— C'est effectivement de la diffamation. Lee West hocha doucement la tête. Mais un jury pourrait conclure qu'une personne qui vient de voir un homme se vider de son sang dans ses bras, ne peut pas être tenue responsable de ses paroles.

Ils étaient dans les bureaux de West, le lendemain du meurtre. Les titres proclamaient : CLARKE SUSPECT DU MEURTRE DE CONSIDINE et CLARKE SERA INTERROGE AU SUJET DU MEURTRE DE CONSIDINE.

— Préparez quand même la plainte. Elle nous servira peut-être.

— J'ai été en contact avec les services du Procureur de l'Etat. Ils sont furieux contre Roscoe, bien sûr. Quelqu'un de chez eux voudra probablement vous parler, mais ils savent à quoi s'en tenir. Comme m'a dit mon interlocuteur : "Il y a des centaines de personnes dans le comté de Cook qui aurait volontiers assassiné Broddy."

— Ils vont faire du bruit pendant quelques jours et ensuite classer l'affaire? demanda Pat d'un ton sarcastique.

— Que pourraient-ils faire d'autre? Incidemment, Conor, je dois dire que notre amie Mademoiselle Lyons s'est comportée avec grâce et courage.

— Ses défauts ne se situent pas dans cette direction... Roscoe peut-il encore m'accuser?

— Absolument pas. Harry McClendon va reprendre du poil de la bête et tout va s'écrouler. Celui qui a descendu Broddy vous a rendu un sacré service...

Lee regardait Conor intensément. Il pense que je suis coupable, et Patty aussi.

— Beau service, oui. Au lieu d'être soupçonné de vol, voilà que je suis soupçonné de meurtre.

70

Elle écrivait furieusement quand le téléphone sonna. Personne ne l'appelait jamais si tard.

On peut commettre un meurtre impunément, avait-elle écrit, à condition d'être assez riche, assez puissant et assez immoral. Je suppose que j'ai toujours su cela. Les gangsters le font tout le temps. Alors pourquoi pas des criminels en col blanc? On dit que son père faisait la même chose à ceux qui refusaient de lui rembourser leurs dettes.

Nous l'avons largement sous-estimé. Dieu merci, Shelly ne me parle plus de sa « classe ».

Le procès contre Clarke est à l'eau. Je n'y avais pas pensé. J'ai cru Donny quand il a dit à la télé que nous allions continuer. Mais Leo a été assez clair ce matin. "Diana, si vous voulez avoir un travail à la fin de la semaine, ne parlez même pas de cette affaire devant Donny. Il estime que sa réputation a déjà souffert et il vous en rend responsable. J'ai eu du mal à le dissuader de vous mettre à la porte séance tenante."

"Ça ferait désordre, n'est-ce pas Leo? ai-je répondu. "Attention à ce que vous dites, ma petite, ou vous allez avoir encore plus de problèmes. Nous n'aimons pas la façon dont vous avez pris le devant de la scène l'autre soir."

"Je n'aurai pas dû me trouver chez Napoli? Je n'aurai pas dû prier pour ce mourant?"

"Vous n'auriez pas dû accuser Conor Clarke de meurtre devant les caméras de la télé."

"Parce que vous ne croyez pas que c'est lui qui a engagé les tueurs?"

"Si, je le crois. Mais c'était à nous de dire ça; pas à vous. Vous n'avez pas été engagée, Mademoiselle, pour faire concurrence au Procureur des Etats-Unis."

Quand le téléphone sonna, Diana se précipita en bas pour répondre.

— Diana? Henry. Je voulais vous dire de regarder les nouvelles ce soir. Vous êtes foutue, ma vieille. Vous êtes vraiment dans de beaux draps.

Ses parents avaient installé le téléviseur dans le salon. Elle regarda le début des nouvelles avec eux, le cœur battant, l'estomac serré. Elle supposait que Conor avait divulgué les renseignements que les détectives avaient rassemblés sur elle. Mais elle se sentait calme, fataliste. Il fallait bien que ça finisse par arriver.

"Nous avons d'étonnantes nouvelles à vous apprendre ce soir." Walter Jacobson arborait son masque d'entrepreneur des pompes funèbres. "Une voix d'outre-tombe est venue dénoncer à la fois le crime organisé et ceux qui le combattent. Nous avons reçu aujourd'hui, par la poste, une série de cassettes vidéo. Elles semblent avoir été faites par Broderick Considine, politicien et administrateur de longue date du comté de Cook, qui a été assassiné, la semaine passée, dans la plus pure tradition de la pègre."

Broddy Considine apparut alors sur l'écran, vêtu du costume gris dans lequel il avait été abattu.

"Eh bien, si vous regardez ces cassettes, ça veut dire que Tony Corrielli, dit « le Tuyau », ne m'a pas cru. Vous voyez ce que je veux dire? Je lui avais dit que s'il cherchait à me faire descendre, ces bandes seraient envoyées à la presse, avec toutes les preuves nécessaires ». Il eut un large sourire. « Le Tuyau a fait comme s'il me croyait. Il a même dit qu'il me donnerait du temps pour le rembourser. Mais ça, c'est une autre histoire. Mais on ne sait jamais avec un type comme lui, vous voyez ce que je veux dire? Donc, j'ai décidé de vous dire d'abord comment fonctionne son système de distribution de cocaïne. Il avait peur que j'en parle aux Fédéraux. Moi, je lui disais que les Fédéraux étaient plus intéressés par Conor Clarke que par lui, parce qu'ils pouvaient condamner un millionnaire, mais pas un dur comme lui. Alors, si vous regardez ces cassettes, ça voudra dire qu'il ne m'a pas cru. Je suppose qu'il aura choisi « Petit Jules » DeSteffano pour me descendre; c'est son tueur favori."

De nouveau Jacobson.

"Broderick Considine a donné une description très détaillée du circuit de la drogue dans le comté de Cook, avec tous les noms, endroits, et autres détails. Nous avons communiqué les bandes aux autorités fédérales et locales, mais nous les diffuserons demain soir, au cours d'une émission spéciale d'une heure. Le segment le plus sensationnel de ce testament de Considine concerne la poursuite intentée par le gouvernement fédéral contre le poète et playboy Conor Clarke."

Le visage souriant de Broddy reparut sur l'écran.

"Il y a une chose que je dois mettre au clair si je suis vraiment mort – gros rire de politicien – et c'est l'histoire du pauvre gamin de Clem Clarke. Clem et moi, on a été copains pendant quarante ans. Un grand bonhomme, ce Clem. Alors quand les Fédéraux se sont mis à fourrer leur nez dans les affaires du jeunot, ils se sont

238

aperçus que j'étais au conseil d'administration de l'une de ses entreprises, un de ces trucs qu'il fait pour faire retravailler les gens. Je dis toujours qu'il n'y a rien de plus important pour un homme que d'avoir un boulot bien à lui, pour une femme aussi d'ailleurs. Qu'on leur donne du travail, pas des chèques d'aide sociale, que je dis toujours."

"Alors, cette jeune femme, Diana Lyons, qui travaille pour le Procureur des Etats-Unis, me dit que, si je peux leur donner quelque chose sur le fils Clarke, ils seront peut-être moins durs avec moi. Un homme de mon âge ne devrait pas aller en prison, surtout pour avoir fait quelques peccadilles qui n'étaient pas illégales autrefois. Il se trouve que, avec quelques amis, nous avons une petite affaire intéressante à Cokewood Springs; rien de bien gros, d'ailleurs, juste de quoi récupérer quelques frais. Bien sûr, le jeune Clarke n'en sait rien. Il est droit comme un I; pas comme son père, qui ne refusait jamais un moyen de faire un peu d'argent. Et puis, comme nous sommes prudents, il ne s'en apercevra jamais, à moins de mettre une armée de comptables à nos trousses, ce qui lui coûterait plus que ce qu'il récupérerait."

"Alors cette jeune femme veut vraiment avoir Conor Clarke. Je ne sais pas pourquoi, mais c'est son affaire, je me dis." Un clin d'œil. "Donc je lui laisse plus ou moins entendre qu'il touche lui aussi, et j'arrive à convaincre les autres qu'il faut la laisser accuser le jeune Conor à notre place. On se dit que ce sera une de ces affaires où il finira par s'en sortir sans trop se faire gronder, si vous voyez ce que je veux dire."

"Mais les Fédéraux veulent plus de preuves. La jeune dame me demande où le fils de Clem a pu mettre l'argent. Je me souviens que, quand il était gamin, il cachait des trucs dans une vieille maison de ferme à New Buffalo, dans le Michigan, pour que son père ne les trouve pas. Je l'ai même tiré d'affaire quand il était étudiant, un jour où la police de là-bas l'avait trouvé avec ses petits copains en train de faire une beuverie à la bière; vous voyez ce que je veux dire?" Nouveau clin d'œil. "Donc je dis à la dame Procureur qu'il avait parlé de cacher l'argent dans un de ses endroits favoris. Je trouve un peu de liquide – que Le Tuyau aurait bien aimé avoir, mais ça c'est une autre histoire, hé! hé! – et je vais le planquer dans la vieille maison."

"On m'a dit que cette jeune avocate colle aux fesses du jeune Clarke, probablement pour l'espionner. Je me dis qu'elle est sûrement prête à coucher avec lui, si ça peut lui donner des munitions et que, comme elle n'a pas l'air bête, elle finira bien par le faire parler, sur l'oreiller par exemple. Ces jeunes avocats du gouvernement n'ont plus de moralité. Et puis, si elle ne trouve pas toute seule, je me dis que je m'arrangerai pour qu'elle reçoive des reseignements anonymes, vous voyez ce que je veux dire?"

"Mais attention, hein! Je ne voulais pas que le jeune se retrouve au trou! Bien sûr, il se serait fait sonner les cloches, mais ça forme le caractère, vous voyez ce que je veux dire? Comme le gamin de Clem a les moyens de se payer de bons avocats et qu'on ne pourra jamais prouver qui a planqué l'argent, je savais que personne n'irait en prison pour cette histoire."

Un rire énorme, pour faire partager une plaisanterie énorme avec son auditoire.

Jacobson reparut sur l'écran. "Cette voix est donc revenue d'outre-tombe, apparemment pour exonérer Conor Clarke, mais aussi pour soulever de sérieuses questions quant aux méthodes utilisées par le Procureur des Etats-Unis, Donald Bane Roscoe, dans son enquête sur l'affaire de Cokewood Springs. Une affaire dont nous entendrons beaucoup parler dans les jours à venir."

— Je ferais mieux d'aller me présenter au bureau, dit Diana machinalement.

Son père était affalé dans son fauteuil préféré, le visage dans les mains.

— Maria, amène-la au train. Et dis-lui qu'elle n'a pas besoin de se représenter dans cette maison; je ne veux plus jamais la revoir. Elle nous a tous trahis, Maria. Je n'ai plus aucune raison de vivre. Mon dernier espoir vient de partir en poussière.

— Je suis désolée, Papa, dit-elle d'un ton suppliant. Vraiment désolée.

— Ma fille, Maria, est non seulement un avocat marron, mais aussi une vulgaire putain.

— Va te préparer un bagage, Diana. Mamma se leva. Tu devras dormir à l'hôtel de toutes façons ce soir. Je vais te conduire en ville.

— Tu n'as pas besoin de me conduire. Je vais prendre le train.

— Je veux te conduire.

Après avoir fait le trajet en silence, elles arrivèrent devant l'hôtel Midland, où Diana dormait chaque fois qu'elle devait rester en ville.

— Je vais t'attendre pendant que tu t'enregistres et je te conduirai à ton bureau.

— Ce ne sera pas nécessaire.

— J'ai dit que j'allais attendre.

Au moment où Diana allait sortir, sa mère marmonna :

— C'est de ma faute, Diana. J'espère que tu pourras me pardonner un jour.

— Comment ça, de ta faute?

240

— J'aurais dû te protéger de lui. Avec les autres, je ne comprenais pas ce qui se passait; j'essayais de préserver la paix du ménage. Pour toi, j'ai vu; j'ai compris. Mais j'avais trop peur pour l'arrêter.

Diana prit sa mère dans ses bras.

— Ce n'est pas de ta faute, Mamma, pas du tout. Je t'aimerai toujours.

— Tu vas avoir besoin de cet argent. Elle lui tendit une épaisse enveloppe.

— Non.

— Prends-le, mon enfant. Ton calvaire ne fait que commencer.

Diana accepta l'enveloppe, prit une chambre dans le vieil hôtel, monta pour poser son sac, puis repartit avec sa mère en direction de l'immeuble Dirksen, où elle allait mettre fin à sa carrière d'avocat du gouvernement, et probablement d'avocat tout court.

Je n'aurais jamais dû aller à Grand Beach l'été dernier. Ce n'est pas un endroit pour moi.

71

— J'ai essayé, se justifia Blackie Ryan. La Vierge médiévale semblait fâchée contre lui. J'ai essayé, mais cette pauvre jeune femme si malheureuse ne m'a pas rappelé. Comment pouvais-je savoir que ça arriverait le jour même?

Mais, comme d'habitude, les excuses ne satisfaisaient pas son interlocutrice.

Maintenant, les Furies s'étaient déchaînées et Dieu seul savait combien de temps il faudrait pour les calmer. La chasseresse se retrouvait victime; mais c'était peut-être ce qu'elle cherchait, inconsciemment, depuis le début.

Il soupira et tendit la main vers le téléphone, puis se ravisa.

Je pourrai peut-être me rendre utile un jour. Mais pas tout de suite. Et pas pour un bon moment.

Si on supposait un instant que les deux amants avaient tort, cela ouvrait de nouvelles perspectives. Conor estimait que Diana était responsable d'un coup monté contre lui. Pour sa part, elle pensait qu'il avait caché l'argent dans la vieille maison.

Mais s'ils avaient tort tous les deux? Si c'était quelqu'un d'autre qui avait fait tout cela?

Qui serait ce quelqu'un d'autre?

Il ne se pardonnerait jamais sa lenteur à comprendre qu'il ne pouvait s'agir que de Broddy Considine. Conor avait parlé de sa beuverie d'étudiant et de quelqu'un qui avait arrangé les choses avec la police. Qui pouvait avoir ce genre d'influence dans cette région si ce n'était un politicien du comté de Cook?

Il fallait aussi se demander d'où venait l'argent. Un homme qui avait de graves difficultés financières n'avait pas normalement accès à deux cent mille dollars. Sauf si cette somme lui avait été confiée par des personnages douteux. Blackie avait pensé aux trafiquants de drogue colombiens, mais pas à la bonne vieille pègre de Chicago. Peut-être Considine leur avait-il rendu de nombreux services au cours des années...

Le père Blackie avait donc appelé Diana pour l'avertir que son témoin courait un grave danger.

Mais elle ne l'avait pas rappelé.

Sa thèse s'était donc avérée exacte. Ce qui ne serait d'ailleurs pas très utile à Conor Clarke. Ils n'allaient pas pouvoir le juger et lui n'allait pas pouvoir se disculper.

Il semblait que Considine les avait tous eus.

Que faire maintenant?

Comme le disait souvent son père, Edward « Ned » Ryan, ancien amiral de la marine et grand avocat spécialisé dans la politique : "Quand tu ne peux rien faire d'autre qu'attendre, tu attends."

Pauvre Broddy Considine. Pauvre Conor Clarke. Pauvre Diana Lyons.

Pauvre tout le monde.

72

— Mes services ne tolèreront pas ce genre de comportement. Donny Roscoe n'était plus aussi arrogant que d'habitude, il parlait trop vite et ce qu'il disait à la presse s'en ressentait : Je promets qu'une enquête approfondie sera menée sur tous les aspects de l'enquête de Cokewood Springs. Nous ne ménagerons aucun effort pour trouver des réponses à toutes les questions qui n'ont pas de réponse.

— Allez-vous retirer votre plainte contre Conor Clarke?

— Cette question est prématurée pour le moment.

— Diana Lyons sera-t-elle congédiée?

— Je lui ai demandé de démissionner de son poste. Toutefois, je n'accepterai pas cette démission avant d'avoir mené ma propre enquête sur toute cette affaire. Et je tiens à avoir l'entière collaboration de toutes les autorités d'Etat et locales dans cette enquête.

Puis Diana, l'air épuisé, émergeant de son bureau et essayant de se frayer un passage entre les journalistes.

Je sais ce que c'est, garce, pensa Conor. Maintenant, tu le sais aussi.

— Mon comportement n'a pas été judicieux, dit-elle d'une voix sans timbre. Je regrette profondément l'embarras que j'ai causé à M. Roscoe et à mes collègues. Je pense que mon enthousiasme pour cette enquête avait pris le dessus sur mon bon sens.

— Conor Clarke est-il innocent?

— Dans le cas présent, il semblerait que oui. Elle chercha à contourner les photographes.

— Diana, étiez-vous la maîtresse de Conor Clarke?

Elle secoua la tête, refusant de répondre à la question.

— Pensez-vous toujours que Conor Clarke soit un criminel?

Elle hésita.

— Bien sûr qu'il l'est, dit-elle d'un ton amer; il a eu de la chance cette fois-ci, c'est tout.

— Avez-vous couché avec lui?

— Non. Elle secoua la tête comme si elle essayait de chasser un cauchemar. Non, pas du tout.

— A-t-il essayé de coucher avec vous?

— Pas de commentaire.

Conor éteignit son poste. Il aurait dû ressentir un sentiment de triomphe, mais ce n'était pas le cas. Il avait eu de la chance, en effet. Quelque chose manquait au tableau. Ils l'avaient privé de sa bataille.

— Eh bien – le soupir de Naomi Silverman n'était pas tellement différent de celui de Blackie Ryan – il semblerait que ce soit un triomphe pour toi, mon cher. Comment te sens-tu?

— Raisonnablement bien. Mais il reste quelques cartes à jouer avant que ce soit complet.

— Ils t'ont privé de ton plaisir, n'est-ce pas?

— Je suppose que oui. C'est donc vrai que tu sais lire les pensées des gens?

— Ce n'était qu'un jeu, mon cher. Un jeu dangereux et fascinant, mais pas la réalité, qui est moins excitante mais beaucoup plus sérieuse. C'est bien que tu puisses retourner à la réalité.

— Donne-moi quelques jours pour terminer tout ça, puis quelques semaines pour me remettre. Après, je te promets de retourner à la monotonie de la réalité.

— Cette pauvre fille, dit le rabbin gentiment, n'a jamais reçu ses trente deniers... J'espère qu'elle ne va pas se pendre, pour rendre l'analogie plus complète...

— Je ne pense pas, répondit Conor.

— Elle avait pourtant l'air de quelqu'un qui préférerait être mort.

— Diana a beaucoup de défauts, Zeke, mais elle n'est pas le genre à se détruire.

— Pas en une seule fois, acquiesça Naomi. Mais elle passera le reste de sa vie à le faire.

73

Il n'y avait que Pat Slattery, un huissier et un reporter de la cour avec Diana dans la salle d'audience. Patty se comportait comme si Diana avait la peste.

— Où est le Procureur des Etats-Unis, mademoiselle Lyons? demanda le juge Kane en posant sur Diana un regard d'une froideur extrême.

— Il n'a pas pu venir ce matin, Votre Honneur. Elle fixait obstinément le sol. Il n'y avait plus que la mort pour mettre fin à son humiliation.

— Vraiment? Je note également que la presse est, disons, sous-représentée.

— Oui, Votre Honneur.

— Vous n'êtes même pas accompagnée par Maître Martin, ou Maître Gollin? Est-ce qu'ils préfèrent ne pas être vus en votre compagnie, mademoiselle Lyons?

— Je ne sais pas, Votre Honneur.

— Maître Slattery, je suppose que vous n'avez pas d'objection à la motion d'abandon de la plainte contre votre client?

— Aucune, Votre Honneur. Toutefois, nous estimons qu'il a droit à une réhabilitation totale, au moins moralement.

— Je suis entièrement d'accord. Mademoiselle Lyons, je dois vous informer que j'ai l'intention de vous citer au Barreau, en même temps que M. Roscoe. Il semblerait qu'il abuse un peu trop facilement de ses pouvoirs de Procureur du gouvernement.

— C'est moi qui suis responsable, Votre Honneur; j'accepte toute la responsabilité.

Le juge considéra sa réponse.

— Voilà peut-être la seule chose honorable que vous ayez faite dans cette affaire. Cela dit, votre conduite a été extrêmement mal avisée, pour ne pas dire inconvenante.

— Je quitte le service du gouvernement, Votre Honneur.

— Vous devriez quitter aussi la pratique du droit, mademoiselle Lyons. Vous avez porté un tort considérable à toute la profession, et particulièrement à vos consœurs.

— Je sais, Votre Honneur. Je ne pratiquerai plus le droit.

Le juge Kane considéra Diana pendant un instant, le visage impénétrable.

— Affaire suivante.

— Patty, commença Diana d'un ton hésitant tandis qu'elles quittaient la salle d'audience. Elles s'étaient connues au cours de leurs études de droit.

La jolie rousse se tourna vivement vers elle :

— Je n'ai rien à te dire, Diana. Tu n'es qu'une grosse garce dégoûtante.

74

Je ne suis pas grosse. En fait, je pèse moins que quand j'avais quatorze ans. Mais je suis une garce et je suis dégoûtante. Je suis même pire que ça. Si seulement je pouvais faire face à toute cette histoire, comprendre ce que j'ai fait de travers. Peut-être pourrais-je recommencer ma vie, éviter de refaire les mêmes erreurs.

J'aimerais voir un spécialiste. Mais je n'y connais rien. Je pourrais appeler le Dr. Silverman, mais je suppose qu'elle me raccrocherait au nez. Et de toutes façons, je n'ai pas les moyens de me payer ça. Je ne suis même pas sûre de pouvoir payer mon loyer la semaine prochaine.

Diana vivait dans un petit studio en face d'une jolie église polonaise. Elle avait demandé un emploi dans le grand magasin Marshall Field's, où elle avait travaillé pendant ses études. On lui avait promis de l'engager, à condition que son nom ne soit pas cité dans les journaux.

Comme si elle avait une influence quelconque là-dessus! Demain, elle devait rencontrer Conor et ses avocats. Ce ne serait pas agréable. Donny voulait oublier toute l'affaire; il avait tout d'abord refusé d'assister à la réunion, mais Leo avait insisté :

— Ils nous tiennent, Donny. Si vous n'êtes pas là, ils vont nous pendre.

— Je refuse de faire une déclaration officielle de réhabilitation. Il n'en est pas question un instant. L'affaire Cokewood doit rester ouverte.

— Donny, écoutez-moi pour une fois. Vous n'allez pas vous en sortir simplement en jetant Diana en pâture à la foule. Il va falloir vous humilier un peu, avant qu'ils ne vous humilient complètement.

— Pas de réhabilitation; point final. Donny frappa un grand coup sur son bureau.

— J'espère pour vous que c'est la seule chose qu'ils veulent.

Diana jetée aux lions, écrivit-elle avec un petit rire amer. *Je mérite d'être punie. Comment faire pour recommencer? Vais-je seulement pouvoir recommencer?*

75

— Je ne prendrai pas de pincettes. Conor exprimait sa colère sans vergogne et il semblait y prendre un plaisir sans mélange. Diana se dit qu'il était devenu une version plus confiante et plus agressive du jeune homme avec lequel elle avait joué au golf quelques siècles auparavant. Je n'ai plus besoin d'écouter les conseils de prudence de Maître West; donc je peux faire des menaces. Soit vous convoquez l'une de vos fameuses conférences de presse et vous me lavez officiellement de tout soupçon, soit je fais tout ce qu'il faut pour qu'aucun d'entre vous ne puisse plus jamais pratiquer le droit.

— Mes services ne sont pas là pour réhabiliter les gens, postillonna Roscoe. Nous poursuivons notre enquête sur Cokewood Springs et nous nous réservons le droit de redéposer notre plainte à tout moment.

— Vous n'êtes pas devant des journalistes, Donny. Permettez-moi de vous faire la liste de ce que j'ai l'intention de faire : poursuites civiles pour diffamation, plainte auprès de la Cour Suprême de l'Illinois, conseil de l'éthique professionnelle, citations au Barreau... Ai-je oublié quelque chose, Lee, Patty Anne?

— La plainte – Patty leva les yeux de son bloc – auprès du Procureur de l'Etat; nous avons d'excellentes munitions pour ça.

— Par ailleurs, je vous garantis que si vous essayez un jour de vous faire élire à un poste politique, je me présenterai contre vous et vous ferai perdre par tous les moyens.

— Il est très sérieux, Donny. Lee West sourit gentiment. Je vous conseillerais d'oublier vos principes et de convoquer cette conférence de presse le plus rapidement possible, tant que mon client est encore d'humeur à... euh... vous accorder une amnistie.

— Nous renvoyons Mademoiselle Lyon... Donald Roscoe était déconcerté. Une victime aurait pourtant dû suffire... Pourquoi fallait-il en plus lui refaire une réputation?

— Elle s'appelle Lyons, et je pense que vous ne l'oublierez plus jamais. Mais l'amnistie ne s'applique pas à elle. Elle va aller en prison, où elle voulait m'envoyer. Et si vous ne convoquez pas votre conférence de presse très vite, vous irez peut-être bien en prison vous aussi. Dites-lui que j'ai raison, Leo.

— Vous avez intérêt à faire ce qu'il dit, Donny. On aurait dit que Leo prenait plaisir à toute cette scène.

Conor était vraiment magnifique. A l'avenir, les Procureurs des Etats-Unis allaient devoir être nettement plus prudents.

— Bon, d'accord, marmonna-t-il.

— Demain!

— Très bien.

— Allez les enfants, fichons le camp d'ici. Rendez-vous au palais de justice, Diana Marie Lyons.

L'espace d'un bref instant, terrifiant, chaotique, elle faillit courir après lui pour lui dire qu'elle s'excusait, le supplier de lui pardonner, se jeter dans ses bras robustes pour lui dire son amour.

Il lui accorderait son pardon et son amour; elle le voyait dans ses yeux. Il n'était pas heureux de devoir la haïr et la punir. Tout serait effacé et ils pourraient recommencer à zéro; elle en était certaine. Il suffisait de quatre mots : « Je te demande pardon! » Les trois autres « Je t'aime » viendraient plus tard.

Mais elle aurait probablement moins de mal à se suicider qu'à les prononcer.

76

La confrontation avec Maryjane au rayon de la parfumerie de Marshall Field's bouleversa Diana. Pas parce que Maryjane avait tort, mais parce qu'elle avait probablement raison.

Diana avait téléphoné aux avocats de Conor pour donner à Pat Slattery ses nouvelles coordonnées, afin qu'ils puissent lui faire signifier par huissier les procédures qui seraient entreprises contre elle. Elle avait eu l'impression que Pat voulait lui dire quelque chose, mais, à la dernière seconde, celle-ci s'était retenue.

— Au revoir Diana.

Rien ne s'était encore passé et on était déjà au début du mois de mars. Conor avait-il décidé d'abandonner ses menaces et de la laisser respirer? Ou bien prenait-il un malin plaisir à faire traîner les choses? Il lui semblait que cette dernière tactique ne ressemblait pas à Conor, mais elle comprenait encore moins le nouveau Conor que l'ancien.

Quand elles s'étaient rencontrées, un éclair de joie était d'abord passé dans les yeux de son amie. Puis Maryjane s'était souvenue.

Diana avait commencé par écouter patiemment et humblement les récriminations de son amie, en pensant que Maryjane s'était remarquablement bien remise de sa grossesse.

Puis Maryjane avait dit ce qu'il ne fallait pas dire :

— Et tout ça, c'est de la faute de ton père. C'est lui qui t'a poussée. Sérieusement, Diana, ta relation avec lui était totalement malsaine, je veux dire, VRAIMENT malsaine!

Diana ne put se retenir :

— Rien de tout cela ne serait arrivé si tu ne m'avais pas forcée à jouer au golf avec Conor.

— Alors ça, c'est totalement stupide; je suis sérieuse, Diana. Tu as des problèmes parce que tu t'es laissée embobiner par un vieil homme dérangé. Où est le rapport avec une partie de golf ou avec Conor? De toutes façons, il est trop bien pour toi.

La conversation s'arrêta là. En fait, Maryjane tourna vivement les talons, probablement pour aller retrouver son cher Gerald et lui dire quelle idiote cette pauvre Geraldine avait pour marraine.

Deux semaines plus tard, Diana était installée avec un grog devant son journal. De même que les questions qui la tenaillaient, son rhume ne la quittait pas. Il y avait une vérité dans ce qu'avait dit Maryjane, mais où? Elle relut ses notes. Il n'était écrit nulle part qu'elle devait pousser le pauvre Broddy Considine à inventer des preuves contre Conor. Pourquoi ai-je fait ça? Il n'était pas nécessaire non plus d'espionner Conor alors qu'elle ne pouvait pas se passer de le voir.

C'était là que se trouvaient les erreurs, pas dans le fait d'avoir accepté une partie de golf sur les bords du lac Michigan.

Pourquoi ai-je pris ces décisions? Pourquoi ma probité exemplaire s'est-elle écroulée aussi facilement?

Elle crut une seconde qu'elle voyait la réponse. Mais elle s'en détourna avec horreur et l'oublia quand le téléphone se mit à sonner.

— Oh ma chérie! Mamma était en larmes. Mon Dieu, non! Viens vite! Quelque chose de terrible vient d'arriver à Papa. Je crois qu'il est en train de mourir!

77

Conor Clarke était au Hilton de l'aéroport de San Francisco; pas aussi élégant que le Stanford Court, mais beaucoup plus pratique s'il voulait pouvoir repartir pour Chicago aussitôt ses réunions terminées. Il ne se sentait pas d'humeur à célébrer le fait qu'il allait gagner des sommes considérables : l'entrée en bourse d'Infobase semblait pourtant devoir être un succès.

Il ne se sentait jamais à l'aise dans cette région étrange. Los Gatos, Freemont Avenue, Park Mill, la baie, le parc industriel Stanford, les soirées dans les hauteurs qui se terminaient au petit matin, avec de la cocaïne, de l'alcool, des « représentantes » qui semblaient vivre au bord des piscines, tout cela lui donnait le mal du pays.

Diana lui avait demandé une fois pourquoi il ne vivait pas ici. L'avait-elle si mal compris? N'avait-elle pas vu que, contrairement aux gens d'ici, il voulait des racines parce qu'il n'en avait jamais eu étant enfant?

Joe Murphy, son psychologue, le beau-frère du père Blackie, avait tout compris en trente secondes, lui.

Il venait à peine de finir de défaire sa valise quand le téléphone sonna.

— Un appel de Chicago, Monsieur Clarke.

Il regarda sa montre. Minuit déjà à Chicago. Mauvaises nouvelles.

— Le père Ryan ici.

— Bonsoir, mon père. Que se passe-t-il? De mauvaises nouvelles? Quelqu'un est mort?

Dieu du Ciel! Pas Diana!

— Frank Lyons.

— Le père de Diana?

— En effet... Je ne sais pas très bien pourquoi je me suis senti obligé de vous avertir, mais c'est fait. Crise cardiaque. Il a duré quelques jours, mais n'a jamais repris conscience.

— Oh! Se sent-elle responsable?

— Je ne sais pas. J'imagine que oui. Ne serait-ce pas typique?

— Je suppose. Que puis-je faire?

— Je ne suggère aucune mesure particulière. J'ai seulement pensé que vous deviez être informé.

— Comment avez-vous su, mon père? Diana l'avait-elle appelé? pour demander son aide peut-être?

— Oh, les sources habituelles.

— Quelles sources habituelles? Pardonnez-moi, mon père; je n'aurai pas dû crier.

— Ce que ma défunte mère, que Dieu la garde, appelait les bandes dessinées irlandaises.

— Hein?

— Les annonces nécrologiques. L'enterrement a lieu demain.

— Oh! Je vous remercie de m'avoir appelé, mon père. Je prierai pour lui. Je viendrai vous voir dès mon retour, promis.

— Bien sûr.

Sa main resta sur le téléphone. L'appeler? Où? Et dans quel but? Rentrer pour l'enterrement? Mais sa présence ne rendrait-elle pas sa douleur encore pire? Et il avait des réunions importantes...

Sa main abandonna le téléphone.

78

Le ciel bleu sans nuages, pensa Diana, était cruel, car il présidait en fait sur un froid intense, rendu encore plus cinglant par le vent. Mon Dieu, faites que ce soit bientôt fini; les larmes gèlent sur mes joues.

Son rhume traînait. Elle avait encore un peu de fièvre et reniflait sans arrêt. Je vais être très malade ce soir, mais il faut que je sois au travail demain matin, si je ne veux pas perdre ma place. L'aimable vieux prêtre marmonnait ses prières. Elle ne comprenait pas un mot de ce qu'il disait et n'avait pas non plus compris le sermon.

Auprès d'elle, Mamma sanglotait, acceptant le bras protecteur de Diana, mais sans reconnaissance. Elle m'en veut; et c'est bien normal.

Son père était parti lentement, un petit peu à la fois. Au bout de quatre longs jours, sa respiration avait soudain cessé, sans avertissement. Mamma avait fait une crise d'hystérie, criant des choses terribles en italien, accusant Diana de ne pas avoir assez aimé son père. "Tu l'as tué! Tu l'as tué! Tout est de ta faute!"

C'était vrai. Heureusement, la plupart des exclamations de Mamma étaient en dialecte sicilien et Diana ne les comprenait pas, malgré les cours d'italien qu'elle avait pris au collège, en cachette de son père, bien sûr.

Larry Whelan était venu à la veillée funèbre avec sa séduisante épouse, seul représentant de la profession juridique.

— Il a vécu une vie d'intégrité, Diana, lui avait-il dit en lui serrant la main chaleureusement.

Comment aurait-il pu le savoir? En bon Irlandais, il avait probablement passé quelques coups de téléphone.

— Merci, Monsieur Whelan.

— Si vous cherchez un travail – il écarta les mains comme pour indiquer que c'était tout simple – nous cherchons du monde à mon bureau.

— Merci, Monsieur Whelan. Mais je ne pratiquerai plus jamais le droit.

— Il ne faut jamais dire « jamais », Diana. Il lui fit un clin d'œil. Ça dure trop longtemps.

— Voilà un homme bon, dit Mamma quand les Whelan repartirent.

— Un beau parleur d'Irlandais. Diana se dit qu'elle n'oserait jamais retourner dans un bureau d'avocats. Même si « jamais » durait trop longtemps.

Seule sa sœur Paola, celle qui s'était le plus opposée à leur père, était venue à l'enterrement, une Paola plus mûre et gracieuse, qui fut charmante avec Mamma et Diana. Elle repartit pour l'aéroport juste après la messe, pour aller retrouver son mari et ses enfants à San Diego. Les garçons n'avaient même pas téléphoné.

Il ne resta donc, au cimetière, qu'elles deux, le vieux prêtre de leur paroisse, un couple de voisins, un homme qui avait travaillé avec Papa vingt ans auparavant, et une ou deux autres personnes que Diana ne reconnaissait pas.

Soixante-cinq ans et c'était tout ce qui restait. Pourquoi, mon Dieu? Pourquoi ne l'aimait-on pas comme je l'aimais?

Finalement, les prières furent terminées. Le prêtre vint jusqu'à elles d'un pas incertain, leur serra la main, tenta de se souvenir de leurs noms, puis se dirigea vers le corbillard. Pauvre cher homme!

Elle serra Mamma dans ses bras, aussi fort qu'elle put.

— Je suis désolée, Mamma, je suis si désolée.

Combien de fois avait-elle répété cela ces derniers jours?

— C'était un homme bon! insista Mamma avec véhémence. C'était un homme tellement bon!

— Je sais, Mamma.

Elle aida sa mère à monter dans la limousine et referma la porte pour la protéger du froid. Elle avait quelques questions à poser à l'entrepreneur des pompes funèbres.

— Diana... Une femme séduisante, vêtue d'un splendide manteau de fourrure se tenait devant elle. Je suis vraiment désolée pour vous et votre mère.

— Juge Kane...!

L'instant d'après, elle sanglotait dans les bras du juge. Pourquoi était-elle venue? Les Ryan avaient la réputation de prendre des gens sous leur aile... mais pas des minables comme moi...

— Je suis tellement touchée que vous soyez venue. Je ne sais pas...

Les grands yeux verts du juge étaient brillants de larmes.

— Diana, la vie est trop courte pour gaspiller des occasions.

Que voulait-elle dire par là? se demanda Diana quand elle fut de retour dans son minuscule studio, ce soir-là.

79

Pat Slattery fut la première à le dire.

— Conor Clarke, vous êtes encore amoureux de la grosse garce?

— C'est peut-être une garce, Patty Anne – il tenta de rire – mais elle n'est pas grosse. Une très belle poitrine, c'est vrai; mais pas trop grosse du tout, pour quelqu'un d'aussi grand.

— Ben voyons donc! Je le sais bien! En fait, elle est superbe et je meurs de jalousie. Mais comment pouvez-vous encore l'aimer?

Conor était allé aux bureaux de Minor et Grey pour voir ses fiscalistes, car une nouvelle réglementation l'obligeait à signer des piles de papiers. Patty l'avait rencontré dans un couloir, peut-être par accident, peut-être pas.

— Aurais-je tort, Patty?

— Pas nécessairement. La jeune femme réfléchit un instant. Pas après tout ce qui s'est passé; j'ai l'impression que vous l'aimez vraiment beaucoup!

— Je n'en suis pas très sûr, Patty.

— Mais de toute évidence, votre cœur saigne.

— Dans ce cas, il va falloir que je m'en sorte. Tout ira mieux, bientôt.

— Je n'y crois pas un instant.

80

C'est la Saint Patrick aujourd'hui, la fête des Irlandais.

Mais je ne suis pas d'humeur à me réjouir. Je suis rentrée à la maison et j'ai bu un verre. Ensuite, j'ai appelé Mamma, qui semble se remettre mieux que moi. Elle veut que je revienne habiter à la maison et que je travaille avec elle à la boutique.

"Je te payerai mieux que là où tu es; et puis nous pourrons apprendre à nous connaître. D'accord?"

Mais je ne peux pas encore retourner à la maison. Il y a trop de souvenirs, trop de remords. Et puis comment pourrais-je jamais travailler avec Mamma? Elle sait que je l'ai tué et moi, je sais qu'elle flirte; Conor me l'a dit. Ça me fendrait le cœur. Pauvre Papa.

Je me souviens qu'un jour, quand j'étais adolescente, je devais sortir un soir de Saint Patrick. Mais Papa n'a pas voulu; il disait que les Irlandais buvaient trop ce jour-là. Et en effet, les filles qui y étaient allées m'avaient raconté le lendemain que tous les garçons s'étaient saoûlés. Papa avait eu raison.

Et pourtant, je suis soulagée qu'il ne soit plus là pour dire non. C'est dur pour moi d'admettre cela. Si je n'avais pas bu d'alcool, je n'oserai même pas l'écrire. Cela montre bien que je suis une personne mauvaise et méprisable.

Je n'ai pas voulu sortir ce soir, de peur de rencontrer Conor dans les rues de Chicago. J'essaye souvent d'imaginer ce que je ferais. Parfois, je me vois en train de le clouer sur place par une accusation sans réplique. Ensuite, je tourne les talons et je m'en vais froidement, sans un mot. Ou bien est-ce que je me jetterais dans ses bras, ou à genoux, pour le supplier de me pardonner?

Tout serait terminé. Je sais que je ne le ferais jamais. Quand je repense à notre sortie en bateau, je me souviens de ce merveilleux sentiment de sécurité que j'ai ressenti dans ses bras. Je ne sais pas pourquoi, mais j'ai besoin de me sentir protégée.

Pourtant, je suis une femme adulte. Je n'ai pas besoin d'être protégée, ni par lui, ni par personne d'autre.

Mais si je tournais les talons et si je m'en allais froidement, mon cœur serait brisé. Comme il l'est maintenant.

Il n'y qu'une personne méprisable qui puisse écrire une chose pareille alors que son père vient à peine d'être enterré.

81

— Alors, voilà ton triomphe complet? Pourtant, tu n'as pas l'air spécialement heureux.

Les Silverman célébraient la Saint Patrick avec Conor au restaurant. Le froid avait provisoirement quitté la ville, épargnant pour une fois les Irlandais encore que la plupart d'entre eux ne sentaient plus la différence, à partir d'une certaine heure.

— Tu parles, répondit-il à Naomi, je suis victorieux grâce à un tueur de la Mafia et à un vieux politicien véreux qui avait une drôle de conception de la probité. Pas un grand triomphe.

— Mais tu seras dans ta loge au stade, cet été, au lieu d'être au palais de justice, dit Zeke avec un grand sourire.

— Et toi, tu n'y seras pas, rabbin; tu seras chez toi, en train de t'occuper du bébé.

— Mais que fais-tu donc de ton temps, maintenant que tu as humilié l'ami Roscoe qui, soit dit en passant, a une conception de la probité encore plus bizarre que celle de feu M. Considine?

— J'essaye de recoller les morceaux à Cokewood – il eut un haussement d'épaules indifférent – et je gagne des tas d'argent sur Infobase. Reprends un peu de vin, Zeke; il vient de Californie, mais il est bon, sinon ils ne le serviraient pas ici. Je gribouille quelques poèmes, je pense à investir en Chine. Pas grand-chose d'autre.

— Je ne vois pas comment tout cela peut guérir un cœur brisé, mon cher. Pourquoi ne pas quitter Chicago pendant quelque temps? Tu pourrais te trouver une autre dulcinée.

— Je n'ai pas vraiment envie d'une dulcinée pour le moment, répondit-il d'un ton un peu sec. Et mon cœur n'est pas brisé.

— Bêtises; bien sûr que si. Un jeune homme sensible tombe sérieusement amoureux pour la première fois de sa vie, mais l'objet de sa flamme le trahit cruellement. Il n'y a pas de quoi briser un cœur?

— Les Américains – Ezekiel abandonna la coupe à dessert qu'il venait de vider scrupuleusement – pensent que c'est un signe de maturité que de garder leurs souffrances pour eux. J'estime qu'il est bien plus sage de suivre l'exemple de Jérémie et de crier assez fort pour que le monde entier entende.

— Je ne sais pas si j'étais amoureux. Conor repoussa sa propre coupe, comme s'il jugeait indécent de manger un dessert pendant cette conversation. Mais je me suis certainement rendu ridicule.

— Mais tu la désires encore, n'est-ce pas?

Je te désire encore toi aussi, pensa Conor avec plaisir et frustration, en se rappelant le soir où il avait failli posséder cette délicate petite poupée. Mais pas de la même façon; tout est là.

— Si c'est un cœur brisé, il guérira.

— Serais-tu capable de lui pardonner? demanda Naomi.

— Comment pourrais-je lui pardonner ce qu'elle a fait?

— Tu as bien renoncé à la poursuivre en justice, non?

— Je n'en vois plus le besoin. Sa famille l'a mise à la porte, elle a perdu son emploi, elle vit dans un appartement minable et travaille comme vendeuse dans un grand magasin. C'est une vengeance suffisante, tu ne penses pas? Et d'autre part, le goût de la vengeance n'est pas aussi doux qu'on se l'imagine. Tu le sais bien, bon sang!

— Tu la désire toujours, n'est-ce pas? insista Naomi.

— Ce n'est pas vrai, Naomi. Conor posa sèchement sa cuiller sur la table. Elle m'a trahi; je la hais; mon cœur brisé, si c'est ce dont je souffre, finira par guérir; ne peux-tu pas accepter cela et me laisser en paix?

— Absolument pas, répliqua-t-elle avec autant de véhémence, tant que tu ne te comporteras pas de façon rationnelle.

— Bon. D'accord. Qu'est-ce que tu appelles rationnel? Il fit signe à la serveuse de lui apporter l'addition.

— On est rationnel quand on prend une décision claire. Soit tu prends le chemin de la sagesse et tu décides qu'elle t'a trahi et que tu ne veux plus jamais la revoir, ni même penser à elle; ou alors, tu décides d'être fou, tu réalises que le pardon est facile quand on aime, et tu la poursuis de toutes les assiduités dont tu es capable.

— La poursuivre? Il jeta un coup d'œil à l'addition et sortit son chéquier. Elle n'a aucune raison de vouloir être poursuivie! Elle pense que je suis un escroc, riche et gâté, qui lui a fait perdre son emploi. Elle ne peut pas me sentir. Pourquoi la poursuivrais-je?

— Pour une seule raison, mon cher. De toutes façons, son attitude vis-à-vis de toi ne devrait pas te décourager; je te sais capable de persévérance.

— Et quelle est ta raison? Il était si furieux qu'il se trompa et dut déchirer son premier chèque.

— Que tu ne peux pas vivre sans elle. Si cela est vrai, le pardon ne peut venir que facilement, n'est-ce pas?

— Tu as raison, il faudrait que je sois fou. Cette fois, il remplit correctement son chèque. Je n'ai pas l'intention de lui courir après, Naomi. Je n'aurai pas de rancune, mais je ne la poursuivrai pas. Et je peux vivre sans elle; tu verras.

— Je verrai, mon cher. Mais je ne suis pas convaincue. Rien dans ton attitude ne démontre que tu puisses vivre sans elle.

— Elle ne vaut pas la peine qu'on lui coure après.

— C'est peut-être vrai, Conor. Mais c'est peut-être faux. Et je ne suis pas persuadée que tu en sois sûr toi-même.

— Je le sais, insista-t-il. Mon amour pour elle est complètement mort.

— Quand vient la Saint Patrick – le rabbin joignit ses longues mains comme pour prier – le printemps ne peut plus être loin.

— A Chicago, riposta Conor, il peut être encore foutument loin.

PRINTEMPS

Deuxième chant

Amante:

Sur le sentier de mon jardin des pas feutrés,
A ma fenêtre des yeux ardents tentent de voir,
Puis les bras de mon amant se tendent pour me recevoir,
Mon coeur malade, vaincu, se met à palpiter!

Amant:

Lève-toi, mon aimée, la terre est découverte,
Nous sommes inondés de rosée parfumée,
Le lac de nouveau est bleu, dégelé,
Vois, les fleurs sont écloses et la pelouse verte.
Il est temps de jouer, de chanter et danser.
Laisse-moi voir encore ton visage rieur
Tandis qu'ensemble nous courons avec ardeur
Et dans le jour nouveau, redécouvrons la volupté.

Amante:

Mon amant est parti doucement avec la brise du matin,
Vers les rues et les places encombrées de la ville.
Sur mon lit je frissonne dans l'air glacé hostile
Je suis seule, effrayée, ne sachant ce qu'il advient.
Tout le jour je languis, car il me manquait,
Au crépuscule, fougeuse, je cours à sa rencontre.
«Bienvenue, mon amour, je ne pouvais plus attendre,
Je te tiens maintenant, tu ne m'échapperas jamais!»

Amant:

Ta course est terminée, ma colombe, mon amour
Ah, enlève ta robe et te couche à mes côtés,
Je te prends pour épouse, ma femme adorée
Et te possède triomphant pour sceller notre amour!

Chant d'amour, 2:8–3:5

82

— Vous n'avez rien à craindre de moi, Naomi. Diana essaya de sourire. Je ne m'attaque jamais aux femmes enceintes.

— Je me demande surtout quoi dire, répondit la petite psychiatre en remuant le sachet de thé dans sa tasse.

Elles s'étaient croisées dans la rue, d'abord sans se reconnaître. Diana s'était retournée quelques mètres plus loin, pour découvrir que l'autre femme avait fait de même.

— Pourrais-je vous parler, Naomi? avait demandé Diana sans réfléchir.

La psychiatre avait hésité, puis, son instinct professionnel reprenant le dessus, avait murmuré :

— Nous pourrions prendre une tasse de thé au Palmer House?

Le Palmer House n'était plus l'hôtel de grand luxe qu'il avait été. La clientèle d'élite avait fait place aux congressistes. Mais la cafétéria, avec ses murs beiges, ses comptoirs noirs et ses vieilles photos de Chicago, avait conservé un air de grandeur.

— Je ne sais pas pourquoi j'ai demandé à vous parler. Diana lui tendit le thé. Vous aimez le thé fort?

— Comme le dirait le père Blackie, pour qu'un thé soit trop fort, il faudrait que la cuiller fonde dedans.

— Je ne l'ai jamais rencontré. Je l'ai seulement vu de loin au lac, une ou deux fois.

— Un homme remarquable. Mon mari et lui prennent un plaisir infini à se taquiner sur les mérites de leurs religions respectives.

Il y eut un silence embarrassé.

— Je ne sais pas quoi dire... Diana avait envie de sortir en courant.

— Pourquoi pas... ce qui vous a traversé l'esprit quand vous m'avez vue dans la rue?

— Je voulais... expliquer... m'excuser... je ne sais pas.

— Je vois.

— J'étais deux personnes différentes; une qui l'aimait, et l'autre qui le détestait.

— Mais n'est-ce pas le cas dans toutes les relations intimes?

— Comment appelez-vous cela, dans votre profession... la dissociation? le fait de devenir complètement distincte d'une partie de soi-même?

— Nous faisons tous cela, Diana. Cela fait partie de la nature humaine.

— Pas à ce point.

— Non; ce n'est pas vrai. Elle but une gorgée de thé.

— Il m'aimait, Naomi. Elle sentit venir les larmes et leur ordonna de s'en aller. Il voulait m'épouser. Il a même acheté cette immense maison pour que j'en sois la châtelaine...

— Je pense que c'était effectivement son intention. Naomi étudiait attentivement le contenu de sa tasse de thé.

— J'espère qu'il vendra la maison.

— Le père Blackie lui conseille de la garder pendant un an, pour faire un bon bénéfice, ce qui soulagera sa conscience de calviniste.

Elles rirent sans conviction.

— Il voulait m'épouser malgré vos conseils?

Naomi fronça ses sourcils soigneusement épilés.

— Vous avez mal compris et mon rôle, et mon attitude. Je ne conseille personne, ni mes clients, ni encore moins mes amis, surtout quand ils ont failli être – pour être complètement franche – mes amants. Elle eut un sourire.

— Mais...

— Au plus, je peux offrir une série d'impressions. Certains diront que ce sont des conseils, mais je peux toujours prouver que ce n'est pas le cas.

— Mais...

— Laissez-moi finir, ma chère.

— Désolée. Cette femme d'allure fragile avait une force de caractère remarquable. Nous aurions dû être amies.

— L'impression que j'ai eue de vous au stade était plutôt l'inverse de ce que vous semblez croire... à commencer par la grâce avec laquelle vous aviez accepté de jouer le jeu.

— Oh! Diana avait la gorge sèche et son cœur battait à tout rompre. Mais vous savez maintenant que cette impression était fausse?

— Pas du tout! Je sais seulement que des choses terribles se sont passées.

— Trop terribles pour être jamais effacées.

— Peut-être. Naomi eut un haussement d'épaules énigmatique.

— Je ne comprends pas ce qui s'est passé... comment les deux moi se sont séparés. Elle se pencha en avant : Est-ce que... ce que j'ai peut être guéri?

Naomi se versa une nouvelle tasse de thé avec de petits gestes économiques.

— Dans ma profession, nous n'aimons pas parler de guérison. Nous espérons que nos patients pourront un jour vivre avec leurs problèmes, les comprendre, les maîtriser jusqu'à un certain point, et mener une vie heureuse et productive.

— Mais mon cas est trop grave pour qu'il y ait de l'espoir?

La psychiatre parla lentement, en pesant chaque mot :

— Je ne peux pas vous offrir de pronostic, Diana. Cependant, bien que je ne comprenne pas, naturellement, l'origine de vos ambiguïtés psychologiques, morales, humaines, je pense que vous êtes le genre de personne qui... elle eut un sourire ...qui, bien secondée, à condition de faire de gros efforts, peut s'en sortir très bien.

— Ah?

— Ce que vous espériez entendre et ce que vous espériez ne pas entendre?

— Vous lisez la pensée?

— Seulement les visages; surtout les beaux visages transparents.

Diana se sentit rougir.

— Je suppose que c'est de cela que je voulais parler. Il faut que je retourne au travail. Elle prit l'addition. C'est moi qui paye.

— Cette fois. C'était une offre d'amitié, une main tendue.

— Cette fois, oui. Diana n'était pas sûre de vouloir cette offre, mais ne voulait pas non plus la refuser. Elle tourna les talons pour aller à la caisse.

— Diana...

Elle se retourna. Le visage de la petite psychiatre semblait baigné d'une lumière magique.

— Oui?

— Il ne serait ni convenable, ni avisé de ma part de vous avoir comme patiente... mais ... pour une période provisoire... de transition... je serais prête à faire ce que je pourrais pour vous aider.

Cette femme m'aime donc vraiment? Elle veut m'aider. Diana se sentait gênée, effrayée et, en même temps, transportée de joie.

— Je... elle ravala sa salive... je m'en souviendrai, Naomi. Merci. Elle désigna vaguement le ventre de l'autre femme : Bonne chance pour le bébé.

Elle se hâta de sortir dans l'anonymité de la rue, où elle put enfin donner libre cours à ses larmes.

De retour derrière son comptoir chez Marshall Field's, elle pensa amèrement qu'elle s'était couverte de ridicule devant une femme qu'elle méprisait, dont elle ne voulait pas, et dont elle n'accepterait jamais aucune aide.

83

Le père Blackie et le rabbin Ezekiel Silverman dégustaient, pour ainsi dire religieusement, leur verre de John Jameson réserve spéciale, douze ans d'âge.

— Nos deux jeunes amis, dit le prêtre, se sont bien compliqué la vie. Franchement, si Conor n'était pas un amant aussi hésitant, je pense que toute cette affaire serait réglée depuis plusieurs mois, et de façon fort satisfaisante.

— Personne n'écoute plus la voix de la religion, Monseigneur.
Ils soupirèrent à l'unisson.

— Je me demande parfois s'ils l'ont jamais écoutée.

— Ma femme a rencontré Diana dans la rue, voici deux jours, et elles ont parlé du problème.

— Vraiment? Les yeux bleus de Blackie brillèrent d'intérêt. Et comment cette excellente future maman a-t-elle évalué la situation?

— Elle craint beaucoup pour la santé de Diana, physique et mentale.

— Oui. Le petit prêtre prit une petite gorgée de son whisky. La tension doit être énorme.

— Ma femme pense que Diana se livre aussi à une sorte d'autodestruction, qui consisterait à mutiler sa vie plutôt que d'y mettre fin. Elle n'écarte pas, cependant, cette dernière et horrible possibilité.

— Peu probable. Blackie tint son verre en équilibre, comme s'il voulait évaluer les probabilités. Chez nous Irlandais, les femmes préfèrent se détruire à petit feu plutôt que brutalement.

— Que faut-il faire, dans ce cas? demanda le rabbin du ton d'un homme qui a enfin atteint le véritable sujet d'une conversation.

— Ceux qui ne veulent pas d'aide ne peuvent pas être aidés.

— Un jugement un peu sévère.

— Mais provisoire. Le coup de semonce n'a pas encore été tiré. Il se leva, alla prendre sa bouteille de Jameson et vint remplir leurs verres. Avez-vous remarqué, Rabbin, qu'il semble toujours y avoir un esprit facétieux, comme ceux qui abondent dans notre folklore, pour vider au moins la moitié de nos verres?
Le rabbin hocha la tête.

— Un événement qui se produit avec une régularité déprimante.

— Le problème, donc, est Conor.

— A mon avis, il lui a déjà pardonné, père Blackie. Et il faut qu'il le lui exprime dans les termes les plus, euh, passionnés.

— En effet.

— Le salut de la belle Diana ne pourra être obtenu qu'à travers lui.

— Mais peut-être que non.

— Précisément.

Ils restèrent silencieux, peut-être en prière. D'ailleurs, si quelqu'un était passé à cet instant précis dans le bureau du recteur, ils l'auraient assuré qu'ils étaient en train de prier. Le cardinal, lui, aurait jugé qu'ils étaient en train de « mijoter quelque chose ».

— Quelles sont les probabilités pour que cela arrive, père Blackie?

— Vous voulez dire pour que Conor agisse?

— Exactement.

Blackie quitta son fauteuil comme à regret et marcha jusqu'à une fenêtre où il regarda tomber les derniers flocons de neige dans l'avenue.

— Je dirais qu'il y a à peu près autant de chances pour qu'il agisse qu'il y a de chances pour que le soleil se lève demain matin.

84

— Tu es un homme gentil, Conor Clarke, l'informa Pat Slattery, doux, attentionné, généreux, respectueux, et à peu près aussi amusant pour une femme que l'un des robots de monsieur Asimov.

Ils marchaient, main dans la main, sur Michigan Avenue, dans les petites heures d'un dimanche matin. Les flocons de l'après-midi s'étaient transformés en blizzard. Drôle de printemps.

— Hmmm? demanda Conor d'un air absent.

— Chicago a gagné ce soir?

— Je... il sursauta... non... bien sûr que non...

— Il me semblait pourtant que nous avions marqué trente-cinq points?

— Je plaisantais, bredouilla-t-il.

— Et moi, j'ai bu trop de vodka dans ce bar dont je viens de te tirer?

— Pas plus que d'habitude.

— Conor, je ne bois pas.

— Je sais, se défendit-il. Je...

— Tu plaisantais?

— C'est ça.

— Comme je le disais, parmi les mâles disponibles dans cette ville décadente, tu es, sans aucune hésitation, l'un des plus intéressants; bien mieux que n'importe lequel de ceux qui attendent d'être ramassés dans les bars de Division Street. Tu embrasses merveilleusement bien, ce qui détruit ma résistance. Je suis sûre que tu es extraordinaire au lit. En fait, si tu me demandais de coucher avec toi – ce que tu n'as pas fait et que tu ne feras probablement pas – je serais capable d'oublier tous mes principes et d'accepter, au moins par curiosité. Mais je ne le ferai pas, pour une seule raison.

Ils s'arrêtèrent à un feu rouge.

— Et quelle est cette raison, jolie Patricia? Conor l'écoutait maintenant, avec un sourire amusé.

— Tu m'appellerais Patricia pendant que tu me ferais l'amour, comme tu l'as fait au moins vingt fois ce soir.

— Ce n'est pas...

— Si, c'est vrai. Si je dois être aimée au sens intime du terme – elle rit – je veux que ce soit pour mon corps à moi, et pas celui d'une autre. Et si les choses devaient aller plus loin, pour ma propre personnalité et pas celle de quelqu'un d'autre.

— L'homme qui te convaincra de l'épouser, jolie Patricia, aura beaucoup de chance.

— Sans aucun doute. Mais toi, tu penses à quelqu'un d'autre que moi. Et je n'essaierai pas de me mesurer à elle.

— Je suis désolé. Il serra sa main plus fort. Je...

— L'aime beaucoup?

— Ce n'est pas ce que j'allais dire. Je ne crois pas, du moins.

— Mais tu l'aimes. Je suis bien placée pour le savoir, moi qui ai été flattée par tes regards enamourés, pour me rendre compte que ce n'était pas du tout une rousse que tu voyais.

— Tu dois penser que je suis fou, dit-il en essayant de prendre un ton contrit.

— La question n'est pas là. Peut-être que oui; peut-être que non. En tout cas, tu as deux possibilités.

— Qui sont? Ils s'arrêtèrent, et Pat lui prit le visage entre ses mains.

— Qui sont les suivantes : Premièrement, tu l'oublies complètement et tu examines les autres possibilités objectivement, et non par comparaison.

— Une stratégie raisonnable. Il l'embrassa légèrement. Ses lèvres avaient un goût de Coca-Cola et de Perrier. Il savait bien qu'elle ne buvait pas d'alcool. Comment ai-je pu oublier cela? Et la deuxième?

— Si cela ne marche pas, ce qui est le cas, de toute évidence, tu dois décider que toutes ces petites vacheries qu'elle t'a faites n'ont aucune importance et lui courir après jusqu'à ce qu'elle se rende.

— Ce qui serait de la folie, n'est-ce pas?

— Tu crois? Elle reprit sa main et ils se remirent en marche.

— Pas toi? C'est pourtant une garce qui n'a pas toute sa tête, non?

— Tu as dit que c'était à cause de son père et que, maintenant, il était mort.

— Mais c'est toujours en elle. Elle pourrait me trahir de nouveau.

— Cet argument ne me convaincra pas, pas plus que toi-même, d'ailleurs.

Ils traversèrent Oak Street. Ils n'étaient plus qu'à trois minutes de l'appartement de Pat.

— Tu penses que je suis toujours amoureux d'elle.

— Désespérément, répondit la jeune avocate d'un ton sans réplique. Irrémédiablement.

— Je l'oublierai.

— J'en doute fort. Elle n'est peut-être pas digne de toi, Conor Clarke. En fait, je commence à croire le contraire, même si je n'aime pas l'admettre. Mais elle te tient; et probablement pour toujours.

Ils se quittèrent à la porte de son appartement. Son invitation, un peu plus tôt, avait été claire : il aurait suffi qu'il lui promette, avec tout le charme dont il était capable, de ne l'appeler que Pat, ou Patty Anne, ou jolie Patricia, et il aurait été admis à un dimanche complet de plaisirs érotiques chez elle.

Mais il n'avait pas assez d'énergie pour faire cette promesse.

Et il n'était pas sûr de pouvoir la tenir.

85

Shelly l'emmena déjeuner au Standard Club, "où personne ne nous regardera, sauf ceux qui se demanderont ce qu'un gentil petit juif comme moi fait avec une infidèle."

Elle ne mangeait toujours pas. Mais elle dit à Shelly qu'elle aimait son travail.

— J'étais faite pour être dans la vente, Shelly, pas le droit.

— Tu serais bonne dans n'importe quoi, Diana.

Shelly lui avait dit qu'il voulait lui raconter les commérages du bureau, mais elle était certaine qu'en fait, il s'inquiétait pour elle. Elle avait été tentée de mettre fin à ses jours, surtout le dimanche précédent. Après avoir dîné avec sa mère, elle lui avait emprunté sa voiture et était allée à Cokewood Springs. Les travaux étaient interrompus et, tandis que les flocons de neige s'écrasaient sur son visage, elle avait entendu une jeune femme enceinte dire : "Regardez cette garce; c'est elle qui nous a pris notre dernier espoir."

Mais son instinct de conservation était encore le plus fort. Pour le moment.

Shelly lui raconta que Donny Roscoe retournait à la pratique privée pour gagner de quoi envoyer ses enfants au collège (le plus âgé avait huit ans) et que Leo Martin allait peut-être travailler dans une firme spécialisée en droit criminel.

— On dirait que Donny ne se souvient plus de toi. Il ne peut pas admettre qu'il a commis une erreur. Leo est beaucoup plus affecté. Shelly lui servit une assiette de salade. Il s'était toujours vu comme l'éminence grise, qui faisait tourner le bureau, quels que soient les défauts du politicien qu'il avait pour patron. En plus, il formait, ou brisait si nécessaire, les jeunes recrues. Tu l'as privé de cette image. Alors, il doit partir.

— Je lui ai probablement rendu un service, fit-elle en piquant une feuille de salade.

— J'ai appris que Clarke avait abandonné sa plainte contre toi.

— Cet hypocrite. Maintenant, il peut dire qu'il pratique la charité chrétienne; ça lui donnera une image encore meilleure dans les journaux.

— Tu ne l'aimes vraiment pas, hein?

— Tu l'aimes, toi? Elle mordit rageusement dans une tomate.

— Pour être franc, et comme je l'ai déjà dit, j'ai trouvé qu'il agissait avec beaucoup de classe, malgré la situation. Il était innocent, tu sais.

— De ce dont il était accusé. Ce qui ne l'empêche pas d'être un hypocrite et un escroc. Elle repoussa sa salade. Tu dois te demander comment j'ai pu prendre un tel risque de carrière?

— Je suppose que tu as pris un risque calculé, en te disant qu'il allait vouloir négocier.

— Un sacré risque, hein? demanda-t-elle ironiquement.

— Plus ou moins.

— La vérité, mon vieux, c'est que je ne sais pas pourquoi je l'ai fait. Oui, je croyais qu'il allait accepter l'offre de Donny, mais ça n'avait pas d'importance. Il était devenu une obsession; j'avais perdu le contrôle. Ça paraît bizarre, non?

— Tu veux dire que tu étais amoureuse de lui; mais pourquoi...

— Ce n'est pas ce que j'ai dit, explosa-t-elle. J'étais obsédée par lui; c'est très différent de l'amour; très différent. Il n'y a rien à aimer chez cet homme.

Shelly commanda des cafés.

— Tu n'es pas d'accord?

— Je ne sais pas, Diana. Je l'ai trouvé plutôt sympathique et...

— Et quoi?

— Et tu t'es trompée sur la négociation; peut-être t'es-tu trompée sur le reste aussi...?

— Pas du tout, répondit-elle avec fermeté. Elle commençait à se demander si Shelly ne l'espionnait pas pour le compte de Conor.

De retour à son travail, elle regarda de nouveau le titre, sur la cinquième page du journal : CLARKE ABANDONNE SA PLAINTE CONTRE L'ANCIENNE AVOCATE DU GOUVERNEMENT.

L'article était court. Lee West, l'avocat de Conor Clarke, avait confirmé que son client abandonnait sa plainte contre Diana Lyons, l'ancien Procureur adjoint des Etats-Unis. « Monsieur Clarke ne croit pas à la rancune ni à la vengeance » avait expliqué West. « Pour lui, toute cette affaire est close. »

Diana Lyons, expliquait le journal, avait quitté le service du gouvernement et travaillait maintenant comme vendeuse au magasin Marshall Field's de State Street.

Quand on lui avait demandé ce qu'il en était de la plainte contre Lyons auprès du Barreau, West avait refusé tout commentaire.

— Tu parles, qu'il n'est pas rancunier, marmonna Diana.

— Diana – une collègue interrompit sa rêverie – ils veulent te voir au bureau du personnel.

Dans l'ascenseur, Diana se dit qu'ils allaient peut-être lui donner le poste d'acheteuse junior pour lequel elle avait postulé. Ce serait un premier pas vers une nouvelle vie.

Mais on lui annonça que plusieurs clientes qui avaient lu l'article s'étaient plaintes à la direction. Pour le bien de l'entreprise, il allait falloir qu'elle démissionne.

La vengeance de Conor était maintenant presque complète. Elle se demanda quel serait le moyen le plus effiface pour se suicider.

86

— Elle a été mise à la porte à cause d'un article de journal qui citait l'endroit où elle travaillait. Elle va peut-être devoir quitter son petit appartement en face de l'église polonaise Ste-Jadwiga.

— Ah, une femme remarquable, Jadwiga. Ou Liliane, comme me l'a dit notre cardinal qui, pour des raisons évidentes, parle le polonais.

Ils étaient dans le bureau du père Blackie, après la messe du dimanche des Rameaux.

— Elle a perdu son emploi à cause de moi.

Le petit prêtre secoua la tête d'un air absent.

— En face de l'église? Eh bien, nous verrons.

— Ai-je l'air d'un tueur, père Blackie?

— Pas plus que Sir Georg Solti.

— Mes propres avocats ont cru d'abord que j'avais engagé un tueur pour me débarasser de Considine.

Le prêtre éclata d'un rire si énorme qu'il en pleura; il dut enlever ses lunettes, pour les nettoyer, sans grand résultat, avec un vieux mouchoir de papier.

— Je sais bien que de doux poètes ont participé à divers événements dramatiques, mais pour ce qui vous concerne, il faudrait vous pousser bien plus fort et, même dans ce cas, le scénario ne serait pas Conor Clarke retenant les services d'un tueur professionnel, mais plutôt Conor Clarke étranglant l'adversaire de ses propres mains en plein midi, sur Michigan Avenue. Mais – il regarda sa montre, apparemment pour vérifier la date – comment se fait-il que nous soyons à la fin du mois de mars et que vous ne soyez pas dans les îles en train de vous livrer à une activité épuisante comme le surf ou la planche à voile?

— Les loisirs ne sont plus ce qu'ils étaient, mon père.

— Toujours amoureux de la divine Diana. J'espère que vous me pardonnerez mon expression préférée – divine Diana.

— Ce serait plutôt la diabolique Diana. En tout cas, on ne peut pas pardonner à quelqu'un qui ne veut pas qu'on lui pardonne, n'est-ce pas?

— Une position absolument convaincante; ne pardonnez aux gens que quand ils sont prêts et désirent être pardonnés. On ne devrait pas s'attendre à ce que, comme Dieu, vous autorisiez la pluie à tomber autant sur les justes que sur les injustes.

— J'ai essayé. Elle me hait toujours, elle dit toujours que je suis un escroc, elle me juge toujours coupable de tout.

L'homme de Dieu sortit de sa poche un bout de papier froissé.

— Bien sûr, vous avez fait les sept efforts requis?

— Soixante-dix fois sept.

— Hmmm? Blackie examina le papier sous toutes les coutures, essayant de lire ce qu'il avait écrit dessus.

— Les Ecritures disent soixante-dix fois sept.

— Vraiment? Le prêtre trouva un reste de crayon, griffonna une autre note sur son papier et le fourra de nouveau dans sa poche. Vous parlez des Ecritures juives?

— Jésus, comme vous le savez fort bien.

— En effet. Un rabbin très distingué, comme dirait notre ami Ezekiel. Donc, vous venez à peine de commencer?

— Il n'y a aucune raison, aucun espoir, aucun sens là-dedans.

Blackie réfléchit à cette énumération comme s'il était en train de peser une décision d'intérêt national.

— Même après soixante-dix fois dix, Conor Clement Clarke, la très difficile et très délicieuse Diana ne sera pas sortie de vos pensées.

— Comment le savez-vous?

— Sinon, pourquoi demanderiez-vous à quelqu'un comme, par exemple, l'estimable Monsieur Gollin, de garder un œil sur elle pour votre compte?

— Peut-être que je la désire encore, dit Conor avec un soupir d'impuissance. Mais quelle différence cela fait-il?

— En effet.

— Vous pensez que c'est de la folie?

— Je ne me souviens pas de l'avoir dit, ni même suggéré. Peut-être que oui; peut-être que non. Mais ce n'est pas ma Diana à moi.

— Et si elle l'était?

Le petit prêtre prit encore une note sur son bout de papier froissé.

— Hmmm? Oh, ce que je ferais si j'étais dans la même situation? C'est facile de conseiller quand on est célibataire, mon cher, mais si elle m'appartenait et si je ressentais ce que vous ressentez, je la poursuivrais jusqu'en enfer, à condition que cet endroit existe, bien sûr.

87

L'après-midi du même dimanche, il alla faire son jogging le long de North Avenue Beach, admirant, malgré lui, les jeunes beautés très déshabillées qui profitaient des premiers rayons de soleil du printemps. Il parvint simultanément à la conclusion qu'aucune d'entre elles n'arrivait à la cheville de la délicieuse Diana, et qu'il était inutile d'essayer de tromper le père Blackie.

Soixante-dix fois sept : cela faisait quatre cent quatre-vingt-dix. Mais Jésus n'avait pas voulu qu'on Le prenne au pied de la lettre, n'est-ce pas?

Vers le sud, se découpant sur le ciel bleu, les gratte-ciel pastel semblaient venir d'un autre monde; illustration idéale pour un magazine de science-fiction.

D'accord, bon sang; essaye! C'est bien ce que tu voulais faire depuis le début, non?

Appelle cette donzelle et dis-lui que, le second samedi de Pâques, tu entends la voir, vêtue de blanc virginal comme il se doit, devant l'autel de la cathédrale du Saint Nom, et qu'elle a intérêt à y être. Qu'ensuite, le moment venu, après d'énormes quantités de sucreries et de moins énormes quantités de champagne, dans le château que tu as acheté pour elle, tu as l'intention de la défaire, avec plus ou moins de hâte, du blanc virginal déjà mentionné, en surmontant les obstacles que pourraient poser divers élastiques, crochets, ou autres accessoires, et de continuer ce que vous aviez si bien commencé sur le bord de ta piscine.

En outre, dis-lui qu'après plusieurs jours de cette activité, tu envisages de l'emprisonner dans une suite sur le Queen Elisabeth 2 et de l'emmener en Europe pour une lune de miel de durée indéterminée, avec une forte concentration sur les plages chaudes et isolées.

Voyons ce que la divine Diana répondra à cela.

Sa main se posa sur le téléphone. L'appeler et la demander en mariage comme ça, après tout ce qui s'était passé?

Je n'ai certainement rien à perdre.

88

Par la fenêtre de son studio, elle regardait les gens qui sortaient de l'église polonaise, de l'autre côté de la rue. C'était le dimanche des Rameaux. Elle aurait dû aller à l'église. Mais pour quoi faire? Pourquoi prier quand Dieu est tellement déçu de vous qu'Il n'entend même plus vos prières?

Elle était toujours à la recherche d'un emploi. Un magasin de papeterie avait fini par lui offrir du travail. La moitié de son ancien salaire, à peine assez pour survivre. Il faudrait peut-être même qu'elle se cherche un appartement encore plus petit.

Mamma avait voulu lui redonner de l'argent, ou lui en prêter, si c'était plus facile. Il y avait un héritage; des comptes d'épargne, parce que Papa ne croyait pas aux investissements. Mais elle ne pouvait rien accepter de Mamma. Pas encore. Jamais.

Elle en voulait à sa mère. La douleur qu'elle avait extériorisée de façon aussi hystérique semblait avoir disparu. Elle paraissait même modérément heureuse. Il était évident qu'elle avait l'intention de se remarier. Peut-être même avait-elle déjà quelqu'un en vue. Répugnant.

Diana se demandait si elle était la seule personne au monde qui avait vraiment aimé son père.

Le pauvre cher homme.

Qu'avait dit Maryjane? Une relation malsaine? Quelle idiotie! Elle porta une main à son front. Une autre attaque de migraine. Peut-être était-ce une relation malsaine.

Sois sérieuse, Diana, tu sais bien que c'était le cas. Tu le sais depuis longtemps.

Elle se mit à trembler. Une pensée terrible venait de s'imposer à son esprit.

C'était effectivement une relation peu courante. Je ne connais aucune autre femme de mon âge qui ait eu ce type de relation avec son père.

Oh mon Dieu!

Encore tremblante, elle saisit l'annuaire et l'ouvrit à la lettre S. Il y avait tellement de Silverman. « N. Silverman, médecin ».

Elle nota le numéro sur un bout de papier, remit l'annuaire en place, contempla le numéro, froissa le papier et le lança en direction du panier à papier.

Elle manqua son coup. Une autre chose qui n'était plus ce qu'elle était.

Son père était à la base de son problème? Pas délibérément, bien sûr et avec les meilleures intentions du monde, mais quand même...

Je ne pourrais pas le supporter.

Elle alla dans sa salle de bains et examina avec attention la bouteille de Valium que son médecin lui avait donnée avant la mise en accusation. Trop de ça et tu t'en vas tranquillement. Mais ils risquent de te trouver et de te faire un lavage d'estomac. Et ça, comme le FBI te l'a dit un jour, c'est une expérience très peu agréable.

Elle alla donc récupérer son bout de papier derrière le panier à papier et mit sa robe de chambre par-dessus ses sous-vêtements. Il faut être décente pour parler à une psychiatre juive. Elle composa le numéro. Peut-être y aurait-il une réponse, même si on était dimanche après-midi.

Après trois sonneries, on répondit effectivement.

— Bonjour, dit la voix chaleureuse et rassurante. Ici le docteur Silverman.

Diana hésita, prête à débiter d'un coup toute son histoire.

Elle raccrocha.

89

De retour chez lui, Conor prit une douche, se prépara un margarita, chose qu'il ne faisait jamais quand il était seul, et regarda le téléphone. Il pouvait bien faire un effort, sur les quatre cent quatre-vingt-dix.

Il composa le numéro que Shelly lui avait donné.

Occupé. Au moins, elle a quelqu'un à qui parler. Donc, malgré ce que disait Shelly, sa vie n'était pas si triste. Un autre homme probablement. Pourquoi pas?

Il regarda un match de football à la télévision.

Non, je ne rappellerai pas. Elle a quelqu'un d'autre à qui parler.

Il refit le numéro.

Cette fois, elle répondit tout de suite.

— Diana Lyons.

Mon Dieu, pourquoi suis-je en train de faire ceci? Qu'est-ce que je voulais dire?

— Diana, c'est Conor.

Silence.

— Diana?

— Oui?

Une réponse impossible à interpréter. Allons-y.

— C'est Conor.

— Je ne suis pas sourde.

Aïe. Qu'est-ce que je dois dire? Le second samedi de Pâques...

— Je ne sais pas quoi dire, Diana...

— Alors tu n'aurais pas dû gaspiller ton argent et mon temps. Tu as beaucoup d'argent, mais moi, je n'ai pas beaucoup de temps.

— Je ne veux pas que ça finisse comme ça, gémit-il.

— Il n'y a jamais rien eu; comment pourrait-il y avoir une fin?

— Ne pourrions-nous pas nous rencontrer pour en parler?

— Je n'ai pas le temps; il faut que je me trouve du travail, puisque tu m'as fait perdre le précédent.

— Ce n'est pas vrai.

— Même si je ne devais pas me trouver un travail, je n'aurais aucune envie de te voir.

— Je voudrais tellement que tu changes d'avis. C'était vraiment ramper, pour quelqu'un qui avait été la victime; le père Blackie approuverait.

— Tu n'es qu'un gamin gâté. Tu as eu de la chance cette fois-ci. Mais tu ne perds rien pour attendre : tu finiras en prison un jour.

Elle raccrocha. Elle paraissait sérieuse.

Il fit une marque sur une feuille de papier. En comptant généreusement, ça faisait deux efforts. Encore quatre cent quatre-vingt-huit.

90

Conor Clarke avait dit la vérité sur une chose au moins : Mamma était effectivement très séduisante. Dans son tailleur anthracite bordé de blanc, elle réussissait à être à la fois une femme en deuil et une femme qui espérait en l'avenir.

Pourquoi n'ai-je jamais réalisé à quel point elle était jolie? La voyais-je comme une rivale? Oh, mon Dieu, quelle horreur! Il faut que je fasse la paix avec elle... Non, ce n'est pas tout à fait ça; il faut que je lui permette de faire la paix avec moi. C'est pour cela qu'elle est venue en ville pour m'emmener manger.

Et elle semble mourir de peur à l'idée que je pourrais la rejeter. Mamma fragile... je n'aurais jamais cru ça.

Diana avait accepté le poste à la papeterie. D'abord parce que les gens étaient gentils, et ensuite parce qu'elle aurait beaucoup de temps libre et qu'elle pourrait se remettre elle-même au dessin, une discipline qu'elle avait négligée depuis le collège. En fait, elle avait surtout accepté parce qu'elle craignait de ne pas pouvoir durer beaucoup plus longtemps. Avant d'aller travailler le premier jour, elle avait jeté le flacon de Valium.

Mais le soir, elle l'avait récupéré. On ne sait jamais quand on peut avoir besoin d'un flacon de Valium.

La conversation avec Conor l'avait bouleversée. Il ne s'était pas comporté en vainqueur, mais plutôt en petit garçon triste. De quel droit était-il triste?

Elle avait failli dire :

— Je peux encore te battre au squash.

Une telle phrase aurait fait disparaître tout ce qui s'était passé, une façon de dire « Je regrette. Pardonne-moi ». Ils auraient ri et son obsession aurait pu recommencer.

A sa grande surprise, elle avait réalisé que la phrase fatidique avait été bien proche de lui échapper.

Mais elle ne voulait pas son pardon. Elle ne regrettait rien.

Elle avait réussi à convaincre Mamma qu'il serait agréable d'acheter un hamburger et de se promener sur les berges de la rivière Chicago et sur le pont de l'avenue Michigan, par cette belle journée d'avril.

— C'est une belle ville, une ville magique, presque comme dans un conte de fées. Mamma faisait d'élégantes arabesques avec ses mains. Je regrette de ne pas en avoir profité plus.

« Séduisante » n'était pas l'adjectif qui convenait à Mamma. « Sexy » aurait été plus approprié. Diana ne l'avait jamais remarqué jusqu'à ce que Conor le lui dise.

— M'as-tu pardonné un peu? demanda Mamma timidement.

— Il n'y a rien à pardonner, Mamma. Je t'aime.

— J'étais si jeune. Sa mère ne semblait pas l'avoir entendue. C'était un homme bon à l'époque, brave, heureux, doux et aimant. Il m'offrait une nouvelle vie. Il travaillait très dur et il faisait ses études de droit. Moi, j'ai eu les bébés, l'un après l'autre, et j'ai à peine remarqué la différence. Même quand il a raté son examen du Barreau, la première fois, je n'ai rien remarqué. Il était peut-être un peu plus amer, mais il disait que d'autres avaient payé pour être acceptés.

— Ça arrivait, dans ce temps-là. Diana sentit son estomac se nouer.

— Après, il n'a pas eu autant de succès que les autres garçons qui avaient étudié avec lui. J'ai réalisé qu'il avait perdu quelque chose quand il avait été blessé, à Anzio. Et puis il y a eu les enfants; je ne les comprenais pas; ils étaient si différents de ceux que j'avais connus en Sicile. Je voulais qu'ils respectent leur père. Les crises cardiaques, les disputes... elle s'essuya les yeux avec un mouchoir. J'ai fait ce que j'ai pu. Si j'insistais beaucoup, comme pour mon travail, il me laissait gagner, même quand ça lui faisait beaucoup de peine. J'aurais dû me battre plus, défendre les enfants plus. Peut-être qu'ils seraient restés et qu'il n'aurait pas été si malheureux... Les crises cardiaques auraient pu être évitées, pensa Diana amèrement. Le jeune cardiologue, à l'hôpital, n'avait pas compris comment son père avait pu refuser une opération. Routine, avait-il dit.

— Comment te dire? Il a changé si lentement que j'ai à peine remarqué. Mais l'homme que tu as vu mourir n'était pas celui que j'avais épousé et que j'aimais tant.

— Je sais que tu l'aimais, Mamma.

— Je crois que, les années passant, j'aimais plus l'homme qu'il avait été que celui qu'il était devenu. Mais peux-tu me pardonner si je dis que je suis soulagée d'être libérée de ce que le monde et la vie avaient fait de lui?

Difficile de trouver mieux, en fait de franchise.

— Il n'y a rien à pardonner, Mamma. Je comprends ce que tu dis et pourquoi.

— C'est vrai?

Elle se tamponnait les yeux avec son mouchoir. Même quand elle pleurait, elle était jolie.

— Tu vas te remarier, Mamma?

— Tu crois que je vais trahir ton père? Déshonorer son lit?

— Pas du tout! répondit Diana avec véhémence.

Mais il y a quelques minutes, c'est exactement ce que je croyais.

— Vous autres Irlandais, vous êtes des romantiques. Je n'ai jamais été infidèle, Diana, jamais. J'ai eu des occasions. Mais non. J'avais fait une promesse.

Diana passa un bras autour des épaules de sa mère.

— Bien sûr.

— C'est toi la mère et moi l'enfant, hein? C'est bien d'avoir une mère qui comprend.

— Je pense que tu ferais une bonne épouse pour quelqu'un, insista Diana, presque sincère dans son souhait d'avoir un jour un beau-père.

— Nous les Siciliens, nous sommes fatalistes, pas romantiques. Un lit vide est la mort d'une veuve, ils disent chez nous. Si je rencontre l'homme qu'il faut, mon lit ne restera pas vide longtemps, Diana *mia*. Je te choque?

— Tu me fais plaisir. Elle ravala sa salive. A condition que tu me le présentes d'abord. Je ne voudrais pas que tu te trompes.

— J'ai besoin de l'autorisation de ma fille maintenant, pour mettre un homme dans mon lit? Mamma souriait à travers ses larmes.

— Absolument. Droit de veto!

Pourquoi ne suis-je pas réaliste comme elle? Je pourrais me jeter aux pieds de Conor, implorer son pardon et tout serait terminé.

— D'accord. Je ne connais rien aux hommes américains. Toi si.

— Je n'en suis pas si sûre, à en juger par les résultats. Mais je t'aiderai autant que je pourrai.

— Quelle fille parfaite! Je ne mérite pas de t'avoir. J'ai été une mauvaise mère.

Un nouveau déluge de larmes finit de détruire le maquillage de Mamma.

— Tu as fait de ton mieux, Mamma.

— Pas avec toi. Je savais que tu souffrais encore plus que tous les autres et qu'il te forçait à devenir quelqu'un que tu ne voulais pas être. Tu étais ma préférée, toujours douce, prête à rendre service... mais quand les crises cardiaques ont commencé, je t'ai sacrifiée à l'amour que j'avais eu pour lui.

— Je ne crois pas...

— Ce pauvre garçon, qui n'avait jamais vraiment eu de famille, il t'aimait, Diana. Il était si gentil, et c'était si facile de le blesser...

— Conor? Elle était de nouveau furieuse qu'il ait mêlé sa mère à toute cette histoire. Quand t'a-t-il parlé?

Je le sais, mais je veux qu'elle me le dise elle-même.

— Il est venu au magasin pour acheter quelque chose, en septembre. Il parlait horriblement mal l'italien, mais il était gentil et il était drôle. Je me suis dit : « Celui-là, il aime ma Diana et il est venu voir à quoi ressemble la mère ». Alors j'ai été gentille; j'ai même flirté avec lui – elle eut un sourire gêné – juste un petit peu. Je savais qu'il te rendrait heureuse. Après, j'ai vu sa photo dans le journal. J'ai pleuré pour vous... je m'en veux tant.

— Non, Mamma, dit Diana doucement, il ne faut pas t'en vouloir. C'est un méchant homme. Il a l'air charmant, mais il est riche et gâté et malhonnête.

— Ça, c'est ton père qui parle, Diana. C'était un bon garçon et il t'aimait. Il doit encore t'aimer...

— Je suis sûre que non.

Je n'en suis pas sûre du tout.

Mamma répara rapidement les dommages qu'avait subis son maquillage. Quand Diana voulut lui donner un conseil, ses yeux étincelèrent dangereusement. Mais elle se mit à rire :

— Alors j'ai trouvé une mère pour me dire quoi faire? Je l'ai bien mérité.

Elles reprirent leur marche interrompue. Mamma insista pour lui donner de l'argent et Diana l'accepta, parce qu'elle ne voulait pas la fâcher, et aussi parce qu'elle en avait besoin.

— Alors, tu me pardonnes? demanda Mamma d'un ton suppliant.

— Le pardon n'a pas d'importance, Mamma. Je te veux comme amie.

— C'est bien vrai?

— Ecoute-moi bien, Maria : je te pardonne et je t'aime. D'accord, tu m'as peut-être un peu laissée tomber quand j'étais plus jeune, mais c'est fini et bien fini. Je pardonne tout et tu dois te pardonner à toi-même. Compris?

— Tu m'appelles Maria? Sa nouvelle amie la regardait avec surprise.

— Tu seras toujours Mamma. Diana était étonnée de la facilité avec laquelle elle se rapprochait de cette femme qui lui avait donné le jour, un quart de siècle auparavant. Maintenant, tu es aussi Maria, mon amie Maria. Peut-être même – elle eut un petit rire – Anna Maria!

Elles éclatèrent de rire et tombèrent dans les bras l'une de l'autre, en larmes.

Cet après-midi-là, Diana ne put cesser de penser à sa mère et au fait que, de bien des façons, elle était plus jeune que sa fille.

Se pourrait-il qu'elle ait aussi raison, pour Conor? se demanda-t-elle.

Non, c'est impossible.

Et elle comprit tout à coup ce froid qui était en elle : c'était de la haine envers elle-même. Je peux bien avoir froid en dedans, se dit-elle; je ne suis qu'une minable.

91

Diana errait dans le centre d'achats, à la recherche d'un cadeau de Pâques pour Maria.

Tout à coup, un cri perçant la fit sursauter.

— Diana!

Elle se tourna pour voir émerger de la foule une jeune fille en jeans et en sweat-shirt qui, à son grand étonnement, vint se jeter à son cou.

— Mais c'est Cat O'Connor Le Chat! Excuse-moi, je ne t'avais pas reconnue; je pensais probablement que tu passais toute l'année en maillot de bain.

— Ce serait chouette, répliqua Le Chat. Tu connais John bien sûr, et voici mon cousin Pete et sa petite amie Linda. C'est un uniforme des garde-côte qu'elle porte et elle parle un peu drôle, mais on l'aime bien.

John ne ressemblait pas beaucoup au garçon avec qui ils avaient skié l'été précédent, Pete avait une bonne tête d'Irlandais et Linda semblait avoir treize ans au plus :

— L. McLeod, M'dame, officier marinier deuxième classe, de Stinking Creek, en Virginie de l'ouest. Bien honorée de vous connaître, M'dame.

— Elle est Irlandaise, mais elle est protestante. Mais elle est mignonne quand même, hein Diana?... ALORS, quand est-ce que tu vas te marier avec Conor?

— Jamais, j'en ai peur. Diana dut combattre les larmes qu'elle sentait venir. Tu ne lis donc pas les journaux, Cat?

— Sûr que je lis les journaux! Mais tous ces trucs idiots n'ont pas de rapport avec l'amour! Tu vas pas nous laisser tomber, quand même?

Dieu du Ciel, c'est Vous qui me l'envoyez, pour essayer de me convaincre. Mais je ne veux pas me laisser faire...

— Ce n'est pas si facile, Cat, dit-elle d'une voix étranglée par l'émotion.

— Là d'où j'viens, M'dame – le visage de Linda était solennel – on a un dicton : C'est le premier chasseur levé qu'aura le lièvre.

Diana ne voyait pas comment ce proverbe pouvait s'appliquer à sa situation, mais les larmes finirent par inonder son visage quand elle serra les deux jeunes filles dans ses bras.

Dieu ne reculerait devant rien.

92

Confortablement installé sur un fauteuil pneumatique, dans la piscine de sa nouvelle maison, Conor composa un numéro sur son téléphone sans fil.

Le père Blackie avait eu raison, comme toujours. Pourquoi vendre la maison tout de suite? Il pouvait se permettre d'attendre l'acheteur qui lui ferait gagner un quart de million...

En attendant, cela lui permettait de vivre dans un luxe décadent et de flotter, nu comme un ver, dans sa piscine chauffée, un bon verre d'Irish Cream à portée de la main.

Pendant la Semaine Sainte?

En tout cas, ce qui était important cette semaine, c'était qu'il travaille à sa propre résurrection. Il savait que le petit prêtre le lui conseillerait la prochaine fois qu'il lui parlerait et il valait mieux qu'il puisse lui démontrer qu'il avait déjà fait un effort.

— Accepterais-tu de venir à la messe de onze heures avec moi, le jour de Pâques? demanda-t-il à la jeune femme qui répondit au téléphone. Nous pourrions aller au Ritz Carlton pour le brunch ensuite.

Elle protesta qu'il était trop tard pour avoir une réservation et que tout était complet depuis des semaines.

— Je me flatte d'avoir quelque influence dans cet établissement.

Il porta son verre à ses lèvres et eut une vision de la jeune femme, nue aussi, sur un matelas auprès de lui. Pendant la Semaine Sainte?

Disons une fois que nous serons mariés.

C'était le silence à l'autre bout de la ligne. Au moins, elle n'avait pas refusé.

— Je te propose un marché, dit-elle finalement.

On ne marchande pas avec une femme irlandaise; on accepte les conditions qu'elle dicte.

— Je t'écoute, dit-il, renversant le précieux liquide dans la piscine. Zut.

— Tu appelles Diana... non, tu vas voir Diana et tu insistes pour qu'elle aille à la messe de Pâques avec toi. Si tu fais tout ce que tu peux pour la convaincre et qu'elle refuse encore, un vrai refus, définitif, alors j'accepterai ton offre si intéressante. Autrement, pas question; je répète, absolument pas question.

Conor regarda le nuage beige qui s'étalait autour de lui. Comment fait-on pour sortir du lait, du lait irlandais en plus, d'une piscine?

On n'y touche pas, idiot; il y a des filtres pour ça. Et toute une piscine pleine d'Irish Cream? Ce serait décadent, et surtout collant.

— Je ne peux pas faire ça, Pat.

— Je ne sais pas ce que cette adorable garce dira, et tu remarqueras que je n'ai pas dit « grosse ». En fait, ses nichons sont très beaux. Elle sera peut-être assez folle pour s'enterrer encore plus dans la tombe qu'elle s'est creusée elle-même; mais en tout cas, tant que tu ne seras pas guéri d'elle, je n'ai pas l'intention de gaspiller mes jeunes années, ou ce qu'il en reste, à lui servir de doublure.

— Mais jolie Patricia, je ne peux pas...

— A mon avis, névrosée ou pas, elle finira par dire oui. Auquel cas je veux être invitée au mariage. Compris?

— Mais écoute-moi, bon sang, je disais...

— Et crois-moi, tu pourrais tomber beaucoup plus mal. Je lui en veux à mort pour le moment, mais je dois admettre qu'elle a fait preuve de beaucoup de classe depuis le début. Alors, j'estime qu'elle a droit à sa chance.

— Patricia Slattery, vas-tu te taire et m'écouter?

— Si elle est bête et qu'elle refuse, et j'ai bien dit un non catégorique, alors rappelle-moi. Mais si je devais recevoir, entre-temps, une invitation similaire de la part de quelqu'un qui n'est pas amoureux d'un rêve, je te verrai à l'église. Conor Clement Clarke, je te souhaite une EXCELLENTE journée!

— Attends un instant...

— Avec ou sans fil, même au milieu d'une piscine, les téléphones fonctionnent tous de la même façon. Quand une femme vous raccroche au nez, elle vous raccroche au nez.

La voix de Conor résonna dans la grande salle:

— Tu sais vraiment les choisir, mon vieux!

93

— Des enveloppes parme? De quel format, Madame? Diana regardait son catalogue.

— Pas tout à fait le format commercial, mais presque, vous voyez?... mais... Diana?... c'est toi? Mon Dieu!

Elle leva les yeux:

— C'est bien moi, oui. Oh, Pat! Je ne t'avais pas reconnue. Tu ne peux pas savoir le choix de couleurs qu'il y a là-dedans...

— Tu n'as pas l'air en forme... oh, je m'excuse, je n'aurais pas dû...

— Ce n'est pas grave; je sais. C'est certainement le froid. Regarde ça: vert limette, rose bonbon, saphir, aigue-marine...

— Il ne fait pas froid dehors; en fait c'est une vraie journée de printemps.

— C'est vrai? Je n'avais pas remarqué.

— Hein? Oui, saphir, ce sera encore mieux. Je les prends. Diana, tu aimes ce travail?

— Pas besoin de penser et on peut se permettre de se tromper de temps en temps, tu vois?

— Oui.

— Tu vois Conor? Bon sang, pourquoi suis-je allée poser une question pareille?

— Oui... je le vois. Pat hésita. C'est combien? Oui, je le vois. Et ce que je vais te dire maintenant doit rester absolument confidentiel. D'accord? De toutes façons je nierai si tu le répètes.

— D'accord. Ses mains tremblaient.

— C'est un gentil garçon, tu sais. Et de bonne compagnie. Mais il y a un seul problème; tu sais quoi?

— Non.

— Une fois sur deux, il m'appelle Patricia; l'autre, il m'appelle Diana. Devine de qui il s'agit?

— Je pourrais facilement être furieuse contre toi, Pat. En essayant de maîtriser ses mains, elle prépara soigneusement la facture de sa cliente.

— Mais tu ne l'es pas?

— Non.

— Pourquoi?

— Je suis à la barre des témoins, Maître?

— Oui. Dis-moi pourquoi tu ne m'en veux pas de t'avoir dit les idioties que je viens de te dire?

— Parce que je viens de réaliser que finalement tu m'aimes bien. Il ne faut pas que je pleure, surtout pas.

— Ce n'est pas que je t'aime bien... non, ce n'est pas vrai; je crois que je t'aime bien. Je ne sais pas pourquoi, mais c'est comme ça.

— Merci. Tiens, voilà ton paquet. Joyeuses Pâques.

— Toi aussi, Diana. Pat Slattery s'arrêta à la porte, comme si elle voulait ajouter quelque chose. Puis elle se ravisa : Je te souhaite de merveilleuses Pâques.

Diana décida qu'il ne faisait pas aussi froid qu'elle avait cru.

Mais la chaleur qui venait de l'envahir était encore plus terrifiante que le froid.

94

Conor faillit laisser tomber son téléphone dans la piscine.

— Conor Clarke... Oui! Bonjour Maryjane! Comment as-tu trouvé mon nouveau numéro de téléphone?... Bien sûr, je vais faire une pendaison de la crémaillère... dans une ou deux semaines.

Il n'aurait pas eu de problème avec le téléphone s'il n'avait pas vidé la bouteille d'Irish Cream. Une sorte de pénitence pour avoir renversé le premier verre. Je promets de ne pas boire d'alcool pendant le Carême, l'an prochain.

— Oui, c'est un téléphone sans fil. Je suis dans la piscine. Merveilleux, hein? Venir souper chez toi le jour de Pâques? Ma foi, je ne sais pas, je ne voudrais pas déranger...

— Avec Diana? Elle a accepté?... Tu ne voulais pas l'inviter avant que j'aie accepté?... C'est vraiment gentil, Maryjane, mais je ne pense pas que nous soyons prêts, ni l'un ni l'autre. Peut-être au lac, cet été. J'apprécie vraiment... Oui, mais c'est encore trop tôt.

Qu'ils sont donc tous tenaces! Mais comment se fait-il que Maryjane...?

— Je croyais que tu ne pouvais plus la voir... ah bon... tu étais seulement un peu fâchée... la faute de son père... et il est mort, que Dieu ait son âme?... Oui, je suis d'accord, que Dieu ait son âme.

Et si j'avais dit oui?

Elle ne serait pas venue. Elle me déteste encore. Et elle me détestera toujours. Son père sera toujours là, jusqu'au jour de sa mort.

Il dirigea prudemment son fauteuil jusqu'au bord de la piscine, où il posa le téléphone. Puis il sortit de l'eau et passa sa robe de chambre. Remonté dans le salon, il s'assit sur un sofa et essaya de travailler sur le poème qu'il avait commencé le matin.

Mais les vers qui devaient décrire la Cène s'obstinaient à parler de Diana.

Il jeta son bloc et son crayon à travers la pièce. Puis, après les avoir ramassés et rangés, il alla dans sa chambre, s'habiller pour la messe du Jeudi Saint à la cathédrale.

95

Diana sentit les doigts de Conor se poser sur son ventre, protecteurs plus qu'exigeants.

La sécurité; voilà l'impression que j'ai toujours eue avec lui. Je ne sais pas contre quoi il me protège, mais j'en ai besoin; j'ai besoin de lui.

Mon Dieu, pensa-t-elle, que je suis contente de lui avoir demandé pardon! Je ne pourrais plus vivre sans lui.

Espèce de garce en chaleur! C'est parce que tu avais envie de lui que tu t'es finalement décidée.

Et alors?

Ses doigts commencèrent leur exploration, doucement, délicatement. Elle soupira. Non, elle ne serait jamais rassasiée de lui.

Ses caresses, encore tendres et légères, devinrent plus exigeantes : ventre, seins, cuisses. N'arrête pas, mon chéri, oh, n'arrête pas. Ses lèvres remplacèrent ses doigts, fouillant ses secrets les plus intimes. Elle commençait à avoir du mal à contenir sa passion. Il prenait son temps, augmentant encore son plaisir. Je t'en supplie, arrête! voulut-elle crier, je n'en peux plus!

Il rit et ralentit encore plus, la conduisant au bord de l'hystérie.

Un bruit, très loin, la réveilla.

Ce n'était qu'un rêve? Où est-il? Est-ce que je vais toujours avoir ces rêves?

Lentement, son corps redescendit des sommets où son rêve l'avait fait monter.

Pourra-t-il encore m'exciter autant quand nous serons mariés?

Je lui ai demandé pardon, non? Nous allons nous marier... Oui, bien sûr. Nous sommes amants, de nouveau... Elle réalisa qu'elle était couverte de transpiration, comme si elle venait de faire l'amour, mais elle se sentait frustrée, comme si son plaisir n'avait pas été complet.

Alors elle comprit que ce n'était qu'un rêve.

Après avoir sangloté un long moment, Diana finit par se rendormir.

96

Le lendemain, son rêve oublié, elle s'aperçut que le peu de chaleur que Mamma et Pat Slattery lui avaient fait ressentir, avait disparu. Le froid était revenu, pour toujours cette fois.

Elle en voulait à sa mère d'être si déloyale envers Papa. Comment avait-elle pu dire ces choses horribles sur lui?

Et elle en voulait aussi à Pat de son intrusion dans sa vie privée. Qu'elle continue donc de voir Conor. Qu'elle couche donc avec lui; s'il finissait par avoir le courage de le lui proposer.

A sa grande surprise, la papeterie où elle travaillait était fermée en cette journée de Vendredi Saint. Les propriétaires, qui semblaient être des hippies attardés, étaient en fait de fervents catholiques, qui lui dirent qu'ils avaient été « baptisés dans le Saint Esprit ». Cela avait attristé Diana encore plus : elle qui avait toujours été fière de sa foi semblait l'avoir perdue, sans s'en rendre compte, malgré ses fréquentes visites à l'église polonaise, de l'autre côté de la rue.

Vêtue d'un vieux peignoir usé, elle s'assit devant l'unique fenêtre de son appartement, son journal sur les genoux, regardant sans la voir la façade baroque de l'immense église.

La plupart des femmes de mon âge ont conservé la foi et perdu leur virginité, écrivit-elle. J'ai gardé ma virginité jusqu'à l'âge de vingt-cinq ans, puis je l'ai perdue en même temps que ma foi et mon innocence.

Je devrais peut-être traverser la rue ce soir pour assister à la messe du Vendredi Saint : cela irait bien avec mon humeur. Mais Dieu a-t-Il envie de me voir, même un Vendredi Saint? Je ne suis même plus certaine que Dieu existe. Comment a-t-Il pu autoriser tout cela? Mais peut-être était-ce le Diable? Y a-t-il un Diable? Peut-être aussi que je suis trop méprisable pour que Dieu ou le Diable s'intéressent à moi.

Elle pensa au flacon de Valium. Il n'y aurait personne pour la conduire d'urgence à l'hôpital.

La messe du Vendredi Saint ou le flacon de Valium, écrivit-elle dans son journal. Une alternative très raisonnable. Pour le moment, du moins.

97

L'arrivée en chaire du recteur John Blackwood Ryan était toujours une sorte d'événement, y compris pour lui-même. Il paraissait vaguement surpris d'être parvenu jusqu'à cet endroit élevé, incertain quant à ce qu'il devait faire maintenant qu'il y était, et perplexe de découvrir qu'il y avait des gens dans l'église, qui semblaient attendre son bon vouloir. En ce Vendredi Saint, son supérieur, le cardinal Sean Cronin, faisait partie de ceux qui attendaient.

Mais quand Blackie commençait son sermon, son image de petit homme perdu disparaissait bien vite. "Il se trompe rarement," avait dit le cardinal à Conor, "et ne doute jamais."

— Prenons le cas de Judas, commença le recteur de la cathédrale du Saint Nom.

Son péché était d'avoir trahi Jésus, qu'il aimait et qui l'aimait. Nous trahissons quotidiennement ceux que nous aimons, les faibles par une parole cruelle, les forts par le fer.

Le pire péché de Judas a été de refuser, par deux fois, le pardon qui lui était offert – ne fois lors de la dernière Cène, et l'autre sur le Mont des Oliviers. Nous pouvons supposer, sans trop risquer de nous tromper, qu'il était difficile pour Jésus de pardonner à ceux qu'Il aimait et qui L'avaient trahi. Nous savons, par notre propre expérience, que notre première réaction, devant la traîtrise d'un être aimé, est de nous venger, ou d'enregistrer le souvenir de sa trahison dans le livre noir où vont tous nos griefs contre ceux que nous aimons.

S'il est difficile d'offrir le pardon, il semblerait qu'il soit encore plus difficile de l'accepter. D'où le mystère de Judas. Le pauvre, le maladroit Pierre, le pape le plus humble de l'histoire, un homme qui avait de nombreuses raisons d'être humble (ce qu'on pourrait dire également de nombreux autres papes qui ne voulaient, et ne veulent pas accepter leur fragilité humaine)...

Le cardinal sourcilla, mais sourit en même temps.

... Pierre, donc, accepta le pardon, sinon avec grâce, du moins avec le degré d'empressement approprié. Thomas, le soupçonneux Thomas, allait montrer une semaine plus tard qu'il était avide d'amour lui aussi. Pourquoi pas Judas?

Il avait pourtant des remords : le fait de jeter la récompense de sa trahison sur le carreau du Temple était une plus grande preuve d'humilité que celles données par les autres premiers évêques. Etrangement, il n'y avait pas de cardinaux à cette époque, le Seigneur n'ayant pas eu la sagesse de créer ce poste si essentiel.

S'étant ainsi dénoncé de façon dramatique, pourquoi Judas ne s'est-il pas précipité au Calvaire pour accepter le pardon qui lui était offert?

Parce que Judas était victime de son orgueil. Et à cause de cet orgueil, il se rejetait lui-même, se méprisait lui-même, à un point tel qu'il était persuadé de ne jamais pouvoir reconquérir cet amour qu'il avait trahi.

Judas, voyez-vous, représente cette partie de nous tous qui ne veut pas plus d'amour que ce que nous pouvons gagner, et donc maîtriser. Pierre, lui, représente la partie de notre personnalité qui réalise qu'on ne peut pas gagner l'amour; il se rend donc à un amour qui va au-delà de notre mérite, de notre contrôle, de la manipulation, de la négociation; un amour que nous ne pouvons qu'accepter avec reconnaissance et – voilà le piège, parce qu'avec

Jésus, il y a toujours un piège – avec enthousiasme. Judas a estimé qu'il était indigne; il a donc pris une corde et il est allé se pendre. Pierre savait qu'il était indigne lui aussi, mais ce n'était pas grave. Quand on est aimé d'un amour absurde et irrésistible, le mot « indigne » n'a pas cours. Il n'y a que l'acceptation et l'enthousiasme qui comptent. Nous n'avons pas besoin de nous pendre avec une corde et nous ne devons pas désespérer parce qu'on nous donne un amour que nous ne pouvons pas gagner. L'amour est un présent, l'amour est la grâce.

Au nom du Père, du Fils et du Saint Esprit.

Le petit prêtre regarda autour de lui, comme s'il se demandait comment il allait faire pour retourner à l'autel. Un enfant de chœur s'inclina devant lui et lui montra le chemin.

Conor aurait voulu que Diana soit là pour entendre le sermon. Il se demandait si elle était le genre de personne à se pendre avec une corde.

Si Jésus n'a pas pu faire changer Judas, je n'ai aucune chance avec elle.

Ce fut pendant l'adoration de la croix qu'il la vit. Elle se dirigeait vers l'autel tandis qu'il en revenait. Elle était donc assise au fond de l'église. Il crut d'abord que cette femme ne pouvait pas être sa belle Diana, tant elle était pâle, maigre et défaite. Diana était grande et ne marchait pas courbée. Comment cette femme aux épaules tombantes, vêtue d'une paire de jeans, d'un chemisier et d'un imperméable taché pouvait-elle être l'élégante golfeuse qui l'avait battu en août?

En plus, elle n'avait pas semblé le reconnaître quand ils s'étaient croisés. Non, ce n'était pas Diana.

Pourtant, c'était bien elle; épuisée, mal nourrie, mal vêtue, mais c'était bien Diana. Conor fut bouleversé, proche des larmes. Le sermon du père Blackie, le cérémonial impressionnant de la messe du Vendredi Saint et la tristesse de Diana, c'en était trop pour lui.

Je la veux plus que jamais. Blackie et Naomi avaient raison. Je veux lui donner de la bonne nourriture et du bon vin, l'emmener au soleil, lui redonner la santé et le sourire, entendre de nouveau son rire; je suis même prêt à me laisser battre au golf. Et au squash.

Il alla faire la queue pour recevoir la Communion. Diana resta à sa place. Ne veut-elle pas communier parce qu'elle a péché contre moi? Mon Dieu, que c'est ridicule!

Le père Blackie a raison, comme d'habitude. Le pardon est peut-être difficile à accorder et il est certainement nécessaire d'éliminer les barrières. Mais une fois qu'il a été donné, plus rien n'a d'importance.

Je t'aime, Diana. Au diable tout le reste.

98

La messe se termina dans un silence et avec une lenteur qui contrastaient avec le reste de la cérémonie.

Conor alla se placer au fond de la cathédrale et l'attendit. Elle resta agenouillée encore quelques minutes. Quand elle se leva, rien sur son visage n'indiquait que ses prières lui aient apporté un espoir quelconque. La tête rentrée dans les épaules, elle se dirigea rapidement vers la sortie.

Conor se hâta de la rejoindre et lui saisit le bras :

— Je voudrais te présenter le recteur Ryan, Diana.

Elle lui jeta un coup d'œil, aucunement surprise, apparemment, par sa présence.

— D'accord, dit-elle simplement.

Le prêtre, sa soutane maintenant cachée sous une grosse veste pour le protéger de la neige qui s'était mise à tomber, saluait les derniers fidèles devant la cathédrale.

— De la neige le 5 avril! On aura tout vu!

— Monseigneur Ryan, puis-je vous présenter Diana Marie Lyons?

— Bien sûr que vous pouvez. Sa main émergea des profondeurs de la veste et serra celle que Diana tendait timidement. La dévastatrice Diana, n'est-ce pas?

— Dévastatrice? Elle réussit à faire un mince sourire. Le père Blackie charmait immanquablement les femmes, qui le trouvaient « mignon » et l'admiraient immédiatement.

— Squash. Il enfouit de nouveau sa main dans sa poche.

— Jouez-vous au squash, mon père?

— Seulement quand je ne peux pas faire autrement.

— Je parie que je pourrais vous battre. Un vrai rire cette fois, pas très vigoureux, mais un vrai rire quand même.

— Même si vous me donniez des points d'avance, je n'oserais pas relever le pari. Je me méfie des femmes sportives, comme mes trois sœurs.

— Pourrions-nous vous parler quelques instants, mon père? Si vous n'êtes pas trop occupé? demanda Conor.

— Un prêtre qui est trop occupé n'a pas donné à son personnel les libertés qu'il prendra de toutes façons. Voyons si nous pouvons retrouver le chemin du rectorat en passant par la cathédrale.

Diana ne fit aucune objection. Le cœur de Conor se mit à battre d'enthousiasme.

— Votre sermon était merveilleux, mon père, dit-elle avec respect.

— Le cardinal n'aime pas prêcher les jours tragiques, dit-il en scrutant la cathédrale comme s'il doutait de pouvoir guider ses invités jusqu'au rectorat. Alors, à la dernière minute, il m'a demandé de m'en charger.

— Il évite ce qui est tragique? demanda Diana d'un ton surpris tandis qu'ils descendaient l'une des allées.

— Bien au contraire; il en a vu beaucoup plus, au cours de sa vie, que n'importe lequel d'entre nous. Ah, je crois que si nous entrons dans la sacristie, et ensuite à droite... non, à gauche, puis jusqu'à l'escalier et encore à gauche, nous devrions arriver à mon bureau. Vu que c'est Vendredi Saint, j'ai bien peur de ne pouvoir vous offrir que du thé; c'est du thé aux framboises cependant; j'ai toujours trouvé qu'il évoquait parfaitement la Résurrection.

Diana étouffa un rire. Le charme de Blackie faisait son effet et le cœur de Conor bondit. Dans deux semaines, il allait l'épouser, dans cette même cathédrale.

J'ai déjà pensé à ça, non? Sauf que je ne lui ai jamais rien dit.

Ce soir, je lui dirai.

Le père Blackie les laissa un instant seuls dans son bureau, tandis qu'il s'affairait à préparer le thé.

— Tu habites Jefferson Park? Conor enleva son Burberry et le plaça par-dessus une pile de livres.

Pas un début très poétique.

Elle s'était assise sur le bord d'une chaise, son imperméable taché encore boutonné.

— J'ai emprunté la voiture de ma logeuse.

— Tu sembles très fatiguée.

— Je le suis... un peu.

Blackie apparut, chargé d'un superbe service de porcelaine anglaise, qu'il essaya de disposer avec force gestes maladroits.

— Attendez, je vais vous aider, proposa Diana. C'est un très beau service, Monseigneur.

— Merci, Diana. Mes sœurs remplacent les tasses plus vite que je ne parviens à les briser, mais à peine. Eh bien, jeunes gens, dit-il avec un sourire triomphant, nous voilà prêts pour la résurrection de notre Seigneur et pour notre thé aux framboises!

— Merci, Monseigneur. Elle lui sourit avec tant de chaleur que Conor en éprouva de la jalousie. Hmmm, très, très bon.

— En effet. Il ouvrit sa grosse veste et se pencha en avant.

— Voilà. Les mains de Conor étaient moites. Je ne vais probablement pas dire ceci comme je le voudrais, mais j'espère que vous comprendrez ce que je cherche à dire.

— Très bien.

Diana fixa sa tasse de thé.

— Il y a du lait ou du sucre, Diana.

— Comment? Oh, non merci Monseigneur.

— Vous disiez, Conor?

— Je disais autant se jeter à l'eau que j'aime Diana, que je l'ai aimée depuis le premier instant, à Long Beach et que je l'aime toujours. Les choses qui se sont produites depuis... elles ont été dures, mais je l'aime autant qu'auparavant. Je veux oublier le passé et repartir à zéro. Et comme je ne sais pas trop comment m'y prendre il commençait à perdre haleine j'ai pensé que vous pourriez nous aider, mon père.

— Je vois. Je ne trouve pas que votre position soit difficile à comprendre ni mal exprimée. Il se versa une tasse de thé. Diana, c'est à votre tour.

Sa tête resta baissée, tandis qu'elle soufflait sur son thé brûlant.

— Je ne sais pas du tout à quoi rime cette conversation, mon père. Je sais seulement que je devrais partir, pour que ma logeuse ne s'inquiète pas pour sa voiture.

— En effet.

— Diana... Conor sentait tout son espoir l'abandonner.

— Le problème de Conor, Monseigneur Ryan, c'est qu'il n'est qu'un enfant gâté – elle leva enfin les yeux, des yeux méprisants – et un imbécile.

— Ah. Le prêtre remplit sa propre tasse et celle de Conor, comme si la chose la plus importante au monde était de veiller à ce que tout le monde ait suffisamment de thé aux framboises.

— Il pense elle posa sa tasse et se leva que parce qu'il veut quelque chose, ou quelqu'un, cela lui donne automatiquement le droit de l'avoir. Ses parents l'ont laissé faire; maintenant, il veut que le monde entier le laisse faire.

— Il est bien trop fragile, répondit Blackie gravement, pour avoir été ce genre d'enfant, et il a trop souffert pour croire que le monde lui doit quoi que ce soit.

C'est comme si je n'étais pas là, se dit Conor.

— Il a entendu votre merveilleux sermon, Monseigneur – elle resserra la ceinture de son imperméable – et se voit comme Jésus, et moi comme Judas. Sauf que je ne crois pas qu'il soit Jésus et je sais que je ne suis pas Judas. Et je ne veux pas, pardonnez-moi Monseigneur, de son foutu pardon.

— Je vois. Si le petit prêtre ressentait quelque chose, il ne le montrait pas.

— Merci beaucoup pour le thé, Monseigneur; il était très bon. Maintenant, il faut que je rentre avant que la route ne soit trop enneigée.

— Diana... supplia Conor.

— Je ne veux plus en parler, dit-elle fermement.

— Diana Marie Lyons. La voix du recteur avait retenti comme une trompette.

Elle s'arrêta, la main sur la poignée de la porte.

— Oui?

— Ne sortez jamais seule dans le froid et la neige un soir de Vendredi Saint.

— C'est pourtant comme cela que nous mourons tous, n'est-ce pas, seuls dans la nuit de notre propre crucifixion?

— Seulement si nous avons vécu ainsi.

— Je suis trop épuisée pour une longue discussion, Monseigneur. Mais ne vous inquiétez pas pour moi; je ne suis pas Judas, je ne me méprise pas et je ne vais pas me pendre avec une corde.

— Oh non, rien de si rapide ni de si indolore. Le petit prêtre était debout maintenant, un doigt tendu vers elle. Ce n'est pas ainsi que les femmes irlandaises se détruisent. Je répète, ne sortez pas seule dans la neige du Vendredi Saint!

Elle hésita : la transformation de l'ecclésiastique l'avait impressionnée.

— Désolée, Monseigneur, je préfère être seule qu'avec lui. C'était une obsession, rien de plus.

— Pour être franc, intrépide Diana, ce que vous dites est absurde. Conor Clarke est parfaitement incapable de générer une obsession, ce qui devrait être évident à n'importe qui. Vous êtes tombée amoureuse de lui; c'est aussi simple, aussi inoffensif, aussi beau que cela.

— Je ne l'aime pas! cria-t-elle.

— Diana! Je ne veux pas d'excuses! C'est toi que je veux!

— Tu n'auras rien du tout. Elle claqua la porte.

— Une sortie magistrale. Blackie enleva ses lunettes et se frotta l'arête du nez.

— Ai-je dit quelque chose de mal? demanda Conor d'un ton désespéré.

— Absolument pas.

— Elle vient de rompre tous les ponts.

— Effectivement.

— Dans ce cas, je devrais me défaire de la bague, de la Mercedes et de la maison?

292

— Assurément. Le prêtre ne semblait pas écouter Conor très attentivement.

— Elle a le droit de résister.

— Sans aucun doute.

— Et je ne peux pas la forcer à changer.

— Pas du tout.

— Elle rejette mon pardon et mon amour.

— Totalement.

— Mais elle s'enterre elle-même!

— Exact.

— Donc, je devrais l'oublier?

— Certainement pas! Blackie remit ses lunettes et se leva vivement pour aller jusqu'à la fenêtre. Comment avez-vous pu arriver à cette conclusion?

Conor le suivit jusqu'à la fenêtre. La neige tombait toujours. Une grande femme marchait rapidement, le dos courbé, vers le stationnement. Elle s'arrêta pour laisser passer une voiture. Quand elle traversa l'avenue, elle sembla s'affaisser encore plus et son corps fut secoué de sanglots.

— J'ai peut-être surestimé sa résistance, murmura Blackie. Vous avez noté le fait curieux que, de même que le chien de Sherlock Holmes aboyait la nuit, elle est allée à la messe du Vendredi Saint à l'église polonaise?

— Elle n'y est pas allée.

— Exact. Et le chien n'a pas non plus aboyé dans la nuit. C'est cela qui était curieux.

— Elle est venue jusqu'ici dans l'espoir de me voir? Conor n'osait pas le croire.

— Elémentaire, mon cher Clarke.

— Elle a pris sa décision. Conor commençait à réaliser à quel point il avait été humilié.

— Certainement.

— Elle a fait son lit. Qu'elle s'y couche.

Diana était appuyée contre un mur, apparemment incapable d'aller plus loin.

— Un cliché indigne d'un poète. Mais la logique est inattaquable.

— Si je mettais mon Burberry, qu'elle déteste probablement parce que c'est un imperméable de riche, et si je cours après elle, elle va encore me rejeter.

— Selon toute probabilité.

— Et je me sentirai insulté et humilié.

— Un pronostic raisonnable.

— Donc je n'ai pas à le faire.

Blackie Ryan le regarda d'un air abasourdi.

— C'est illogique.

— Je ne vais pas mettre mon imperméable pour aller courir derrière elle. Elle peut retourner chez sa fichue logeuse et geler dans l'armure de glace qu'elle s'est fabriquée.

— En effet.

— Je ne vais pas courir après elle, mon père, absolument pas. Jamais. Il se débattit pour mettre son imperméable.

— Seulement en dernier recours, lui lança le prêtre tandis qu'il dévalait les escaliers.

99

Diana avait fait tomber les clés de la voiture et les cherchait dans l'obscurité du stationnement.

Elle n'avait pas craqué parce qu'elle avait perdu Conor – elle l'avait perdu depuis longtemps. Sa douleur était venue du fait qu'elle avait compris une chose : comme sa mère et le père Blackie le disaient, Conor était un jeune homme doux et fragile qu'elle avait terriblement blessé, trop pour pouvoir faire disparaître un jour la souffrance qu'elle lui avait causée.

Elle était ancrée irrévocablement dans le mal.

Alors, elle entendit courir sur la rampe d'accès. L'ange du destin venait la châtier.

Elle cessa de chercher les clés et se redressa pour faire face à ce qui l'attendait. Elle se sentait nue, sans défense, complètement à la merci de ce destin qui s'apprêtait à l'envelopper. Elle allait mourir, cesser d'être.

Elle n'avait plus le choix; elle était trop fatiguée pour courir.

Cet étrange petit prêtre avait raison : il y avait des amours absurdes et irrésistibles. Il faudrait qu'elle le lui dise quand elle irait se confesser.

Elle se retourna pour faire face à son destin. Les impossibles paroles lui échappèrent tout de suite :

— Je te demande pardon; je regrette.

Puis les autres, les plus faciles et les plus lumineuses de toutes :

— Je t'aime.

Là aussi, le père Ryan avait vu juste : dès que les deux premières phrases avaient été exprimées, elles avaient perdu toute importance. Seule la troisième comptait, et elle compterait pour toujours.

Son destin l'enveloppa, la submergea d'un torrent de protection qui était à la fois doux et paralysant, qui la posséda si entièrement qu'elle ne pouvait plus se distinguer de lui. Il disait quelque chose d'absurde, du genre « n'essaie plus jamais de te sauver ». Ce pauvre cher homme ne comprenait-il donc pas qu'elle n'avait même plus le choix?

Dans deux semaines? Si longtemps?

Puis, elle ressentit une terreur insoutenable. Je ne peux pas supporter cette nudité honteuse; il faut que je me cache.

Elle essaya de fondre en larmes, dans une dernière tentative pour se protéger.

Au lieu de cela, inexplicablement, elle éclata d'un rire incontrôlable.

100

Le recteur John Blackwood Ryan, de la cathédrale du Saint Nom, sortit le chapelet de la poche de son veston et le remit dans son pantalon. Le jeune couple était enlacé, pas aussi étroitement qu'auparavant. Si sa vue ne l'abusait pas, ils riaient. Tout compte fait, un meilleur début de leur vie commune que la plupart des couples.

Il poussa un soupir et s'approcha de la petite armoire à liqueurs. Il en sortit la bouteille de Jameson réserve spéciale, douze ans d'âge, l'examina, puis la rangea. Il prit une clé et ouvrit un compartiment secret où il protégeait ses meilleures bouteilles des incursions du cardinal et des autres prêtres de la cathédrale. Il en sortit un carton noir bordé d'or. Dans le carton, il y avait une bouteille à demi vide de whisky Black Bush, pur malt.

Il se servit quelques gouttes du précieux liquide pour marquer cette journée mémorable, se tourna vers la Vierge médiévale et lui porta un toast respectueux. Puis il lui fit un clin d'œil.

Sixième chant

Amante:

Que mes seins soient des tours que tu puisses escalader
Au-dessus du mur d'ivoire de mon ventre.
Recommence chaque jour, mon tout, mon centre,
Que je chante ta victoire pour toute l'éternité.
Que mon visage soit imprégné dans ton coeur
Pour que dans chaque souffle tu sentes ma chaleur,
Implacable comme la mort, mon amour,
Ma passion un feu divin ardent,
Inaccessible au déluge, aux orages violents,
Des frictions mortelles et des luttes toujours,
Et aux angoisses insidieuses de la vie,
Un besoin brûlant à jamais dans mon sang.

Chant d'amour, 8:5–8:8

Epilogue

Quelle que soit la réponse que l'on puisse apporter au problème... on ne peut ignorer le fait que même s'il ne s'agit que d'une anthologie dans l'esprit du rédacteur final (à moins qu'on ne le prenne pour un idiot), le Cantique des Cantiques n'a pas de fin: l'amour véritable est toujours la recherche d'une personne pour une autre; c'est un effort constant vers l'union de celle qui est, avant tout, l'aimée, avec le compagnon qui est l'unique.

– Daniel Lys
Le Plus Beau Chant de la Création

Achevé   Imprimerie
d'imprimer Gagné Ltée
au Canada Louiseville